LA GUERRE DES CLANS

Cycle II – Livre II

Clair de lune

L'auteur

Pour écrire *La guerre des Clans*, **Erin Hunter** puise son inspiration dans son amour des chats et du monde sauvage. Erin est une fidèle protectrice de la nature. Elle aime par-dessus tout expliquer le comportement animal grâce aux mythologies, à l'astrologie et aux pierres levées.

Du même auteur, chez Pocket Jeunesse :

Vous aimez les livres de la collection

LA GUERRE DES
CLANS

Écrivez-nous
pour nous faire partager votre enthousiasme :
Pocket Jeunesse, 12, avenue d'Italie, 75013 Paris.

Erin Hunter

La dernière prophétie
La guerre des
Clans

Cycle II – Livre II

Clair de lune

Traduit de l'anglais par Aude Carlier

POCKET JEUNESSE
PKJ·

Titre original :
Moonrise

Loi n° 49 956 du 16 juillet 1949 sur les publications
destinées à la jeunesse : octobre 2011.

© 2005, Working Partners Ltd.
Publié pour la première fois en 2005
par Harper Collins *Publishers*.
Tous droits réservés.
© 2009, 2012, éditions Pocket Jeunesse,
département d'Univers Poche
pour la traduction française et la présente édition.
La série « La guerre des Clans » a été créée
par Working Partners Ltd, Londres.

ISBN 978-2-266-22283-9

Remerciements tout particuliers à Cherith Baldry.

CLANS

CLAN DU TONNERRE

CHEF   **ÉTOILE DE FEU** – mâle au beau pelage roux.

LIEUTENANT   **PLUME GRISE** – chat gris plutôt massif à poil long.

GUÉRISSEUSE   **MUSEAU CENDRÉ** – chatte gris foncé.
APPRENTIE : NUAGE DE FEUILLE.

GUERRIERS   (mâles et femelles sans petits)

POIL DE SOURIS – petite chatte brun foncé.
APPRENTI : NUAGE D'ARAIGNÉE.

PELAGE DE POUSSIÈRE – mâle au pelage moucheté brun foncé.

APPRENTIE : NUAGE D'ÉCUREUIL.

TEMPÊTE DE SABLE – chatte roux pâle.
APPRENTIE : NUAGE DE CHÂTAIGNE.

FLOCON DE NEIGE – chat blanc à poil long, fils de Princesse, neveu d'Étoile de Feu.

POIL DE FOUGÈRE – mâle brun doré.
APPRENTIE : NUAGE AILÉ.

CŒUR D'ÉPINES – matou tacheté au poil brun doré.
APPRENTI : NUAGE DE MUSARAIGNE.

CŒUR BLANC – chatte blanche au pelage constellé de taches rousses.

GRIFFE DE RONCE – chat au pelage sombre et tacheté aux yeux ambrés, anciennement Nuage Épineux.

PELAGE DE GRANIT – chat aux yeux bleu foncé et à la fourrure gris pâle constellée de taches plus foncées.

PERLE DE PLUIE – chat gris foncé aux yeux bleus.

PELAGE DE SUIE – chat gris clair aux yeux ambrés.

APPRENTIS   (âgés d'au moins six lunes, initiés pour devenir des
                 guerriers)

    NUAGE DE CHÂTAIGNE – chatte blanc et écaille
    aux yeux ambrés.

    NUAGE D'ÉCUREUIL – chatte roux foncé aux yeux
    verts.

    NUAGE DE FEUILLE – chatte brun pâle tigrée aux
    yeux ambrés et aux pattes blanches.

    NUAGE D'ARAIGNÉE – chat noir haut sur pattes
    au ventre brun et aux yeux ambrés.

    NUAGE DE MUSARAIGNE – petit chat brun foncé
    aux yeux ambrés.

    NUAGE AILÉ – chatte blanche aux yeux verts.

REINES   (femelles pleines ou en train d'allaiter)

    BOUTON-D'OR – chatte roux pâle, la plus âgée des
    reines.

    FLEUR DE BRUYÈRE – chatte aux yeux verts et à
    la fourrure gris perle constellée de taches plus
    foncées.

ANCIENS   (guerriers et reines âgés)

    PELAGE DE GIVRE – chatte à la belle robe blanche
    et aux yeux bleus.

    PLUME CENDRÉE – femelle écaille, autrefois très
    jolie, qui est la doyenne du Clan.

    PERCE-NEIGE – chatte crème mouchetée.

    LONGUE PLUME – chat crème rayé de brun.

CLAN DE L'OMBRE

CHEF   ÉTOILE DE JAIS – grand mâle blanc aux larges
                 pattes noires.

LIEUTENANT   FEUILLE ROUSSE – femelle roux sombre.

GUÉRISSEUR   PETIT ORAGE – chat tigré très menu.

GUERRIERS   BOIS DE CHÊNE – matou brun de petite taille.
                 APPRENTI : NUAGE DE FUMÉE.

PELAGE D'OR – chatte écaille aux yeux verts.

CŒUR DE CÈDRE – mâle gris foncé.

PELAGE FAUVE – chat roux.
APPRENTI : NUAGE PIQUANT.

FLEUR DE PAVOT – chatte tachetée brun clair haute sur pattes.

ANCIEN   **RHUME DES FOINS** – mâle gris et blanc de petite taille.

CLAN DU VENT

CHEF   **ÉTOILE FILANTE** – mâle noir et blanc à la queue très longue.

LIEUTENANT   **GRIFFE DE PIERRE** – mâle brun foncé au pelage pommelé.

APPRENTI : NUAGE NOIR – mâle gris foncé, presque noir, aux yeux bleus.

GUÉRISSEUR   **ÉCORCE DE CHÊNE** – chat brun à la queue très courte.

GUERRIERS   **MOUSTACHE** – mâle brun tacheté.

PLUME NOIRE – matou gris foncé au poil moucheté.

OREILLE BALAFRÉE – chat moucheté.

AILE ROUSSE – petite chatte blanche.

ANCIEN   **BELLE-DE-JOUR** – femelle écaille.

CLAN DE LA RIVIÈRE

CHEF   **ÉTOILE DU LÉOPARD** – chatte au poil doré tacheté de noir.

LIEUTENANT   **PATTE DE BRUME** – chatte gris-bleu foncé aux yeux bleus.

GUÉRISSEUR   **PATTE DE PIERRE** – chat brun clair à poil long.
APPRENTIE : PAPILLON – jolie chatte au pelage doré et aux yeux ambrés.

GUERRIERS	**GRIFFE NOIRE** – mâle au pelage charbonneux.
	GROS VENTRE – mâle moucheté très trapu.
	PELAGE D'ORAGE – chat gris sombre aux yeux ambrés.
	JOLIE PLUME – chatte gris perle aux yeux bleus.
	PLUME DE FAUCON – chat massif au pelage brun tacheté.
REINES	**PELAGE DE MOUSSE** – chatte écaille-de-tortue.
	FLEUR DE L'AUBE – chatte gris perle.
ANCIENS	**VENTRE AFFAMÉ** – chat brun foncé.
	PELAGE D'OMBRE – chatte d'un gris très sombre.

DIVERS

GERBOISE – mâle noir et blanc qui vit près d'une ferme, de l'autre côté de la forêt.

NUAGE DE JAIS – petit chat noir au poil lustré, avec une tache blanche sur la poitrine et le bout de la queue, ancien apprenti du Clan du Tonnerre qui vit avec Gerboise.

ISIDORE – vieux matou tigré qui vit dans les bois près de la mer.

Charnier

Camp de l'Ombre

Chemin du Tonnerre

Camp du Tonnerre

Grand Sycomore

Rochers aux Serpents

Combe sablonneuse

Grands Pins

Cabane à couper le bois

Ville des Bipèdes

Clan du Tonnerre

Clan de la Rivière

Clan de l'Ombre

Clan du Vent

Clan des Étoiles

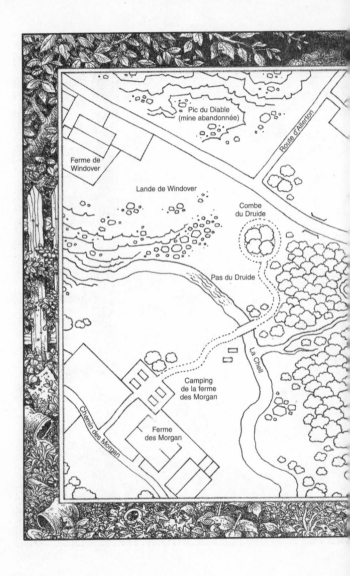

Pic du Diable
(mine abandonnée)

Route d'Allerton

Ferme de
Windover

Lande de Windover

Combe
du Druide

Pas du Druide

La Chell

Camping
de la ferme
des Morgan

Chemin des Morgan

Ferme
des Morgan

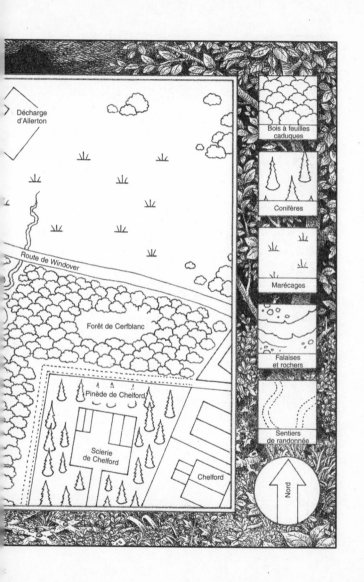

Décharge
d'Allerton

Route de Windover

Forêt de Cerfblanc

Pinède de Chelford

Scierie
de Chelford

Chelford

Bois à feuilles
caduques

Conifères

Marécages

Falaises
et rochers

Sentiers
de randonnée

Nord

PROLOGUE

Un par un, les chats se faufilèrent dans la grotte. Leur fourrure était striée de boue. Leurs yeux écarquillés, apeurés, reflétaient la froide lumière du clair de lune, qui filtrait par une fissure dans le plafond. Ils rampaient en silence et leurs yeux papillonnaient d'un côté puis de l'autre comme s'ils guettaient un danger tapi dans les ombres.

La faible lueur de la lune, réfléchie par les flaques d'eau au sol, éclairait une forêt de roches acérées qui s'élevaient de terre et tombaient de la voûte. Çà et là, quelques pointes se rejoignait en leur centre pour figurer de frêles arbres de pierre blanche luisante. Le vent soufflait entres ces rocs, ébouriffant la fourrure des félins. L'air, humide et frais, leur apportait le rugissement lointain d'une chute d'eau.

Un chat au long corps musclé sortit de derrière l'une de ces pointes rocheuses. La boue qui recouvrait complètement sa fourrure avait séché en formant des pics et lui donnait l'air d'un matou sculpté dans la pierre.

« Bienvenue, miaula-t-il d'une voix éraillée. Le clair de lune se reflète sur l'eau. Comme l'exigent

17

les lois de la Tribu de la Chasse Éternelle, le temps du Conte est venu. »

L'un des visiteurs s'avança d'un pas, inclinant la tête devant le félin au pelage boueux.

« Conteur, as-tu reçu un signe ? La Tribu de la Chasse Éternelle t'a-t-elle parlé ? »

Une autre voix s'éleva derrière lui.

« Y a-t-il enfin de l'espoir ? »

Conteur acquiesça.

« J'ai vu les mots de la Tribu de la Chasse Éternelle dans le reflet de la lune sur les rochers, dans les ombres projetées par les pierres, dans le chant des gouttes de pluie qui tombent du plafond. » Il marqua une pause pour balayer du regard l'assemblée de chats. « Oui, poursuivit-il. Ils m'ont dit qu'il y avait lieu d'espérer. »

Un léger murmure, un bruissement, parcourut le groupe de félins. Leurs yeux semblèrent s'éclaircir et leurs oreilles se dressèrent. Celui qui s'était avancé miaula d'un ton hésitant.

« Tu sais donc ce qui nous débarrassera de ce terrible danger ?

— Oui, Pic, répondit Conteur. La Tribu de la Chasse Éternelle m'a promis qu'un chat viendrait, un chat argenté étranger à cette Tribu, qui nous débarrassera de Long Croc une bonne fois pour toutes. »

Le silence se fit, puis une autre voix s'éleva à l'arrière du groupe :

« Il y a donc d'autres chats, en dehors de la Tribu de l'Eau Vive ?

— Forcément, répondit un camarade.

— J'ai entendu parler d'étrangers, miaula Pic,

18

même si nous n'en avons jamais vu de notre vie. Quand le chat argenté viendra-t-il ? demanda-t-il d'un ton désespéré, tandis que les félins qui l'entouraient miaulaient leur inquiétude.

— Oui, quand donc ?

— Est-ce bien vrai ? »

Conteur leur intima le silence d'un mouvement de la queue.

« Oui, c'est la vérité. La Tribu de la Chasse Éternelle ne nous a jamais menti. J'ai vu de mes propres yeux le reflet luisant de sa fourrure argentée, dans une flaque où la lune se baignait.

— Mais *quand* ? insista Pic.

— La Tribu de la Chasse Éternelle ne me l'a pas montré, répondit Conteur. Je ne sais pas quand le chat argenté viendra, ni d'où, mais nous le reconnaîtrons à son arrivée. »

Il leva la tête vers la voûte de la grotte et dans ses yeux brillèrent deux petites lunes.

« D'ici là, chats de ma Tribu, nous ne pouvons qu'attendre. »

CHAPITRE 1

P<small>ELAGE</small> D'O<small>RAGE</small> <small>OUVRIT LES YEUX</small>. Il cilla, s'efforçant de se rappeler où il se trouvait. Il n'était pas
couché au creux de son nid de roseaux, dans le camp
du Clan de la Rivière, mais sur une litière de fougères sèches et craquantes. Au-dessus de lui s'étendait le plafond de tourbe d'un terrier, maintenu par
un treillis de racines entremêlées. Un rugissement
régulier résonnait au loin. Il en fut d'abord étonné,
puis tout lui revint d'un coup : ils étaient aux abords
de l'endroit où le soleil sombrait dans l'eau, là où
les vagues venaient inlassablement lécher le rivage.
Une vision soudaine le saisit : il se souvint comment Griffe de Ronce et lui avaient lutté pour ne
pas périr noyés ; il cracha, sentant encore sur sa
langue le goût piquant du sel. L'eau n'avait pourtant
pas de secret pour lui : les membres de son Clan
étaient les seuls à pouvoir nager facilement dans la
rivière de la forêt. Mais il était impuissant dans cette
eau-là, trop remuante, salée, violente.

D'autres souvenirs lui revinrent. Dépêchés par le
Clan des Étoiles, des chats issus des quatre Clans
s'étaient lancés dans un long et dangereux périple
pour entendre ce que Minuit avait à leur dire. Ils

21

s'étaient frayé un chemin en territoire inconnu, à travers des rangées de nids de Bipèdes, ils avaient affronté des chiens et des rats, pour faire enfin une découverte incroyable : Minuit était un blaireau.

Pelage d'Orage fut transi d'horreur en se rappelant le terrible message de Minuit : les Bipèdes détruisaient la forêt pour construire un nouveau Chemin du Tonnerre. Tous les Clans devraient partir, et il revenait aux élus du Clan des Étoiles de les prévenir et de les guider vers leur nouveau territoire.

Pelage d'Orage s'assit et scruta le terrier du regard. Une faible lumière filtrait par le tunnel qui menait au sommet de la falaise, ainsi qu'un léger courant d'air frais charriant l'odeur de l'eau salée. Minuit, le blaireau, n'était nulle part en vue. Près de Pelage d'Orage, Jolie Plume, sa sœur, dormait encore, la queue ramenée sur le nez. Venait ensuite Pelage d'Or, la guerrière farouche du Clan de l'Ombre. Pelage d'Orage était soulagé de voir qu'elle dormait paisiblement : la morsure de rat reçue chez les Bipèdes la tourmentait moins, sans doute. Dans sa réserve de plantes, Minuit avait déniché le nécessaire pour soigner l'infection et aider la chatte à dormir. De l'autre côté du terrier, un peu à l'écart, se reposait Nuage Noir, l'apprenti du Clan du Vent ; son pelage sombre était à peine visible parmi les branches de fougères. Griffe de Ronce, le frère de Pelage d'Or, était étendu près de l'entrée, contre Nuage d'Écureuil qui somnolait, roulée en boule. La jeune chatte avait suivi Griffe de Ronce après une dispute avec Étoile de Feu, son père. Pelage d'Orage ressentit une pointe de jalousie devant les deux chats du Clan du Tonnerre blottis l'un contre l'autre, mais il tenta de ne plus y penser. Il n'avait pas le droit d'admirer Nuage d'Écureuil, son courage et son éternel optimisme, puisqu'ils venaient tous deux de Clans différents. Griffe de Ronce serait un bien meilleur compagnon pour elle.

Pelage d'Orage devait maintenant réveiller ses amis pour qu'ils entament le long voyage qui les ramènerait à la forêt. Pourtant, bizarrement, il n'en avait pas envie. *Laissons-les se reposer un peu plus longtemps*, se dit-il. *Nous aurons besoin de toutes nos forces pour affronter ce qui nous attend.*

Il s'ébroua pour débarrasser son pelage des brins de fougère et foula le sol du terrier jusqu'à la sortie. Une rafale de vent ébouriffa sa fourrure lorsqu'il émergea dans l'herbe haute. Ses poils avaient fini par sécher après sa quasi-noyade de la veille, et une nuit de sommeil l'avait ragaillardi. Il prit le temps de regarder le paysage : devant lui la falaise plongeait dans une étendue d'eau infinie où se reflétait la pâle lueur de l'aube.

Le guerrier ouvrit la gueule pour mieux humer l'air, guettant la trace d'une proie. Mais il ne perçut qu'une forte odeur de blaireau. Minuit était assis sur le plus haut rocher de la falaise, ses petits yeux luisants fixés sur les étoiles qui disparaissaient peu à peu. Derrière lui à l'horizon, tout au bout de la lande, une bande de lumière crémeuse annonçait le lever du soleil. Pelage d'Orage le rejoignit. Il s'inclina avec respect avant de s'asseoir.

« Bonjour, guerrier gris, glapit Minuit. Toi dormir assez ?

— Oui, merci, Minuit. »

Pelage d'Orage s'étonnait encore de leur amitié, alors que les blaireaux avaient toujours été des ennemis mortels des Clans.

Mais Minuit n'était pas un blaireau ordinaire. Il semblait plus proche du Clan des Étoiles que n'importe quel guerrier, à l'exception peut-être des guérisseurs. Il avait beaucoup voyagé et, au fil du temps, il était devenu assez sage pour prédire l'avenir.

Pelage d'Orage l'observa du coin de l'œil. Le blaireau n'avait pas quitté des yeux les dernières étoiles dans le ciel matinal.

« Peux-tu réellement y lire les signes du Clan des Étoiles ? demanda-t-il, curieux, espérant que les terribles prédictions de la nuit passée disparaîtraient avec les premières lueurs du jour.

— Moi pouvoir lire partout, répondit le blaireau. Dans les étoiles, l'eau des rivières, les reflets de lumière sur les vagues. Des mondes entiers parler, si oreilles ouvertes pour écouter.

— Alors je dois être sourd, miaula Pelage d'Orage. L'avenir me semble bien sombre.

— Non pas ! guerrier gris, fit Minuit de sa voix éraillée. Regarde. » De son museau, il indiqua un guerrier solitaire du Clan des Étoiles qui brillait encore, juste au-dessus de l'horizon. « Le Clan des Étoiles voir notre rencontre. Content il est, et de l'aide lui donner dans les sombres jours à venir. »

Pelage d'Orage leva la tête vers le point lumineux et poussa un léger soupir. Il n'était pas guérisseur, il n'avait guère l'habitude de partager les rêves des guerriers de jadis. Sa tâche était de mettre sa force et son habileté au service de son Clan – et de tous les autres chats de la forêt, désormais. Minuit leur avait bien fait comprendre que les Clans seraient détruits jusqu'au dernier s'ils ne parvenaient pas à s'unir.

« Minuit, lorsque nous rentrerons chez nous… »

Il ne posa jamais sa question. Un cri l'interrompit. En se tournant, il vit Nuage d'Écureuil jaillir du tunnel qui descendait au terrier du blaireau. Elle s'immobilisa à l'entrée, son pelage roux gonflé et ses oreilles à l'affût.

« Je meurs de faim ! annonça-t-elle. Où se cache le gibier, par ici ?

— Bouge-toi de là et laisse-nous sortir. » La voix courroucée de Nuage Noir retentit derrière elle. « Ensuite, on pourra peut-être te répondre. »

Nuage d'Écureuil avança de quelques bonds, et l'apprenti du Clan du Vent surgit à son tour, suivi de près par Jolie Plume. Celle-ci prit plaisir à s'étirer au soleil. Pelage d'Orage se leva pour rejoindre sa sœur et la saluer en collant sa truffe contre son museau. Il n'avait pas été choisi par le Clan des Étoiles, mais avait insisté pour partir avec eux afin de protéger Jolie Plume. Comme ils n'avaient jamais connu leur mère et que leur père vivait dans un autre Clan, ils étaient bien plus proches que les autres frères et sœurs.

Minuit le suivit d'un pas lourd et salua les félins d'un hochement de tête.

« Pelage d'Or se sent beaucoup mieux, ce matin, déclara Jolie Plume. Elle affirme que son épaule ne la fait presque plus souffrir. » Elle ajouta à l'intention de Minuit : « La racine de glouteron que tu lui as donnée a fait des merveilles.

« — La racine, ça bon, grommela le blaireau. Maintenant guerrière blessée pouvoir voyager. »

Pelage d'Or apparut à cet instant à l'embouchure du tunnel. Pelage d'Orage se réjouit en constatant qu'elle avait repris des forces après son long sommeil : elle ne boitait presque plus.

Derrière Pelage d'Or surgit Griffe de Ronce, son frère, qui cligna des yeux, aveuglé par la lumière du petit matin.

« Le soleil est presque levé, miaula-t-il. Il est temps de partir.

— Mais nous devons d'abord manger ! s'indigna Nuage d'Écureuil. Mon ventre grogne plus fort qu'un monstre sur le Chemin du Tonnerre. Je pourrais dévorer un renard, avec la fourrure et le reste ! »

Pelage d'Orage était d'accord. La faim le tenaillait, lui aussi, et il savait que l'estomac vide ils seraient incapables d'affronter le long voyage du retour. Pourtant, comme Griffe de Ronce, il était pressé de se mettre en route : que feraient-ils s'ils découvraient que, dans la forêt, des guerriers étaient morts à cause de leur retard ?

Exaspéré, Griffe de Ronce répondit d'une voix ferme :

« Nous trouverons du gibier en chemin. Dès que nous aurons regagné les bois où nous nous étions arrêtés à l'aller, nous pourrons chasser comme il faut.

— Quelle boule de poils autoritaire ! marmonna Nuage d'Écureuil.

— Griffe de Ronce a raison, intervint Pelage

26

d'Or. Qui sait ce qui se passe chez nous ? Nous n'avons pas de temps à perdre. »

Les autres chats acquiescèrent, même Nuage Noir qui, d'habitude, remettait systématiquement en question les décisions de Griffe de Ronce. Pelage d'Orage constata avec stupeur que leur long voyage les avait transformés : ils n'étaient plus un groupe de rivaux batailleurs, mais une force unifiée, tournée vers un seul but : sauver leurs camarades de Clan et le code du guerrier qui les avait protégés si longtemps. Le guerrier gris eut soudain l'impression réconfortante d'être à sa juste place. Sa situation au sein du Clan de la Rivière était compliquée : à cause de leur héritage de clan-mêlé, les autres guerriers se méfiaient de lui et de Jolie Plume. Or, dans ce petit groupe, il avait trouvé des amis qui le jugeaient sans penser sans cesse aux différences de Clans.

Griffe de Ronce s'avança vers Minuit.

« Tous les Clans te remercient, miaula-t-il.

— Pas tout de suite, les adieux. Moi vous accompagner jusqu'aux bois, moi m'assurer vous être sur bon chemin. »

Sans attendre de réponse, il s'élança d'un pas lourd sur la lande. Droit devant, le ciel était maintenant d'une luminosité éclatante ; le soleil se levait peu à peu au-dessus de l'horizon. Pelage d'Orage cligna des yeux, heureux de voir la lumière dorée. Le couchant les avait guidés à l'aller ; le levant les guiderait au retour, jusque chez eux.

Les quatre élus avaient quitté la forêt en suivant aveuglément une mystérieuse prophétie envoyée par le Clan des Étoiles. Maintenant qu'ils en

27

connaissaient la signification, il leur était plus facile de décider de la marche à suivre. D'un autre côté, penser au terrible danger qui menaçait leurs Clans les terrifiait.

« Alors, qu'est-ce qu'on attend ? » lança Nuage d'Écureuil, qui filait déjà pour rejoindre Minuit.

Griffe de Ronce la suivit d'un pas plus mesuré, perdu dans ses pensées – peut-être imaginait-il toutes les difficultés qu'ils devraient affronter avant de retrouver leur forêt. Près de lui, Pelage d'Or semblait ragaillardie par sa nuit de sommeil. Elle boitait toujours, mais ses yeux ne trahissaient nulle douleur, juste de la détermination. Jolie Plume trottait la queue en l'air, éblouie par cette belle matinée, tandis que Nuage Noir galopait près d'elle, les oreilles bien droites et les muscles tendus.

Pelage d'Orage, qui fermait la marche, murmura une prière rapide au Clan des Étoiles : *Guidez nos pattes et ramenez-nous tous sains et saufs chez nous.*

Tandis que le soleil prenait de la hauteur, le ciel devenait d'un bleu profond, parsemé de petits nuages duveteux. Le temps était chaud et agréable pour cette saison des feuilles mortes finissante. Une brise souffla, Pelage d'Orage saliva en flairant une odeur de lapin. Du coin de l'œil, il aperçut une queue blanche sautillant au loin ; le lapin disparut derrière un talus.

Nuage Noir bondit à sa suite.

« Attends ! Où vas-tu ? » cria Griffe de Ronce, mais l'apprenti du Clan du Vent était déjà trop loin. La queue du guerrier tacheté battit l'air avec irritation. « Il n'écoute jamais rien !

— Il n'en aura pas pour longtemps, le rassura

Jolie Plume. On ne peut quand même pas lui demander d'ignorer un lapin qui passe sous son nez ! »

Griffe de Ronce répondit par un nouveau battement de queue.

« Je vais le ramener », annonça Pelage d'Orage, bandant ses muscles pour rattraper l'apprenti.

Mais à cet instant, le chat gris sombre revenait, traînant un lapin presque aussi gros que lui.

« Voilà, miaula-t-il d'un ton sec en lâchant sa prise. Je n'ai pas perdu de temps, pas vrai ? J'imagine qu'on a le droit de faire une pause pour le manger ?

— Bien sûr, répondit Griffe de Ronce. Désolé, Nuage Noir. J'avais oublié à quel point les membres du Clan du Vent peuvent être rapides. Cette… lande doit te rappeler ton territoire. »

Nuage Noir accepta les excuses d'un léger hochement de tête, puis les six chats s'installèrent autour de leur repas. Pelage d'Orage s'arrêta soudain de manger en remarquant une lueur admirative dans les yeux de Jolie Plume. Sa sœur ne pouvait quand même pas s'intéresser à Nuage Noir ? Il n'était bon qu'à contredire tout le monde et jouer au brave comme s'il était déjà un guerrier ! Un chat d'un autre Clan… et un apprenti, en plus ! Il n'avait aucun droit de tourner autour de Jolie Plume. D'ailleurs, que pouvait-elle lui trouver ? Ignorait-elle tous les problèmes que ce genre d'alliance pouvait causer ? N'avait-elle donc rien appris de l'histoire de leurs parents ?

Son regard passa à Nuage d'Écureuil. Avait-il le droit de critiquer sa sœur quand lui-même appréciait

29

tant l'apprentie du Clan du Tonnerre ? Enfin, se dit-il, on ne pouvait qu'admirer son courage et son intelligence. Et lui n'était pas assez idiot pour se lancer dans une histoire avec une chatte d'un autre Clan, alors qu'il savait très bien qu'ils n'avaient aucun avenir ensemble.

Pelage d'Orage reprit une bouchée de lapin en soupirant. Il se faisait peut-être des idées ; après tout, n'importe quel chat aurait admiré l'habileté de Nuage Noir.

Pendant que les félins se délectaient, Minuit attendait à quelques pas de là. Pelage d'Orage le vit racler la terre de ses griffes puissantes et laper les larves et les scarabées qu'il dérangeait. Il plissait les yeux comme s'il avait du mal à trouver sa nourriture à la lumière du soleil, mais il ne dit rien et, dès que les chats eurent nettoyé la carcasse du lapin, le blaireau repartit vers le levant.

Minuit avait beau leur montrer le chemin le plus direct, le soleil était déjà à son zénith lorsqu'ils atteignirent le sommet d'une petite colline surplombant une étendue boisée. Après leur longue traversée de la lande sous le soleil, l'ombre sous les arbres sembla à Pelage d'Orage aussi prometteuse qu'un torrent.

Ils approchaient des bois lorsqu'il aperçut ce qui ressemblait à un tas de fourrure tigrée tapi dans l'herbe haute, sous un buisson. Sa queue s'agita lorsqu'il reconnut le vieux matou qui à l'aller les avait guidés – et avait failli les perdre pour toujours – à travers le territoire des Bipèdes.

« Hé ! Isidore, appela Griffe de Ronce. Nous voici de retour. »

Une tête ronde et large émergea du tas de fourrure, les moustaches frémissantes et les yeux clignant – d'abord d'étonnement, puis en signe de bienvenue. Le vieux félin se redressa tant bien que mal et fit quelques pas vers eux. Il en profita pour, d'une secousse, se débarrasser des feuilles mortes collées à sa fourrure négligée.

« Ça alors ! Je ne pensais point vous revoir un jour ! » Il se tut soudain, les yeux rivés sur quelque chose derrière l'épaule de Pelage d'Orage. « Ne bougez pas d'une moustache ! feula-t-il. Il y a un blaireau derrière vous. Laissez-moi faire. Je m'en charge…

— Tout va bien, Isidore, le coupa Pelage d'Orage, tandis que Nuage d'Écureuil entortillait sa queue d'un air amusé. C'est Minuit. Un ami. »

Le vieux matou dévisagea Pelage d'Orage, bouche bée.

« Un ami ? On ne devient pas ami avec un blaireau, jeune félin. On ne peut pas leur faire confiance. »

Pelage d'Orage coula un regard vers le blaireau, craignant que les paroles d'Isidore ne l'aient blessé. À son grand soulagement, les petits yeux noirs de l'animal brillaient et il semblait aussi amusé que Nuage d'Écureuil.

« Viens donc faire la connaissance d'Isidore, l'encouragea Pelage d'Orage. Il nous a guidés à travers le territoire des Bipèdes. »

Minuit avança d'un pas lourd jusqu'au vieux matou tigré. Guère rassuré, Isidore se tapit dans l'herbe ; la fourrure hérissée, il montrait ses crocs abîmés. Pelage d'Orage ne put qu'admirer son courage face à cette bête qui aurait pu l'aplatir d'un seul coup de patte.

« Pas de bagarre, le rassura Minuit. L'ami de mes amis être aussi mon ami. Eux beaucoup parler de toi. »

Les oreilles d'Isidore frémirent.

« On ne peut pas dire que je sois content de te rencontrer, marmonna-t-il. Mais j'imagine que tu es réglo, s'ils l'affirment tous. » Il recula d'un pas pour se tourner vers Griffe de Ronce. « Pourquoi s'attarder ici ? Il y a des Deux-Pattes et des chiens partout. Dites-lui au revoir et allons-y.

— Attends ! protesta vigoureusement Nuage d'Écureuil, et elle foudroya Griffe de Ronce du regard. Tu disais qu'on pourrait chasser.

— C'est ce qu'on va faire. »

Il huma l'air, imité par Pelage d'Orage, et fut soulagé de constater que toutes les odeurs de chien étaient anciennes. Il pensa qu'Isidore avait usé de ce prétexte pour s'éloigner de Minuit.

« Bon, reprit-il. Séparons-nous et chassons au plus vite. Nous nous retrouverons à l'endroit où nous avions passé la nuit à l'aller. Pelage d'Or, veux-tu y aller directement ? »

Les prunelles de la guerrière du Clan de l'Ombre luisaient lorsqu'elle répondit :

« Non, merci, je peux chasser aussi bien que vous. »

Avant que l'un de ses camarades ne proteste, Minuit la rejoignit et la poussa gentiment du museau.

« Guerrière idiote, grogna-t-il. Toi te reposer si

c'est possible. Montre-moi l'endroit. Moi rester tant
que soleil haut, rentrer à la nuit. »

Pelage d'Or haussa les épaules.

« D'accord, Minuit », céda-t-elle.

Elle s'enfonça alors dans les bois, suivant le ruisseau jusqu'à la pente couverte d'aubépines où ils
avaient fait halte à l'aller.

L'air était plus frais à l'ombre des arbres. Pelage
d'Orage commença à se détendre, se sentant plus en
sécurité dans les bois que sur la lande. Pourtant, le
cours d'eau chantant, trop peu profond pour abriter
des poissons, n'était guère comparable à la rivière
qu'il aimait tant. Son cœur se serra à l'idée que,
lorsqu'il reverrait un jour sa rivière, ce serait pour
lui faire ses adieux. Minuit les avait prévenus : les
Clans devraient quitter la forêt le plus rapidement
possible.

Un bruissement dans les sous-bois lui rappela
qu'il mourait de faim. Il serait agréable de partir un
instant avec sa sœur, pour chasser ensemble comme
ils le faisaient chez eux. Cependant, lorsqu'il se
tourna vers elle, il vit que Nuage Noir lui parlait à
l'oreille.

« Tu veux venir chasser avec moi ? marmonnait
l'apprenti d'un air embarrassé. On s'en tirera mieux
à deux.

— Oh, avec plaisir ! » Les yeux de Jolie Plume
pétillaient. Elle aperçut alors son frère, et sembla
encore plus gênée que le petit chat gris sombre.
« Euh… pourquoi ne chasserait-on pas tous ensemble ? »

Nuage Noir se détourna. Pelage d'Orage sentit

les poils de sa nuque se hérisser. Quel droit avait cet apprenti d'inviter sa sœur à chasser ?

« Non, je me débrouille très bien tout seul », rétorqua Pelage d'Orage.

Il pivota vivement et plongea dans les sous-bois, ignorant l'expression blessée de sa sœur.

Mais dès qu'il se retrouva sous les plus basses branches des buissons, son irritation se dissipa. Ses oreilles frémirent et, tous ses sens en alerte, il fut prêt à la chasse.

Il surprit bientôt une souris fouinant dans les feuilles mortes et l'acheva d'un coup de patte. Satisfait, il couvrit de terre le petit corps brun et se remit à l'affût. Il ajouta bientôt un écureuil et une deuxième souris à sa réserve. Sachant qu'il ne pourrait en ramener davantage, il s'élança vers le lieu de rendez-vous.

En chemin, il pensa à Jolie Plume, regrettant presque de ne pas être resté avec elle. Il avait eu tort de l'abandonner dans cet endroit inconnu, sur un simple mouvement d'humeur. Que ferait-il si quelque chose lui arrivait ?

Dès qu'il atteignit le camp de fortune, il vit Pelage d'Or étendue à l'ombre d'une aubépine, sa fourrure écaille-de-tortue à peine visible dans la lumière poudrée du soleil. Près d'elle, Minuit somnolait. La blessure de la chatte avait été une nouvelle fois couverte de racine de glouteron. Le blaireau devait en avoir trouvé près du ruisseau. Perché sur une racine tordue, Griffe de Ronce dominait l'endroit comme s'il montait la garde, pendant que Jolie Plume et Nuage Noir se partageaient un écureuil non loin de là. Lorsque Pelage d'Orage déposa ses prises sur le petit tas de gibier au centre de la combe, Nuage d'Écureuil apparut en haut de la pente, traînant un lapin derrière elle, suivie d'Isidore qui portait deux souris entre ses mâchoires.

« Bien, nous sommes tous là, miaula Griffe de Ronce. Restaurons-nous avant de partir. »

Il les rejoignit d'un bond et choisit un étourneau. Pelage d'Orage apporta une des souris qu'il avait attrapées à Jolie Plume et s'installa près d'elle, en face de Nuage Noir.

« La chasse a été bonne ? » demanda-t-il.

Jolie Plume cligna des yeux.

« Très bonne, merci. Il y a tellement de gibier, ici ! Quel dommage que nous ne puissions rester plus longtemps. »

Les guerriers gris mangèrent en silence.

Pelage d'Orage venait de commencer à toiletter son épaisse robe lorsqu'il entendit un grognement grave derrière lui. Griffe de Ronce leva la tête, l'inquiétude illuminait ses prunelles jaunes.

Une odeur familière chatouilla ses narines juste avant que deux longues silhouettes fauves n'émergent des fougères au bord du ruisseau.

Des renards !

CHAPITRE 2

LE NEZ FRONCÉ, NUAGE DE FEUILLE tenta de ne pas cracher de dégoût. Elle secoua la tête, écarta d'une patte la fourrure de Poil de Châtaigne, puis tamponna la boule de mousse imprégnée de bile de souris sur la tique enfouie dans les poils.

La chatte se tortilla à ce contact.

« Ah, ça me soulage déjà ! fit-elle. Elle est partie ? »

Nuage de Feuille ouvrit la gueule et laissa tomber la brindille qui retenait la boule de mousse.

« Attends un peu.

— Les tiques n'ont qu'une qualité, miaula Poil de Châtaigne : elles détestent autant que nous la bile de souris. » La guerrière se releva d'un bond et s'ébroua ; le parasite se détacha de son épaule. « Voilà ! Merci, Nuage de Feuille. »

Une brise légère agita les arbres autour de l'antre de la guérisseuse et fit voleter quelques feuilles jusqu'au sol. L'air du matin était glacial ; Nuage de Feuille songea qu'il restait bien peu de lunes avant la mauvaise saison. Cette fois, ils devraient affronter bien plus que le froid et la pénurie de proies. L'apprentie ferma les yeux et frissonna en repensant à ce qu'elle avait découvert la veille, tandis qu'elle patrouillait avec Étoile de Feu, son père.

Le plus gros monstre qu'on ait jamais vu de mémoire de chat était en train de tracer un horrible sentier à travers la forêt. Il creusait de profondes ornières dans la terre et arrachait les arbres par les racines. L'énorme bête rutilante avançait inexorablement à travers les fougères, rugissant et vomissant de la fumée. Les félins sans défense s'étaient dispersés devant lui. Pour la première fois, Nuage de Feuille avait commencé à comprendre à quel point la forêt était en danger. Cette menace avait été prophétisée par deux fois. La première, dans le rêve de Griffe de Ronce – rêve qui l'avait poussé à partir avec Nuage d'Écureuil ; la seconde, dans la vision du feu et du tigre de Museau Cendré. Leur terrible destin était sur le point de s'accomplir, et Nuage de Feuille ignorait comment les Clans pourraient empêcher ce cauchemar.

« Tout va bien, Nuage de Feuille ? » s'enquit Poil de Châtaigne.

L'apprentie guérisseuse cilla. L'image de la fumée, des arbres fendus et des guerriers hurlant se dissipa, remplacée par les fougères verdoyantes et la roche lisse et grise qui abritait la tanière de Museau Cendré. Elle était en sécurité, le Clan du Tonnerre était toujours là, mais pour combien de temps encore ?

« Oui, ça va », soupira-t-elle. Étoile de Feu avait ordonné à la patrouille de garder secrète leur sombre découverte jusqu'à ce qu'il trouve un moyen d'annoncer les mauvaises nouvelles au Clan. « Il faut que j'aille me rincer les pattes pour me débarrasser de cette horrible bile de souris.

— Je t'accompagne, annonça Poil de Châtaigne. Ensuite, nous pourrons longer le ravin et traquer quelques proies. »

Nuage de Feuille s'engagea la première dans la clairière. Nuage Ailé et Nuage de Musaraigne se bagarraient devant le repaire des apprentis, dans la lumière du soleil matinal, pendant que les trois chatons de Fleur de Bruyère les observaient d'un air admiratif. Leur mère était assise près de l'entrée de la pouponnière. Elle faisait sa toilette tout en gardant un œil sur ses rejetons. La patrouille de l'aube – Pelage de Poussière, Poil de Souris et Nuage d'Araignée – émergea alors du tunnel d'ajoncs. Pelage de Poussière plissa les yeux de plaisir en avisant Fleur de Bruyère et ses petits. À la vue du camp paisible, ignorant de la menace qui pesait sur eux tous, Nuage de Feuille eut quant à elle bien du mal à réprimer une plainte de désespoir.

Dès que les apprentis aperçurent Nuage de Feuille, ils arrêtèrent leur entraînement et se mirent à chuchoter. Même les chats qui revenaient de patrouille lui jetèrent un regard gêné avant de se diriger vers la réserve de gibier. Nuage de Feuille savait que des rumeurs circulaient déjà à propos de la patrouille de la veille. À l'aube, Étoile de Feu avait convoqué Plume Grise, son lieutenant, Tempête de Sable (la mère de Nuage de Feuille) et Museau Cendré pour une réunion d'urgence dans sa tanière. Bien sûr, tous les membres du Clan avaient suspecté un événement anormal.

Avant que Poil de Châtaigne et elle aient atteint le tunnel d'ajoncs, Étoile de Feu sortit de son antre au pied du Promontoire. Plume Grise et Tempête de Sable le suivirent dans la clairière, ainsi que Museau Cendré qui boitait derrière eux. Étoile de Feu bondit au sommet du rocher et laissa à ses trois compagnons le temps de s'installer confortablement à son pied. Sous les rayons obliques du soleil automnal, sa fourrure couleur de flamme flamboyait tel le feu qui lui donnait son nom.

« Chats du Clan du Tonnerre ! lança-t-il enfin. Que tous ceux qui sont en âge de chasser s'approchent du Promontoire pour une assemblée du Clan. »

Nuage de Feuille sentit son ventre se nouer. Poil de Châtaigne la poussa gentiment du museau et trotta vers le centre de la clairière.

« Tu sais ce qu'il va dire, n'est-ce pas ? » murmura la guerrière écaille.

L'apprentie acquiesça d'un air grave.

« Je savais qu'il s'était passé quelque chose d'étrange hier, poursuivit Poil de Châtaigne. À te voir rentrer de patrouille, on aurait juré que tous les guerriers du Clan de l'Ombre étaient à tes trousses.

— J'aurais préféré... soupira Nuage de Feuille.

— Chats du Clan du Tonnerre ! continua Étoile de Feu avant de prendre une grande inspiration. Je... j'ignore si un chef de Clan a déjà dû entraîner les siens dans des ténèbres semblables à celles qui nous guettent. » Sa voix se brisa. Son regard croisa celui de Tempête de Sable, comme pour y puiser de la force. « Il y a quelque temps, Nuage de Jais m'avait prévenu que les Bipèdes étaient plus nom-

40

breux que jamais sur le Chemin du Tonnerre. À cette époque, je n'y ai pas accordé d'importance. De toute façon, nous ne pouvions rien y faire, car cela ne concernait pas notre territoire. Mais hier… »

Un silence tendu se fit dans la clairière. Étoile de Feu se montrait rarement si solennel. Nuage de Feuille devinait qu'il lui répugnait de poursuivre. Il dut se forcer à reprendre :

« Ma patrouille n'était pas loin des Rochers aux Serpents lorsque nous avons vu un monstre de Bipèdes quitter le Chemin du Tonnerre. Il a éventré la terre et renversé les arbres. Il…

— Mais c'est absurde ! le coupa Pelage de Suie. Les monstres ne quittent *jamais* le Chemin du Tonnerre !

— Ce ne serait pas un autre de ses rêves, par hasard ? » Pelage de Poussière avait posé sa question trop bas pour qu'Étoile de Feu l'entende, mais Nuage de Feuille la comprit parfaitement. « Il aura mal digéré un repas trop copieux ?

— Ferme-la et écoute, le coupa Flocon de Neige, le neveu d'Étoile de Feu, tout en le foudroyant du regard.

— Je l'ai vu moi aussi », confirma Plume Grise depuis son poste au pied du Promontoire.

Ses mots provoquèrent un silence de mort. Les guerriers se regardaient, l'air incrédule et apeuré. Poil de Châtaigne se tourna vers Nuage de Feuille.

« Tu as vraiment vu une chose pareille ?

— Tu ne peux pas t'imaginer à quel point c'était horrible, répondit l'apprentie en hochant la tête.

— Qu'en dit Museau Cendré ? lança Perce-Neige,

qui était assise parmi les anciens. Le Clan des Étoiles l'avait-il avertie ? »

La guérisseuse se leva, sereine, et posa ses yeux bleus sur le Clan. De tous les chats présents, y compris Étoile de Feu, elle semblait la plus calme.

Avant de répondre, elle leva la tête et son regard croisa celui de son chef. Nuage de Feuille se demanda ce qu'ils avaient décidé de dévoiler au reste du Clan : parleraient-ils de la prophétie du feu et du tigre, de l'image que Museau Cendré avait vue dans un bouquet de fougères en feu ? Soudain, Étoile de Feu hocha la tête, comme s'il autorisait Museau Cendré à s'exprimer. Elle acquiesça à son tour avant de prendre la parole.

« Les signes envoyés par le Clan des Étoiles ne sont pas clairs, admit-elle. Je vois une ère de grands dangers, de grands changements pour la forêt. Un destin terrible nous guette.

— Alors tu avais été prévenue ! Pourquoi ne pas nous avoir alertés ? s'indigna Poil de Souris, dont la queue battait rageusement.

— Ne fais pas ta cervelle de souris ! grogna Flocon de Neige. Qu'est-ce qu'on y aurait gagné ? Qu'est-ce qu'on aurait pu y faire ? Quitter la forêt ? Et pour aller où ? Partir vagabonder en territoire inconnu alors que la mauvaise saison arrive ? Ça t'amuserait peut-être, Poil de Souris. Moi pas.

— Si vous voulez mon avis, Griffe de Ronce et Nuage d'Écureuil ont eu bien raison, marmonna Pelage de Suie à l'intention de son frère, Perle de Pluie. Ils ont décampé au bon moment. »

Nuage de Feuille aurait voulu bondir pour prendre la défense des disparus. Mais elle se força à rester assise et à garder le silence. Elle seule savait que Griffe de Ronce et Nuage d'Écureuil étaient partis en mission ; le Clan des Étoiles leur avait confié la lourde tâche de sauver la forêt de ce terrible danger. Pelage d'Orage et Jolie Plume – les enfants de Plume Grise qui vivaient dans le Clan de la Rivière – les accompagnaient, ainsi que des membres des Clans du Vent et de l'Ombre. Ils étaient partis pour le bien de tous les Clans.

Pourtant, la menace se rapprochait, pensa-t-elle, l'estomac noué, et les élus n'étaient pas revenus. Cela signifiait-il qu'ils avaient échoué ? Que le Clan des Étoiles avait échoué, malgré les mises en garde qu'il avait envoyées ?

D'un calme imperturbable, Museau Cendré s'adressa au Clan abasourdi.

« De grands dangers nous guettent, répéta-t-elle. Mais je ne crois pas que le Clan du Tonnerre sera détruit. »

Les guerriers assemblés échangeaient des regards stupéfaits et effrayés. Le silence sembla s'étirer pendant une éternité, jusqu'à ce qu'une plainte suraiguë s'élève du groupe des anciens. Comme pour répondre à ce signal, d'autres gémissements, d'autres cris de terreur retentirent. Les paroles de Museau Cendré n'avaient guère rassuré les félins, trop horrifiés par l'avancée des monstres dans la forêt.

Fleur de Bruyère enroula sa queue autour de ses trois petits dans un geste protecteur, les attirant à l'abri de sa fourrure mouchetée de gris.

« Qu'allons-nous faire ? » gémit-elle.

Pelage de Poussière se leva et pressa son museau contre son flanc pour la réconforter.

« Nous trouverons une solution, promit-il. Nous montrerons à ces Bipèdes que la forêt est *notre* territoire.

— Et comment comptes-tu t'y prendre ? le rabroua Poil de Souris. Depuis quand les Bipèdes se préoccupent-ils de nous ? Ils font ce qu'ils veulent, un point c'est tout.

— Leurs monstres vont effrayer le gibier, ajouta Pelage de Granit. Les proies ne se sont jamais faites aussi rares, nous le savons déjà, et la mauvaise saison arrive bientôt. Qu'allons-nous manger ? »

D'autres miaulements terrifiés retentirent, et Étoile de Feu dut patienter avant de pouvoir reprendre la parole.

« Nous ne pouvons pas décider de la marche à suivre tant que nous n'en savons pas davantage, expliqua-t-il lorsque la clameur se fut réduite à des marmonnements craintifs. Le monstre a longé les Rochers aux Serpents, bien loin d'ici. Les Bipèdes s'en tiendront peut-être là.

— Alors pourquoi le Clan des Étoiles nous aurait-il mis en garde ? fit remarquer Cœur d'Épines. Il faut regarder la vérité en face, Étoile de Feu : nous ne pouvons faire comme si rien ne s'était passé.

— Je vais dépêcher des patrouilles supplémentaires, assura leur chef. Et je vais tenter de parler au Clan de l'Ombre. Les monstres ont pénétré dans la forêt non loin de leur frontière ; ils ont peut-être eux aussi des difficultés.

— On ne peut pas se fier au Clan de l'Ombre, feula Flocon de Neige. Il ne nous donnerait pas même une queue de souris en pleine famine.

— Tu as peut-être raison. Mais si les Bipèdes ont envahi leur territoire, le Clan de l'Ombre sera sans doute prêt à envisager une alliance.

— C'est ça, quand les merles auront des dents », grogna Flocon de Neige.

Il tourna le dos à Étoile de Feu et marmonna à l'oreille de sa compagne, Cœur Blanc, qui enfouit son museau dans le pelage du guerrier comme pour l'apaiser.

« Tout le monde doit rester sur ses gardes, poursuivit Étoile de Feu. Si vous remarquez quelque chose de suspect, je veux être averti aussitôt. Nous avons survécu à l'inondation et à l'incendie. À la meute de chiens envoyée par Étoile du Tigre, à Fléau et son Clan du Sang. Nous survivrons toujours, quoi qu'il advienne. »

Il sauta au bas du rocher, signifiant ainsi la fin de l'assemblée.

Aussitôt, les félins réunis dans la clairière se dispersèrent en petits groupes inquiets pour discuter des sombres nouvelles. Étoile de Feu et Museau Cendré échangèrent quelques mots, puis la guérisseuse vint trouver Nuage de Feuille.

« Étoile de Feu part tout de suite consulter le Clan de l'Ombre, lui annonça-t-elle. Il veut que tu nous accompagnes.

— Pourquoi moi ? demanda l'apprentie, dont l'excitation le disputait à la crainte.

— Il désire que les deux guérisseuses du Clan l'épaulent. D'après lui, en nous voyant, Étoile de Jais comprendra que le Clan du Tonnerre ne cherche pas la bagarre. » Les yeux bleus de Museau Cendré lancèrent des éclairs. « Néanmoins, Nuage de

Feuille, j'espère que tu n'as pas négligé l'entraînement martial.

— J'ai révisé récemment nos techniques de combat, répondit l'intéressée, fébrile.

— Bien. »

D'un mouvement de la queue, elle la guida vers l'entrée du tunnel d'ajoncs où Étoile de Feu les attendait. Plume Grise et Poil de Fougère se tenaient près de lui.

« Allons-y, lança leur chef. Et rappelez-vous, je ne veux pas d'échauffourée. Nous n'y allons que pour parlementer. »

Plume Grise renifla bruyamment.

« Essaye d'expliquer ça au Clan de l'Ombre, répondit le lieutenant. Si une patrouille nous surprend sur son territoire, elle se jettera aussitôt sur nous.

— Espérons que cela n'arrivera pas, rétorqua le meneur. Si les Bipèdes menacent nos deux Clans, nous ne devons pas gaspiller nos forces en nous affrontant. »

Peu convaincu, Plume Grise se contenta de suivre en silence le chat roux, qui les entraînait par-delà le ravin vers la frontière du territoire du Clan de l'Ombre. Les oreilles dressées, le pelage hérissé, Nuage de Feuille restait à l'affût du moindre bruit suspect. Du plus loin qu'elle s'en souvienne, la forêt avait toujours été paisible ; elle devenait maintenant un endroit effrayant envahi par les Bipèdes et leurs monstres dévastateurs.

Étoile de Feu mena sa patrouille droit aux Rochers aux Serpents. Nuage de Feuille comprit qu'il se dirigeait vers le Chemin du Tonnerre, là où les monstres avaient dévié de leur course habituelle. Avant même d'y parvenir, l'apprentie perçut la puanteur typique des monstres et le riche parfum de la terre éventrée. En arrivant au sommet du coteau dominant le Chemin du Tonnerre, elle fit halte et osa un coup d'œil à travers un buisson de fougères.

En contrebas, une bande de terre retournée s'étendait à perte de vue. Des arbres abattus jonchaient le sol, leurs racines entremêlées se découpant dans le ciel. Le silence était total. Nuage de Feuille n'entendait pas un oiseau chanter, pas la moindre proie frétiller dans l'herbe. Mais le monstre était parti ; lorsqu'elle ouvrit la gueule pour mieux humer l'air, l'odeur de Bipède lui sembla éventée. Même la puanteur du monstre commençait à s'estomper.

« Ils ne sont pas venus aujourd'hui, fit remarquer Plume Grise. Ils ont peut-être terminé…

— Ça m'étonnerait, répondit son chef d'un ton sec.

— C'est… c'est vraiment terrible. » Poil de Fougère semblait bouleversé. Il contemplait cet effroyable spectacle pour la première fois. « Pourquoi détruisent-ils la forêt, Étoile de Feu ? »

Le rouquin agita le bout de sa queue.

« Pourquoi les Bipèdes font-ils tout ce qu'ils font ? Si nous le savions, notre vie serait bien plus facile. »

Il contourna la zone sinistrée puis les entraîna le long du Chemin du Tonnerre. La gorge de Nuage de Feuille se serra à la vue d'autres arbres abattus sur le territoire du Clan de l'Ombre, bordés là aussi par une étendue de terre retournée.

Tous les membres de la patrouille s'arrêtèrent pour observer les ravages qui s'étendaient de l'autre côté. Poil de Fougère se tapit dans l'herbe comme s'il se préparait à attaquer un ennemi, mais il n'y avait personne à combattre.

« Regardez ça ! » La voix chevrotante de Plume Grise trahissait son effroi. « Tu avais raison, Étoile de Feu. Le Clan de l'Ombre connaît les mêmes difficultés que nous.

— Alors il devrait être plus facile de parler à Étoile de Jais. »

Le meneur adoptait un ton confiant, mais ses oreilles rabattues sur son crâne le trahissaient.

Un monstre les dépassa en rugissant sur le Chemin du Tonnerre, plus petit que ses cousins dévoreurs d'arbres, mais tout de même assourdissant. Nuage de Feuille se crispa, s'attendant presque à le voir virer vers la forêt… vers eux. Mais il resta sur le Chemin du Tonnerre et son grognement s'estompa dans le lointain à mesure qu'il disparaissait entre les arbres. Un autre monstre le suivit, puis un troisième fila à toute vitesse dans l'autre sens.

« Je ne veux pas traverser ici, marmonna Plume Grise en clignant des yeux pour chasser la poussière soulevée par le passage des monstres.

— Nous traverserons le ruisseau près des Quatre Chênes et emprunterons le tunnel, annonça Étoile de Feu. Espérons que nous ne croiserons pas de guerriers du Clan de l'Ombre de ce côté-ci du Chemin du Tonnerre. »

Une fois au cours d'eau, Étoile de Feu le franchit en deux bonds, s'aidant d'une pierre émergée au beau milieu. Nuage de Feuille surveilla son mentor du coin de l'œil pour s'assurer que la chatte passait le gué sans peine, malgré la vieille blessure qui la faisait boiter depuis qu'un monstre l'avait fauchée bien des saisons auparavant. L'apprentie traversa à son tour, tandis qu'Étoile de Feu grimpait déjà sur la rive opposée.

Une brise légère soufflait vers eux, charriant l'odeur pestilentielle du Clan de l'Ombre. À la frontière, Étoile de Feu et Plume Grise renouvelèrent le marquage de leur territoire, avant que le chef n'entraîne ses félins vers le tunnel passant sous le Chemin du Tonnerre.

Au grand soulagement de Nuage de Feuille, il n'y avait aucune trace des guerriers du Clan de l'Ombre. Les anciens lui avaient bien souvent conté les méfaits de ce Clan au cœur de pierre – du destin d'Étoile Brisée, l'assassin qui avait tué son propre père, à celui d'Étoile du Tigre, le guerrier devenu chef du Clan de l'Ombre après avoir été exilé par le Clan du Tonnerre. Le chef actuel, Étoile de Jais, n'avait jusque-là causé aucun problème.

L'apprentie frémit en entrant dans le tunnel lugubre et silencieux, à la suite de ses compagnons. Les parois ruisselaient d'humidité, transformant le sol en boue où s'enfonçaient leurs pattes. De l'autre côté, la puanteur du Clan de l'Ombre était plus entêtante que jamais. Sous les coussinets de Nuage de Feuille, la terre était humide et marécageuse, hérissée de touffes d'herbe rabougrie. Çà et là, des roseaux poussaient autour de flaques d'eau. Les

grands arbres étaient rares et la végétation ne ressemblait en rien à celle qui entourait le camp du
Clan du Tonnerre. On aurait dit un autre monde.

« Le camp du Clan de l'Ombre est par là, indiqua
Étoile de Feu en se dirigeant vers des buissons.
Nuage de Feuille, Museau Cendré, restez près de
moi. Plume Grise et Poil de Fougère, déployez-vous
et soyez sur vos gardes. N'oubliez pas que nous ne
sommes pas venus chercher la bagarre. »

Tandis qu'ils s'engageaient toujours plus loin
dans le territoire du Clan de l'Ombre, Nuage de
Feuille suivait son père comme une ombre. Elle
éprouvait un profond dégoût chaque fois que ses
pattes s'enfonçaient dans la terre spongieuse. Elle
avait du mal à imaginer que les membres du Clan
de l'Ombre puissent supporter cela jour après jour.
Ils avaient sûrement les pattes palmées, à force !

À rester trop longtemps sur le qui-vive, elle commençait à avoir des crampes. Lorsque Poil de Fougère lança un appel, elle sursauta nerveusement,
puis espéra que personne ne l'avait vue.

« Étoile de Feu, viens voir un peu ça. »

Du bout de la queue, Poil de Fougère désigna un
mince bout de bois saillant du sol, de la taille d'un
chat environ, trop lisse et trop régulier pour être
une branche d'arbre. Le rouquin s'approcha à petits
pas et le renifla d'un air méfiant.

« Ce truc empeste le Bipède ! s'exclama-t-il.

— Il y en a un autre, là-bas, s'écria Nuage de
Feuille, qui avait aperçu un bout de bois identique
à quelques longueurs de queue de renard de là. Et
encore un autre. Tous en ligne ! Qu'est-ce qu'ils... »

Sa voix se brisa. Au moment où elle bondissait

vers le bout de bois suivant, les buissons devant elle s'écartèrent et trois chats en surgirent. Elle reconnut aussitôt la guerrière Feuille Rousse, le lieutenant du Clan de l'Ombre ; elle n'avait jamais vu les deux autres, un mâle gris sombre et un matou tigré avec une oreille déchirée.

Tétanisée, Nuage de Feuille sentit sa gorge se serrer.

Étoile de Feu la rejoignit aussitôt en quelques sauts.

« Salutations, Feuille Rousse, miaula-t-il.

— Vous avez pénétré sur notre territoire », feula le lieutenant.

D'un vif mouvement de la queue, elle fit signe à ses guerriers d'avancer. Nuage de Feuille eut à peine le temps d'esquiver : le mâle gris sombre avait bondi sur elle. Elle sentit qu'on la griffait le long du dos au moment même où elle roulait de côté. Elle essaya de se rappeler ses techniques de combat tout en se remettant tant bien que mal sur ses pattes. Du coin de l'œil, elle aperçut Museau Cendré et Feuille Rousse qui se tournaient autour. À une longueur de queue de là, Plume Grise avait rivé au sol le guerrier tigré, tandis que Poil de Fougère et l'autre mâle se battaient au corps à corps dans une mêlée de fourrures grise et rousse.

L'espace d'un instant, Étoile de Feu disparut de sa vue. Le regard éperdu, elle scruta les alentours et vit qu'il avait bondi sur l'un des troncs d'arbres abattus. La voix du chef s'éleva avec une puissance telle qu'elle couvrit les cris des combattants.

« Arrêtez ! »

CHAPITRE 3

« **V**OUS AUTRES, RESTEZ LÀ, ordonna Isidore à voix basse. Je m'en occupe. »

Pelage d'Orage regarda d'un air perplexe le vieux matou s'approcher des renards d'un pas traînant, sa fourrure négligée hérissée, sa queue battant l'air. Trop choqués pour esquisser le moindre geste, les autres auraient laissé Isidore attaquer seul leurs ennemis si Pelage d'Orage ne s'était pas avancé au dernier moment pour l'écarter.

« Qué donc ? s'indigna Isidore. Je sais ce que je fais ! J'ai fait fuir plus de renards que tu n'as mangé de souris, jeune félin.

— Alors laisse-nous notre chance », rétorqua Pelage d'Orage.

Les deux renards progressaient lentement le long de la rive, leurs yeux papillonnant d'un chat à l'autre. *Quelle inconscience !* songea Pelage d'Orage. *Comment avons-nous pu penser que ces bois n'étaient pas dangereux ?*

Dans un geste de protection, Nuage Noir avait avancé d'un pas pour se dresser entre Jolie Plume et leurs agresseurs, imité par Griffe de Ronce qui voulait couvrir Nuage d'Écureuil à son tour. Mais l'apprentie du Clan du Tonnerre, intrépide, vint se poster près de lui, les oreilles rabattues et une patte tendue d'un air menaçant.

« Qu'est-ce que tu fiches ? Tu me marches sur la queue ! grogna-t-elle. Je peux me défendre toute seule !

— Tu disais que tu mangerais bien un renard, la railla Pelage d'Or. C'est le moment ou jamais. »

Les animaux s'approchèrent un peu plus encore. Pelage d'Orage se prépara à bondir, le regard rivé sur les museaux allongés, les yeux froids et luisants, essayant de deviner où porterait leur attaque. Dans la forêt des quatre Clans, ces bêtes n'étaient guère une menace si l'on restait vigilant. On pouvait en général les éviter. Mais ces deux-là étaient tout jeunes et prêts à en découdre, trop impatients de défendre leur territoire. Pelage d'Orage était certain que, à eux six, ils finiraient par les faire fuir, mais à quel prix ? Il y aurait des blessés ; comment cela infléchirait-il le cours de leur voyage ? *Clan des Étoiles, aidez-nous !* pria-t-il avec angoisse.

À peine une longueur de queue séparait Nuage Noir des prédateurs. L'apprenti se préparait à bondir lorsqu'un bruit insolite retentit, à mi-chemin entre le grognement et l'aboiement. Le renard le plus proche se figea soudain, la tête levée.

Pelage d'Orage jeta un coup d'œil derrière lui. Minuit avançait à pas lourds, écartant au passage Isidore et Jolie Plume, et s'arrêta devant les assaillants. Il glapit d'autres paroles dans cette même langue étrange. Bien que Pelage d'Orage ne comprît pas ce qu'il disait, il devinait sans peine la menace contenue dans ses mots – menace soulignée par ses épaules rentrées et son regard hostile.

Puis les oreilles du guerrier gris frémirent lorsque le premier renard aboya un semblant de réponse.

« J'avais oublié que Minuit parlait leur langue », marmonna-t-il en se tournant vers Griffe de Ronce.

Le guerrier du Clan du Tonnerre hocha la tête sans quitter des yeux les bêtes au pelage roux.

« Eux dire nous être sur leur territoire, expliqua Minuit. Quiconque y pénétrer devenir leur proie.

— Crotte de renard ! siffla Nuage Noir. Dis-lui que s'ils tentent quoi que ce soit contre nous, je leur fais la peau. »

Minuit secoua la tête.

« Non, jeune guerrier, fit-il. Toi aussi, tu y laisserais ta peau. Attends. »

Nuage Noir recula un peu, sans pour autant quitter son air furieux. Jolie Plume enfouit son nez dans le flanc du novice.

Minuit parla de nouveau aux renards.

« Moi leur dire que vous seulement traverser, traduisit-il ensuite. Que plein de gibier pour eux dans bois, proies plus faciles que chats. »

Le premier renard semblait maintenant perdu ; peut-être était-il surpris d'entendre un blaireau parler leur langue, peut-être réfléchissait-il à ses arguments. Mais le second – un mâle maigre au museau balafré – continuait à montrer les dents en direction des félins. Il feula quelques paroles : une menace compréhensible dans n'importe quelle langue.

Minuit aboya un seul mot. Il s'avança d'un pas, leva une patte, son corps massif tendu, prêt à l'attaque. La fourrure hérissée, Pelage d'Orage se prépara à l'affrontement. Soudain, l'un des renards battit en retraite, grognant sans doute un ultime juron avant de disparaître dans les fougères. Le blaireau se tourna vers le deuxième attaquant, mais ce dernier se contenta d'un bref glapissement avant de suivre son compagnon.

« Et n'y revenez pas si vous tenez à la vie ! » lança Nuage Noir, bravache.

Pelage d'Orage se détendit ; sa fourrure reprit son volume naturel. Nuage d'Écureuil s'affaissa au sol en poussant un soupir sonore. Tous les chats, y compris Isidore, contemplaient maintenant le blaireau avec respect.

Griffe de Ronce vint s'incliner devant lui.

« Merci, Minuit, miaula-t-il. Ç'aurait pu très mal tourner.

— Ils auraient pu nous tuer, ajouta Jolie Plume.

— J'imagine que le moment était mal choisi pour se battre », grommela Nuage Noir. N'empêche, j'aimerais bien savoir pourquoi tu ne nous as pas prévenus pour les renards. Tu dis que tu peux tout lire dans les étoiles, alors pourquoi ne pas nous avoir avertis qu'ils étaient là ? »

Pelage d'Orage n'aurait jamais osé poser la question lui-même ; il guetta cependant la réponse du blaireau. Celui-ci leur en avait déjà tant appris, à propos de leur avenir proche... Pourquoi n'avait-il pas prévu leur rencontre avec les renards ?

L'espace d'un instant, Minuit toisa d'un œil furieux l'apprenti du Clan du Vent. Nuage Noir ne put dissimuler une légère inquiétude, même si, vaillamment, il ne détourna pas le regard. Puis Minuit parut s'adoucir.

« Moi pas tout dire. Clan des Étoiles pas vouloir. Moi beaucoup dire, déjà : comment Bipèdes ravager la forêt, voler territoire des chats. Mais beaucoup de réponses être en vous. Cela, vous déjà savoir, non ?

— J'imagine », marmonna Nuage Noir.

Minuit lui tourna le dos.

« Renards dire vous partir, annonça-t-il aux autres. Si vous encore là au couchant, eux attaquer. Le mâle, lui déjà goûter viande de chat jadis, lui bien aimer cela.

— Peut-être, mais il n'est pas près d'y goûter à nouveau ! lança Pelage d'Or.

— Il faut qu'on parte de toute façon, résolut Griffe de Ronce. Et nous n'avons pas le temps de chercher la bagarre. Allons-y. »

Dès qu'ils eurent fini leur repas, Minuit prit la tête du groupe et les guida jusqu'à l'orée de la forêt. Le soleil disparaissait déjà derrière les arbres. Devant eux, la lande s'étendait à perte de vue, jusqu'aux montagnes à l'horizon. Au loin, sur le côté, Pelage d'Orage reconnut les formes rougeâtres du territoire des Bipèdes qu'ils avaient traversé à l'aller.

« Et maintenant, par où devons-nous passer ? » demanda-t-il.

D'une patte, Minuit leur indiqua qu'ils devaient poursuivre droit devant.

« Par là, chemin le plus court, là où soleil se lever.

— Nous ne sommes pas arrivés par là, protesta Griffe de Ronce, troublé. Mais par le territoire des Bipèdes.

— Hors de question que j'y retourne ! coupa Nuage Noir. Je préfère encore escalader toutes les montagnes du monde plutôt que d'affronter de nouveau tous ces Bipèdes.

— Je ne sais pas trop, miaula Jolie Plume. Au moins, nous connaissons le chemin, et Isidore est là pour nous aider. »

En guise de réponse, Nuage Noir se contenta de renifler avec mépris. Pelage d'Orage était partagé : ils avaient connu bien des journées effrayantes, à errer affamés dans le territoire des Bipèdes, et Isidore semblait alors aussi perdu qu'eux. D'un autre côté, les montagnes leur étaient tout aussi étrangères. Pelage d'Orage distinguait d'ici les versants supérieurs : une roche grise et nue, parsemée de touches de blanc – les premières neiges annonçant la mauvaise saison. Ces montagnes étaient bien plus élevées que leurs Hautes Pierres, et il se demanda s'ils pourraient y trouver abri et gibier.

« Je suis d'accord avec Jolie Plume, soupira-t-il enfin. Nous avons réussi à franchir le territoire des Bipèdes une fois. Nous y parviendrons de nouveau. »

Indécis, Griffe de Ronce regarda ses amis tour à tour.

« Qu'en penses-tu, Pelage d'Or ? »

Sa sœur haussa les épaules.

« Comme tu veux. Quoi qu'on choisisse, on rencontrera des obstacles. On en a tous conscience. »

Ce n'est pas faux, songea Pelage d'Orage.

« Bon, *moi*, je pense… » commença Nuage d'Écureuil, avant de s'interrompre brusquement.

Elle parut soudain horrifiée ; ses yeux verts écarquillés semblaient fixer quelque chose au loin que les autres ne pouvaient voir.

« Nuage d'Écureuil ? Que se passe-t-il ? s'enquit Griffe de Ronce.

— Je... je ne sais pas. » La novice s'ébroua. « Décide-toi, Griffe de Ronce, et partons d'ici. Je veux aller par là, si c'est plus court... » Du bout de la queue, elle désigna les montagnes. « On perdra des jours et des jours à retraverser le territoire des Bipèdes. »

Pelage d'Orage sentit frémir ses moustaches. Nuage d'Écureuil avait raison. Ils savaient déjà que le passage entre les nids de Bipèdes était plein d'embûches. Quels dangers pouvaient bien les attendre dans les montagnes qui soient pires que les rats et les monstres qui les guetteraient chez les Bipèdes ? L'important était de rejoindre leur forêt au plus vite.

« Je pense qu'elle a raison, reprit-il. J'ai changé d'avis. Je vote pour que nous passions par les montagnes. »

La queue roux sombre de Nuage d'Écureuil battit l'air ; l'apprentie planta ses griffes dans l'herbe.

« Alors ? cracha-t-elle à l'intention de Griffe de Ronce. Tu te décides, oui ou non ? »

Le guerrier tacheté prit une grande inspiration.

« D'accord, va pour les montagnes.

— Hein ? Quoi ? » Isidore était en train de se gratter l'oreille avec une patte arrière. Il s'interrompit aussitôt et cligna ses yeux ambrés. « Vous ne pouvez pas aller par là. C'est dangereux. Vous oubliez le...

— Danger être partout, le coupa Minuit d'un ton sec. Tes amis avoir besoin de grand courage. Leur chemin tracé pour eux dans les étoiles. »

Pelage d'Orage coula un regard oblique vers Isidore. Qu'avait-il voulu leur dire avant que le blaireau ne l'interrompe ? Connaissait-il l'existence d'une menace particulière dans les montagnes ? Et si c'était le cas, pourquoi Minuit l'avait-il empêché de parler ? Il pensait lire de la sagesse sur le visage du blaireau, et du regret aussi. Que signifiait : « Leur chemin tracé pour eux dans les étoiles » ?

« Dur est le choix, jeune guerrier. » Minuit parla à voix basse à Griffe de Ronce. Pelage d'Orage s'avança discrètement pour l'entendre. « Votre chemin se dérouler devant vous, et bien des défis vous devoir relever pour rentrer chez vous. »

Griffe de Ronce scruta les yeux du blaireau pendant un long moment avant de faire quelques pas dans la lande. Quels que soient ces défis, il semblait prêt à les relever. Pelage d'Orage ne put qu'admirer sa détermination. Lorsque Isidore se leva péniblement pour le suivre, Minuit tendit une patte pour le retenir.

La fourrure du vieux matou se hérissa, ses yeux lancèrent des éclairs.

« Écarte-toi de mon chemin », gronda-t-il.

Minuit n'en fit rien.

« Toi pas les accompagner, répondit-il. Eux suivre le chemin seuls. » Ses yeux noirs luisaient dans le crépuscule. « Jeunes et imprudents eux être, et les épreuves nombreuses pour eux. De leur propre courage, eux avoir besoin, mon ami, non du tien. Trop sur toi eux compter. »

Isidore cligna des yeux.

« Forcément, présenté comme ça... »

Jolie Plume s'élança vers lui et donna un petit coup de langue sur l'oreille du vieux matou.

« Nous ne t'oublierons jamais, Isidore. Nous nous souviendrons de tout ce que tu as fait pour nous. »

Derrière elle, Nuage Noir ouvrit la bouche, les yeux plissés, sans doute prêt à lancer l'une de ses réflexions mordantes. Pelage d'Orage lui intima le silence d'un regard noir. Il n'imaginait pas revoir un jour leur vieux guide ; or, bien qu'Isidore ait commis des erreurs, il était resté à leurs côtés et les avait finalement conduits jusqu'à Minuit.

« Bonne nuit, Isidore. Et merci. Nous n'aurions jamais trouvé Minuit sans toi. » Griffe de Ronce venait d'exprimer tout haut les pensées de Pelage d'Orage. « Et merci à toi aussi, Minuit. »

Le blaireau s'inclina.

« Adieu, amis. Le Clan des Étoiles, lui éclairer votre chemin. »

Les autres le saluèrent à leur tour et s'élancèrent à la suite de Griffe de Ronce à travers la lande. Pelage d'Orage fermait la marche. Un ultime regard en arrière lui montra Minuit et Isidore assis côte à côte à l'orée des bois ; ils les regardaient partir. Dans le clair-obscur, il était impossible de distinguer leur expression. Le guerrier agita la queue dans un dernier au revoir et fit face aux montagnes qui les attendaient.

CHAPITRE 4

Lorsque retentit l'ordre d'Étoile de Feu, Poil de Fougère et le guerrier gris foncé du Clan de l'Ombre se séparèrent. Plume Grise leva la tête, sans toutefois ôter sa patte de la gorge du mâle tigré.

« Laisse-le, lui intima Étoile de Feu. Nous ne sommes pas venus pour nous battre.

— Quand on se fait attaquer, on se défend », cracha Plume Grise.

Il recula néanmoins, et son adversaire se releva tant bien que mal, avant de s'ébrouer.

En quelques bonds, Nuage de Feuille vint se placer au côté de Museau Cendré, craignant que Feuille Rousse ne s'en prenne malgré tout à la guérisseuse. Le lieutenant du Clan de l'Ombre ne se laisserait sûrement pas dicter sa conduite par le chef d'un Clan rival.

Feuille Rousse désigna d'un mouvement de la queue le chasseur gris foncé.

« Cœur de Cèdre, retourne au camp. Préviens Étoile de Jais que nous sommes envahis et ramène des renforts. »

Le guerrier obéit aussitôt et disparut dans les buissons.

« C'est inutile, annonça Étoile de Feu d'une voix égale. Nous ne sommes pas venus en ennemis.

— Alors, que voulez-vous ? s'enquit Feuille Rousse avec humeur. Qu'est-ce qu'on est censés penser, quand vous pénétrez sur nos terres ?

— J'en suis désolé. » Étoile de Feu descendit de la souche et vint se placer devant elle. « Mais je dois à tout prix parler à Étoile de Jais. Il s'est passé quelque chose de trop grave pour attendre la prochaine Assemblée. ».

Feuille Rousse renifla, méfiante, pourtant elle rentra les griffes. Nuage de Feuille soupira, soulagée. De plus, le mâle gris, Cœur de Cèdre, avait été renvoyé au camp : la patrouille du Clan de l'Ombre n'était plus de taille à lancer une autre attaque.

« De quoi s'agit-il, alors ? » grogna leur lieutenant.

Étoile de Feu désigna du bout de la queue, par-delà les arbres rares, la zone ravagée par le monstre de ce côté-ci du Chemin du Tonnerre.

« Cela ne te suffit pas ? » demanda-t-il d'un ton désespéré.

Feuille Rousse le fit taire en crachant.

« Si tu crois que le Clan de l'Ombre est affaibli...

— Je n'ai rien dit de tel ! s'indigna Étoile de Feu. Au contraire, vous avez dû remarquer que nous sommes menacés, nous aussi. Bon, décide-toi : tu nous chasses, ou tu nous emmènes auprès d'Étoile de Jais ? »

Les yeux plissés, Feuille Rousse hocha la tête.

« Très bien. Suivez-moi. »

Elle les entraîna à travers les taillis. Les chats du Clan du Tonnerre restaient groupés derrière elle, tandis que le guerrier tigré du Clan de l'Ombre fermait la marche. Nuage de Feuille sentit son cœur s'emballer de plus belle lorsque son odorat fut assailli par les senteurs étranges de ce territoire inconnu. La lumière du jour elle-même avait décliné : des nuages voilaient le soleil et plongeaient le sentier dans la pénombre. Elle résistait à la peur, s'empêchant de sursauter à chaque bruit, luttant pour ne pas deviner derrière chaque arbre un guerrier du Clan de l'Ombre prêt à fondre sur eux.

L'odeur du Clan de l'Ombre s'accentuait à chaque pas. Feuille Rousse les fit contourner un bouquet de noisetiers touffus. La novice, qui la suivait de près, s'arrêta net : une vingtaine de chats leur faisaient face, des guerriers maigres aux muscles tendus, aux yeux allumés par le feu de la bataille. Derrière eux s'élevait un mur de ronces emmêlées.

« C'est le camp du Clan de l'Ombre, marmonna Museau Cendré à l'oreille de sa protégée. Étoile de Jais n'a pas l'air de vouloir nous inviter à entrer. »

Le chef du Clan se dressait au milieu de ses combattants. C'était un chat blanc massif aux pattes noires. Son pelage portait les cicatrices de nombreux assauts. Lorsque les visiteurs apparurent devant lui, il s'avança d'un pas et fixa Étoile de Feu avec défi.

« Qu'est-ce que cela signifie ? » Sa voix était rauque. « Le grand Étoile de Feu se croit-il donc permis d'aller où il le souhaite dans la forêt ? »

Étoile de Feu ignora le mépris contenu dans sa question et salua respectueusement Étoile de Jais d'un hochement de tête, comme deux chefs étaient censés le faire.

« Je suis venu te parler des ravages causés par les Bipèdes. Nous devons décider de la marche à suivre s'ils ne cessent pas.

— Nous ? Qu'entends-tu par *nous* ? Le Clan de l'Ombre ne discute de rien avec le Clan du Tonnerre, rétorqua Étoile de Jais. Nous n'avons besoin de personne pour prendre nos décisions.

— La forêt entière va être détruite ! »

Nuage de Feuille perçut de l'exaspération dans la voix de son chef, face à l'entêtement du chat blanc.

Étoile de Jais haussa les épaules.

« Étoile de Feu, tu paniques pour un rien. Les Bipèdes sont fous. Même le plus jeune des chatons le sait. D'accord, ils ont abattu quelques arbres… mais ils sont maintenant repartis. Peu importe ce qu'ils voulaient faire, c'est terminé. »

L'apprentie guérisseuse se demanda s'il croyait à ses propres paroles. Pouvait-il être idiot à ce point ? Ou n'était-ce qu'une bravade ?

« Et si ce n'était pas fini, justement ? le relança le rouquin. Si cela empirait ? Le gibier effrayé s'est enfui des zones saccagées. Si les Bipèdes étendent leurs ravages, que feras-tu à la mauvaise saison, Étoile de Jais, quand tu ne pourras plus nourrir ton Clan ? »

Dans les rangs du Clan de l'Ombre, quelques guerriers s'agitèrent, mais leur chef soutint le regard d'Étoile de Feu et lança, arrogant :

« Nous n'avons aucune raison de redouter la mauvaise saison. Nous pouvons toujours manger les rats du Charnier. »

Les oreilles de Museau Cendré tressaillirent.

« Tu as donc oublié ce qui s'est passé la dernière fois que vous avez voulu manger des rats ? demanda-t-elle, agacée. La moitié de ton Clan est mort de maladie.

— C'est vrai », intervint un petit chat tigré, tapi au bout de la rangée. Nuage de Feuille reconnut Petit Orage, le guérisseur du Clan de l'Ombre. « J'ai moi-même été malade, continua-t-il. Sans ton aide, Museau Cendré, je serais mort.

— Tais-toi, Petit Orage, ordonna Étoile de Jais. La maladie était une punition envoyée par le Clan des Étoiles parce qu'il n'admettait pas Étoile Noire comme chef. Il n'y a aucun danger à chasser dans le Charnier, maintenant.

— En revanche, il y a grand danger lorsqu'un chef fait taire son guérisseur, le coupa Museau Cendré d'un ton acerbe. Ou qu'il prétend en savoir plus qu'il n'en sait sur la volonté du Clan des Étoiles. »

Étoile de Jais la foudroya du regard, mais ne riposta pas.

« Écoute-moi, insista Étoile de Feu. Je sens qu'un grand péril menace la forêt. Nous n'y survivrons qu'en nous unissant.

— Crotte de souris ! feula l'autre meneur. N'essaye pas de me dicter ma conduite, Étoile de Feu. Je ne suis pas l'un de tes guerriers. Respecte nos règles. Si tu as quelque chose à dire, attends la prochaine Assemblée pour t'exprimer. »

Il n'a pas tout à fait tort, songea Nuage de Feuille. Le code du guerrier enseignait que les questions concernant la forêt devaient être discutées lors des Assemblées, sous la protection de la trêve sacrée du Clan des Étoiles. D'un autre côté, elle savait que les

Bipèdes n'attendraient pas, eux, que la pleine lune soit passée pour poursuivre leur œuvre destructrice. Qui sait ce qui pouvait arriver d'ici la prochaine Assemblée ?

« Très bien, Étoile de Jais... » Étoile de Feu semblait admettre la défaite. *C'est impossible !* pensa Nuage de Feuille, paniquée. *Il abandonne. La forêt va être détruite.* « Si tu le prends comme ça... Mais si les Bipèdes reviennent, je t'autorise à envoyer un messager sur notre territoire, et nous parlerons de nouveau.

— Tu te montres généreux, comme toujours, Étoile de Feu, le railla Étoile de Jais. Mais, quoi qu'il arrive, nous pourrons nous débrouiller seuls.

— Cervelle de souris ! » cracha Plume Grise.

D'un regard, Étoile de Feu mit son lieutenant en garde, mais le chef du Clan de l'Ombre ne releva pas l'insulte. Il se contenta de désigner son lieutenant du bout de la queue.

« Prends quelques guerriers et escorte ces intrus jusqu'à la frontière, ordonna-t-il. Au cas où vous auriez l'idée de nous rendre une autre visite surprise, ajouta-t-il à l'intention d'Étoile de Feu, nous augmenterons nos patrouilles. Maintenant, disparaissez. »

Que faire, sinon obéir ? Le rouquin pivota en faisant signe à ses guerriers de le suivre. Plume Rousse et sa patrouille se placèrent autour d'eux en un demi-cercle menaçant : ils les laissaient partir, mais les forçaient à rester groupés.

Nuage de Feuille se réjouit quand enfin ils arrivèrent en vue du tunnel qui passait sous le Chemin du Tonnerre ; elle fut plus soulagée encore de se retrouver de l'autre côté, sur leur propre territoire.

« Et ne revenez pas ! feula Plume Rousse lorsqu'ils franchirent la frontière.

— Pas de risque ! lança Plume Grise en guise d'adieu. Nous voulions juste vous aider, stupides boules de poils.

— Laisse tomber, Plume Grise. »

Maintenant qu'ils avaient regagné leurs terres, Étoile de Feu ne dissimulait plus sa déception. Ses efforts avaient été vains. Nuage de Feuille sentit son cœur se serrer devant la mine sombre de son père.

« Nous devrions peut-être essayer de parler au Clan du Vent ? suggéra-t-elle à voix basse à Museau Cendré, tandis que la patrouille se dirigeait vers le camp. Peut-être qu'il connaît les mêmes problèmes. Ça expliquerait pourquoi les guerriers d'Étoile Filante volent le poisson du Clan de la Rivière. »

Plume de Faucon, un guerrier du Clan de la Rivière, avait porté cette accusation lors de la dernière Assemblée.

« Si tant est que ce soit vrai. Cela n'a jamais été prouvé, lui rappela Museau Cendré. Néanmoins, Nuage de Feuille, ta remarque est intéressante. Si j'en ai l'occasion, j'en toucherai un mot à ton père. » Elle leva son regard bleuté vers le ciel nuageux. « Et prions pour que le Clan des Étoiles ait pitié de nous, quoi qu'il advienne. »

« Poil de Châtaigne, tu es là ? »

Nuage de Feuille essayait d'apercevoir son amie à l'intérieur du gîte des guerriers. Il était encore tôt, ce matin-là : le brouillard épais qui recouvrait le camp nappait sa fourrure de fines gouttelettes.

« Poil de Châtaigne ? » appela-t-elle de nouveau.

Elle entendit remuer dans la tanière, puis la guerrière pointa un museau ensommeillé.

« Nuage de Feuille ? » Ses mâchoires s'écartèrent en un large bâillement. « Que se passe-t-il ? Le soleil n'est pas encore levé. Je rêvais d'une souris dodue à souhait…

— Désolée, fit l'apprentie guérisseuse. Mais j'ai besoin de ton aide. Es-tu censée participer à la patrouille de l'aube ?

— Non. » La chatte écaille se faufila entre les branches puis se donna un coup de langue rapide pour aplatir la fourrure de ses épaules. « Où veux-tu en venir ? »

Nuage de Feuille respira un grand coup avant de répondre :

« Je vais rendre visite au Clan du Vent. Tu m'accompagnes ? »

Poil de Châtaigne écarquilla les yeux, sa queue ondula de surprise.

« Et si nous croisons une patrouille ?

— Cela ne devrait pas poser de problème. Je suis apprentie guérisseuse. J'ai le droit de parcourir tous les territoires entre ici et les Hautes Pierres. Je t'en prie, Poil de Châtaigne ! Je dois savoir si le Clan du Vent connaît les mêmes difficultés que nous. »

Le feu de l'aventure brillait déjà dans les yeux de Poil de Châtaigne.

« Je suis partante, déclara-t-elle. Allons-y, avant qu'on nous surprenne. »

Elle traversa la clairière en un éclair et s'engagea dans le tunnel d'ajoncs. Nuage de Feuille la suivit, après un dernier regard au camp silencieux, toujours endormi. La brume, plus épaisse encore dans le ravin, étouffait le bruit de leurs pas. Tout était voilé de gris, et malgré le lever du jour, le soleil demeurait invisible. Les fougères ployaient sous le poids des gouttes d'eau, et le pelage des deux chattes fut bientôt trempé.

Poil de Châtaigne frissonna.

« Rappelle-moi pourquoi j'ai quitté ma litière douillette, gémit-elle, ne plaisantant qu'à demi. Enfin, si le brouillard recouvre aussi la lande, il nous aidera à passer inaperçues.

— Et à masquer notre odeur », renchérit Nuage de Feuille.

Cependant, la brume commença à se dissiper avant même qu'elles n'atteignent les Quatre Chênes. Une fois passé le ruisseau, elles furent accueillies par un grand soleil. Nuage de Feuille s'ébroua dans l'espoir de sécher plus vite. Elle avait hâte de courir dans la lande pour se réchauffer.

Lorsqu'elles longèrent la crête qui dominait les Quatre Chênes, une brise légère leur parvint directement du territoire du Clan du Vent. Les deux chattes firent halte un instant de l'autre côté de la clairière, la fourrure ébouriffée par le vent, la mâchoire entrouverte pour mieux humer l'air.

« Le Clan du Vent », annonça Poil de Châtaigne. Elle pencha la tête de côté, soudain indécise. « Mais l'odeur est étrange.

— Oui. Et pas le moindre lapin à l'horizon », remarqua Nuage de Feuille.

Elle hésita un peu, puis, la première, franchit la frontière. Les deux amies filaient d'une touffe d'ajoncs à l'autre, mettant à profit les rares couverts de la lande. La fourrure de Nuage de Feuille la picotait ; son pelage tigré et blanc était bien trop visible au milieu de l'herbe courte. Avant de quitter le camp, elle était sûre que son statut de guérisseuse la protégerait. Mais à présent, elle se sentait petite et vulnérable. Elle n'avait plus qu'une idée en tête : mener son enquête au plus vite, avant de rentrer ventre à terre.

Elle gagna le sommet d'une butte qui surplombait le Chemin du Tonnerre, puis se tapit dans l'herbe pour jeter un coup d'œil en contrebas. Près d'elle, Poil de Châtaigne poussa un long sifflement.

« Eh bien, maintenant, on est fixées », déclarat-elle.

Partant du Chemin du Tonnerre, une longue cicatrice de terre retournée traversait la lande de part en part. La zone était délimitée par des petits bouts de bois identiques à ceux que Nuage de Feuille avait remarqués la veille, sur le territoire du Clan de l'Ombre. L'entaille s'arrêtait abruptement au pied de la colline où les deux chattes étaient tapies. Un monstre étincelant s'y tenait immobile, silencieux. Nuage de Feuille se mit à haleter, s'imaginant qu'il scrutait la lande, prêt à sauter sur sa proie en poussant un horrible rugissement.

« Où sont ses Bipèdes ? » marmonna Poil de Châtaigne.

L'apprentie balaya le paysage du regard, mais l'endroit était désert. La menace semblait peser dans l'air aussi lourdement qu'un brouillard hivernal. Toujours aucune trace de lapin. Avaient-ils été effrayés par le bruit, se demanda Nuage de Feuille, ou bien les Bipèdes les avaient-ils emportés ? Ils avaient peut-être fui plus loin dans la lande, lorsque le monstre avait éventré leurs terriers.

« Berk ! gémit soudain Poil de Châtaigne. Tu sens cette odeur ? »

Nuage de Feuille la repéra à son tour : un fumet infect qu'elle n'avait jamais senti. Elle réprima un haut-le-cœur avant de pouvoir répondre :

« Qu'est-ce que c'est, à ton avis ?

— Sûrement encore une invention des Bipèdes », soupira la guerrière avec dégoût.

Une plainte dans le lointain les interrompit. Nuage de Feuille bondit sur ses pattes et pivota : trois félins se ruaient vers elles.

« Oh, oh », gronda Poil de Châtaigne.

Avant que les deux chattes aient pu décider s'il valait mieux fuir ou parlementer, elles étaient encerclées. Inquiète, Nuage de Feuille reconnut Griffe de Pierre, l'agressif lieutenant du Clan du Vent, accompagné du guerrier Oreille Balafrée et d'un autre chasseur tigré qu'elle ne connaissait pas. Elle aurait préféré rencontrer le chef du Clan, Étoile Filante, ou l'ami d'Étoile de Feu, Moustache, tous deux plus à même d'écouter ses explications.

« Que faites-vous sur notre territoire ? lança le lieutenant.

— Je suis apprentie guérisseuse, fit remarquer Nuage de Feuille en s'inclinant avec respect. Je suis venue...

— ... nous espionner ! s'exclama Oreille Balafrée, les yeux lançant des éclairs. Ne t'imagine pas
que nous ignorons vos manigances ! »

Nuage de Feuille fut effarée par la maigreur des
guerriers du Clan du Vent. Leur fourrure hérissée
laissait deviner leurs côtes. L'odeur de leur peur, si
forte, masquait presque celle de leur colère. Certes,
ils étaient affamés, mais cela n'expliquait pas pourquoi ils se montraient plus hostiles encore que les
membres du Clan de l'Ombre.

« Je suis désolée, nous ne faisions que... »

Griffe de Pierre l'interrompit d'un cri enragé :

« À l'attaque ! »

Oreille Balafrée se jeta sur Nuage de Feuille. À
deux contre trois, les chattes ne faisaient guère le
poids.

« Cours ! » lança l'apprentie.

D'un bond sur le côté, elle évita les griffes
tendues d'Oreille Balafrée et pivota pour détaler
ventre à terre. Poil de Châtaigne l'imita. La novice
n'osait pas regarder derrière elle, mais elle entendait
les cris tout proches des matous lancés à leur poursuite.

La frontière était en vue quand, soudain, elle se
rendit compte de leur erreur. Les odeurs mêlées des
Clans du Vent et de la Rivière envahirent ses
narines.

« Oh, non ! s'exclama-t-elle. Nous sommes sur le
territoire du Clan de la Rivière, maintenant !

— Continue, haleta Poil de Châtaigne. Seule une
petite bande d'herbe nous sépare de chez nous. »

Nuage de Feuille risqua un regard en arrière. La
patrouille du Clan du Vent les pourchassait tou-

jours. Aveuglés par la colère, les guerriers n'avaient sans doute pas vu la frontière, ou bien ils s'en moquaient.

« Ils gagnent du terrain ! hoqueta-t-elle. On va devoir se battre. On n'arrivera jamais à temps sur notre territoire. »

Les deux chattes firent volte-face pour affronter leurs poursuivants. Nuage de Feuille se prépara, regrettant amèrement d'avoir entraîné Poil de Châtaigne dans cette expédition périlleuse.

Au moment où Griffe de Pierre allait fondre sur elle, Nuage de Feuille vit un éclair doré jaillir d'un buisson. Elle eut à peine le temps de reconnaître Papillon, l'apprentie guérisseuse du Clan de la Rivière. Le lieutenant du Clan du Vent percuta Nuage de Feuille et ils roulèrent ensemble dans l'herbe. La jeune chatte se tordit en ondulant pour échapper aux coups de griffes redoublés. Elle essaya de se retourner afin de plonger ses crocs dans la gorge de son assaillant, mais la force nerveuse du lieutenant au corps amaigri la rendait aussi impuissante qu'une proie tombée entre ses pattes. Les griffes du matou glissèrent sur son flanc et s'enfoncèrent dans son épaule. En puisant dans ses réserves, elle réussit à se dérober à ses crocs ; puis elle tenta de lui labourer le ventre avec ses pattes arrière.

Soudain, le lourd fardeau qui la maintenait au sol s'envola. Griffe de Pierre gisait près d'elle. Les deux combattants se relevèrent péniblement. Nuage de Feuille vit alors Papillon frapper les oreilles du guerrier.

« Sors de notre territoire, tout de suite ! feula-
t-elle. Et emmène tes copains galeux. »

Griffe de Pierre fit mine de lui porter une ultime
attaque, mais il se repliait déjà. Poil de Châtaigne,
qui maintenait Oreille Balafrée à terre, libéra son
adversaire en faisant un bond de côté. Avant de le
laisser partir pour de bon, elle le mordit de toutes
ses forces. Il détala en hurlant, à la suite de son
lieutenant. Quant au matou tigré, il avait déjà disparu.

Papillon reporta son attention sur les deux
chattes du Clan du Tonnerre. Sa fourrure dorée était
à peine ébouriffée et une lueur de satisfaction éclairait ses yeux ambrés.

« On a des problèmes ? » s'enquit-elle.

Nuage de Feuille s'efforça de reprendre son souffle tout en s'ébrouant pour faire tomber les brindilles accrochées à son pelage.

« Merci, Papillon, dit-elle. Je ne sais pas ce que
nous aurions fait sans toi. » Elle se tourna vers sa
camarade de Clan. « Poil de Châtaigne, tu connais
Papillon ? C'est l'apprentie de Patte de Pierre, mais
avant de suivre la voie des guérisseurs, elle a d'abord
reçu son nom de guerrière.

— Et ça nous a bien servi, observa Poil de Châtaigne en remerciant d'un signe de tête leur sauveur.
On a eu les yeux plus gros que le ventre, sur ce
coup-là.

— Désolée, nous ne devrions pas être sur ton
territoire, poursuivit Nuage de Feuille. Nous allons
partir tout de suite.

— Oh, rien ne presse. » Papillon ne chercha
même pas à connaître la raison de leur présence, ni

à savoir ce qui avait provoqué la fureur du Clan du Vent. « Vous avez l'air secoué. Reposez-vous un instant. Je vais vous trouver quelques herbes calmantes. »

Elle disparut aussitôt parmi les buissons. Nuage de Feuille et Poil de Châtaigne n'avaient plus qu'à s'asseoir et à l'attendre.

« Elle est toujours aussi peu soucieuse du code du guerrier ? marmonna Poil de Châtaigne. Nous n'avons pas le droit d'être là, et on dirait qu'elle s'en moque !

— À mon avis, c'est parce que je suis apprentie guérisseuse, comme elle. Et puis, nous sommes amies.

— Même les guérisseurs doivent respecter le code du guerrier. Et je n'imagine pas Museau Cendré aussi bienveillante avec les autres Clans ! Mais la mère de Papillon était bien une chatte errante, non ? Voilà qui pourrait tout expliquer...

— Papillon est un membre loyal du Clan de la Rivière ! la coupa Nuage de Feuille. Peu importe qui était sa mère.

— Je n'ai jamais dit le contraire », se défendit Poil de Châtaigne. Elle posa avec douceur le bout de sa queue sur l'épaule de l'apprentie. « Mais cela pourrait expliquer sa désinvolture quant aux frontières entre les Clans. »

Papillon revint alors, un bouquet d'herbe dans la gueule. L'apprentie du Clan du Tonnerre reconnut aussitôt l'odeur du thym. Par le passé, Museau Cendré lui avait expliqué à quel point cette plante était bonne pour apaiser l'anxiété.

« Tenez, déclara Papillon. Mangez-en un peu et vous vous sentirez bientôt mieux. »

Nuage de Feuille et Poil de Châtaigne s'allongèrent pour mâchouiller les brins parfumés.

« Vous êtes blessées ? s'enquit Papillon. Je peux vous rapporter des toiles d'araignée.

— Non, ce n'est pas la peine, merci », assura Nuage de Feuille. Elle était certaine que leurs quelques égratignures cicatriseraient d'elles-mêmes sans mal. « Il faut vraiment qu'on y aille.

— Avant de partir, racontez-moi ce qui s'est passé », voulut savoir Papillon.

Elle est donc un peu curieuse tout de même, pensa Nuage de Feuille.

« Que faisiez-vous sur le territoire du Clan du Vent ?

— Nous voulions comprendre ce que mijotent les Bipèdes », expliqua la novice. Comme son amie semblait toujours perplexe, elle lui décrivit comment, deux jours plus tôt, elle avait vu un monstre se ruer dans la forêt pour éventrer la terre ; elle évoqua également les signes de la présence des Bipèdes aperçus sur les territoires des Clans du Vent et de l'Ombre. Elle remarqua le regard étonné de Poil de Châtaigne. La jeune guerrière n'était manifestement pas ravie qu'elle révèle les problèmes du Clan du Tonnerre à un membre d'un Clan rival. Nuage de Feuille secoua la tête pour lui signifier son agacement. Elle ne prenait aucun risque en se confiant à une autre guérisseuse.

« Étoile de Feu souhaite connaître l'avis des autres Clans, conclut-elle. Mais le Clan de l'Ombre refuse d'admettre qu'il y a un problème et... tu as bien vu comment le Clan du Vent a réagi.

— À quoi t'attendais-tu ? » intervint Poil de Châtaigne. Elle se passa la langue sur le museau comme si le goût de la plante lui déplaisait. « Aucun Clan n'avouera mourir de faim ni perdre du territoire au profit des Bipèdes.

— Nous n'avons vu aucun de ces monstres chez nous, annonça Papillon. Tout va bien. Mais cela explique une chose... » Ses yeux ambrés s'écarquillèrent. « C'est la panique sur le territoire du Clan du Vent. Leurs marquages à la frontière empestent la peur.

— Cela ne me surprend guère, répondit Poil de Châtaigne. Ils sont maigres, de vrais squelettes, et il n'y a pas la moindre odeur de lapin dans les parages.

— Tout est en train de changer, murmura Nuage de Feuille.

— Au sein même des Clans aussi. Un chat ambitieux pourrait en profiter... »

Papillon avait parlé vite, comme atterrée, puis s'était tue, l'air gêné.

« Que veux-tu dire ? la pressa Nuage de Feuille.

— Oh... rien... rien de spécial... »

Elle se détourna en laissant sa phrase en suspens.

Nuage de Feuille la dévisagea, se demandant à quoi pouvait songer la jolie chatte dorée. Elle était trop jeune pour se souvenir d'Étoile du Tigre, le matou assoiffé de sang qui avait comploté pour devenir chef du Clan du Tonnerre. Lorsque ses plans meurtriers avaient échoué, il avait tenté de détruire le Clan tout entier pour assouvir sa vengeance. Elle frémit. Papillon connaissait-elle un félin aussi ambitieux ? La forêt ne pouvait tout de même pas abriter un autre Étoile du Tigre, si ?

Elle fut tirée de ses pensées lorsque Papillon bondit sur ses pattes, la tête tournée vers la rivière.

« Une patrouille approche ! s'exclama-t-elle. Venez par ici… vite ! »

Elle se faufila entre deux buissons. Nuage de Feuille et Poil de Châtaigne la suivirent. Peu après, elles sortirent du couvert et se retrouvèrent au pied de la pente menant à la frontière du Clan du Tonnerre.

« Si votre Clan manque de gibier, venez me voir, miaula Papillon. Nous ne sommes pas à quelques poissons près. Maintenant, filez ! »

Les deux chattes grimpèrent la colline ventre à terre puis plongèrent à l'abri des sous-bois. Nuage de Feuille s'attendait à tout moment à entendre des grognements accusateurs, mais elles atteignirent la frontière sans être repérées.

« Que le Clan des Étoiles soit loué ! » soupira Poil de Châtaigne en foulant le sol du Clan du Tonnerre.

Nuage de Feuille jeta un coup d'œil en arrière. Entre les feuilles, elle vit que Papillon n'avait pas bougé d'un poil. L'instant d'après, les buissons alentour s'écartèrent pour laisser passage à un guerrier massif au pelage tacheté et brillant. Nuage de Feuille reconnut Plume de Faucon, le frère de Papillon. Deux autres chasseurs l'accompagnaient. Plume de Faucon s'arrêta pour parler à sa sœur, sans jamais regarder une seule fois vers les deux chattes du Clan du Tonnerre.

En remarquant les larges épaules et le corps musculeux du guerrier, Nuage de Feuille se réjouit qu'il ne les ait pas surprises sur leur territoire. Au contraire de sa sœur, il suivait strictement le code du guerrier et il n'aurait sûrement pas voulu entendre les explications des deux intruses. Une fois de plus, Nuage de Feuille eut l'impression qu'il lui rappelait un autre félin. Elle avait beau le dévisager, elle ne parvenait pas à se souvenir de qui.

« Allez, miaula Poil de Châtaigne. Tu comptes passer ta journée à étudier ces guerriers du Clan de la Rivière ? Il est grand temps de rentrer. En chemin, tu pourras réfléchir à ce que tu raconteras, ou pas, à Étoile de Feu. »

CHAPITRE 5

Les griffes de Pelage d'Orage crissaient sur la roche grise et lisse. En se hissant encore un peu, il atteignit le sommet du rocher. Le vent glacé ébouriffait sa fourrure. Il regarda ses amis, restés en contrebas.

« Allez, les encouragea-t-il. Ce n'est pas si difficile si on saute. »

Suivant le levant sans relâche, ses camarades et lui avaient quitté la lande pour entamer l'ascension des montagnes. Voilà déjà deux jours qu'ils avaient pris le chemin du retour vers leur forêt natale. Le soleil était presque à son zénith et les montagnes qu'ils avaient vues au loin se dressaient à présent devant eux, plus imposantes encore qu'ils ne l'avaient imaginé. Leurs versants abrupts, noirs et menaçants, pointaient si haut dans le ciel que des nuages s'accrochaient à leurs cimes. Le sol était couvert de gravier ; rien n'y poussait à l'exception de quelques touffes d'herbe et autres maigres arbustes piquants. Comme aucun sentier n'était tracé, ils empruntaient d'étroites crevasses qui débouchaient souvent sur des parois infranchissables, et devaient alors rebrousser chemin. Pelage d'Orage pensait avec nostalgie à sa rivière qui serpentait entre des clairières d'herbe épaisse et fraîche ; il regrettait de ne pas avoir choisi de repasser par le territoire des Bipèdes.

Nuage d'Écureuil prit son élan et bondit vers le sommet du rocher qui leur bloquait le passage.

« Crotte de Souris ! » gémit-elle en comprenant qu'elle avait raté sa cible.

Alors qu'elle glissait le long de la roche, Pelage d'Orage se pencha pour l'attraper par la peau du cou. Il la maintint en équilibre le temps que l'apprentie trouve des prises où planter ses griffes. Elle put bientôt escalader la longueur de queue restante et s'asseoir près de lui.

« Merci ! dit-elle, les yeux luisants. J'ai beau m'appeler Nuage d'Écureuil, jamais je n'aurais cru désirer devenir un de ces rongeurs ! »

Le guerrier gris ronronna, amusé.

« On aura tous envie d'être changés en écureuil si cela continue.

— Hé ! » La voix agressive de Nuage Noir s'éleva vers eux. « Vous pouvez pas reculer, espèces de boules de poils ? Comment je peux grimper, moi, si vous restez là-haut ? »

Pelage d'Orage et Nuage d'Écureuil s'écartèrent. Nuage Noir les rejoignit aussitôt, ses longues pattes lui permettant de sauter facilement. Ignorant les deux autres, il se tourna pour aider Jolie Plume, qui grimpait tant bien que mal, et marmonna un juron lorsqu'une de ses griffes se brisa sur le roc.

Pelage d'Orage s'inquiétait pour Pelage d'Or. Il redoutait que sa blessure à l'épaule ne l'empêche de franchir le rocher, ce qui les obligerait à trouver un autre moyen de le contourner. À son grand soulagement, un seul bond suffit presque à la guerrière pour gagner le sommet, où Nuage Noir l'attrapa par la peau du cou et l'aida à se stabiliser. Griffe de Ronce fut le dernier à sauter. Perché sur le roc, il secoua son pelage tacheté et balaya les alentours du regard. Le soleil à son zénith ne donnait aucune ombre qui leur aurait permis de s'orienter. Un précipice abrupt les empêchait de voir ce qui les attendait un peu plus loin.

« J'imagine que c'est par là, miaula-t-il en pointant le bout de sa queue vers une étroite corniche partant du gros rocher. Qu'en penses-tu ? » demanda-t-il à Pelage d'Orage.

Ce dernier sentit sa fourrure se hérisser. À part quelques buissons épars qui avaient poussé dans les fissures, la roche était nue et, s'ils glissaient, rien ne viendrait interrompre leur chute.

« On peut toujours essayer, répondit-il, incertain, étonné que Griffe de Ronce l'ait consulté. Nous n'avons pas le choix, de toute façon, à moins de rebrousser chemin. »

Le matou hocha la tête.

« Tu veux bien fermer la marche ? On ne sait pas ce qui peut se cacher par ici, et je veux un guerrier aguerri pour surveiller nos arrières. »

Pelage d'Orage accepta avec joie. Les compliments du chat du Clan du Tonnerre le réchauffèrent des oreilles jusqu'au bout de la queue. Griffe de Ronce n'était ni son chef ni son mentor, pourtant Pelage d'Orage ne pouvait s'empêcher d'admirer le courage du jeune guerrier qui avait accepté de les guider au cours de ce périlleux voyage.

« J'ai changé d'avis, déclara Nuage d'Écureuil, tandis que Griffe de Ronce se faufilait sur la corniche. Je ne veux plus être un écureuil. Je préférerais être un oiseau ! »

Pelage d'Orage prit sa place en bout de colonne, comme le lui avait demandé Griffe de Ronce, les oreilles à l'affût du moindre signe de danger. Il luttait contre le vertige qui affolait son cœur. Collé à la paroi, il avança doucement, une patte après l'autre, se servant de sa queue pour garder l'équilibre. Au bout d'un moment, le vent gagna en force, et Pelage d'Orage fut assailli par d'horribles visions : une rafale soudaine les poussant un à un dans le vide. Il tenta de se calmer.

Devant eux, la corniche suivait la courbe de la montagne, disparaissant peu à peu de leur vue. Avant que Pelage d'Orage n'atteigne le tournant, Pelage d'Or s'arrêta brusquement juste devant lui. Un cri angoissé leur parvint :

« Oh, non !

— Qu'y a-t-il, Jolie Plume ? » appela Pelage d'Orage.

Pelage d'Or avança plus lentement encore. Le guerrier gris la suivit jusqu'à ce qu'il voie ce qui les attendait. Son estomac se noua. La corniche s'écartait de la paroi rocheuse et s'étrécissait pour former une crête isolée. Tout autour, le vide. Un simple regard en bas, vers la vallée où courait un ruisseau – qui ne semblait pas plus large qu'une queue de souris –, donnait le tournis.

« Tu veux qu'on fasse demi-tour ? lança-t-il à Griffe de Ronce.

— Attendez un instant. Il y a peut-être une solution. Regardez là-bas. »

Pelage d'Orage suivit des yeux la direction indiquée. Sur le flanc de la montagne, de l'autre côté du précipice, une faille s'ouvrait entre deux parois à pic. Des buissons y poussaient, ainsi que quelques arbres. Un petit cours d'eau s'écoulait d'un côté, bordé de verdure.

« Le terrain a l'air moins accidenté là-bas, concéda Jolie Plume. Mais pouvons-nous y accéder ? »

Nuage d'Écureuil leva la tête pour humer l'air.

« Ça sent le lapin », miaula-t-elle avec envie.

Pelage d'Orage évalua le saut qu'il leur faudrait accomplir – un peu trop risqué à son goût, surtout sans élan. Néanmoins, il pensait pouvoir y parvenir, mais qu'en serait-il de Pelage d'Or ? La guerrière du Clan de l'Ombre boitait de nouveau depuis le début de l'ascension ; même si elle ne se plaignait pas, il était évident que sa blessure n'était pas guérie.

Il n'eut pas le temps d'exprimer ses doutes. Nuage Noir le prit de vitesse :

« Qu'est-ce qu'on attend ? Que des ailes nous poussent ? »

Sans l'ombre d'une hésitation, l'apprenti du Clan du Vent s'élança. Son corps gris sombre sembla un instant suspendu dans le vide ; puis il fut de l'autre côté, retombant avec souplesse sur les éboulis au bord du précipice.

« Allez ! lança-t-il aux autres. C'est fastoche ! »

Pelage d'Orage croisa le regard de Griffe de Ronce. Il comprit que le guerrier tacheté était tout aussi agacé que lui par l'initiative de l'apprenti, qui aurait dû attendre que tout le monde exprime son accord. À présent, ils devaient tous tenter le saut, qu'ils le veuillent ou non : Nuage Noir n'arriverait jamais à sauter dans l'autre sens pour les rejoindre sur l'étroite corniche, et ils ne pouvaient pas le laisser seul de son côté.

Le guerrier du Clan de la Rivière sentit grandir son angoisse en voyant Jolie Plume tapie au bord du rocher, la fourrure ébouriffée par le vent. En face, Nuage Noir l'attendait pour l'aider à se réceptionner. L'instant suivant, elle dressait sa queue touffue, frémissant du plaisir d'avoir réussi.

Sur la corniche, les quatre chats se serrèrent les uns contre les autres. De plus en plus effrayé, Pelage d'Orage sentit le vent gagner en puissance.

« Bien. À qui le tour ? demanda Griffe de Ronce d'un ton égal.

— À moi, miaula Nuage d'Écureuil. On se revoit de l'autre côté. »

Elle fit un bond extraordinaire, qui la conduisit à une bonne longueur de queue du bord opposé.

« Elle est vraiment incroyable », murmura Griffe de Ronce.

Puis il afficha un air perplexe, comme surpris d'avoir parlé tout haut.

« Étonnante, oui, renchérit Pelage d'Orage.

— Pelage d'Or, tu es prête ? s'enquit Griffe de Ronce en se tournant vers sa sœur. Ton épaule va bien ?

— Je me débrouillerai », miaula-t-elle, la mine sombre.

Elle évalua la distance d'un regard puis sauta dans le vide. Pendant un instant, Pelage d'Orage eut l'horrible impression qu'elle avait mal jugé. Elle percuta le bord du roc et battit frénétiquement des pattes pour trouver une prise parmi les pierres descellées. Aussitôt, Jolie Plume apparut d'un côté, Nuage d'Écureuil de l'autre, et ensemble elles l'attrapèrent par la peau du cou pour la hisser jusqu'en haut.

« Bravo ! » lança Griffe de Ronce d'une voix que l'inquiétude avait fait monter dans les aigus.

Pelage d'Or ne répondit pas. Elle avait eu si peur que sa queue avait doublé de volume. Pelage d'Orage vit Jolie Plume l'entraîner vers le ruisseau et l'encourager à boire.

« Tu te lances ? demanda Griffe de Ronce au guerrier gris.

— Vas-y. Je peux passer en dernier. »

Le guerrier tacheté franchit le précipice d'un bond magistral. Désormais seul sur la corniche, Pelage d'Orage tremblait d'appréhension. Il allait sauter à son tour lorsque Nuage d'Écureuil hurla :

« Attention ! »

Au même instant, il entendit un puissant battement d'ailes. Une ombre noire s'abattit sur lui. Sans réfléchir, il se lança dans le vide. De l'autre côté, ses amis s'écartèrent pour ne pas le gêner.

Il atterrit gauchement, sur le flanc, et se pétrifia d'horreur en voyant un oiseau énorme piquer droit sur lui, serres tendues.

Un chat hurla son nom. Tout en roulant sur le côté pour échapper aux griffes et au bec acérés, il sentit les coups de vent des ailes battantes et perçut une odeur de charogne. Puis Griffe de Ronce et Jolie Plume se ruèrent vers lui, sifflant et crachant, la fourrure hérissée. L'oiseau vira, offrant à Pelage

d'Orage l'occasion de se dégager. Les serres se plan-
tèrent alors dans le sol, projetant des nuages de
poussière. Le rapace poussa un cri de dépit. Ses ailes
immenses l'emportèrent au loin, et il s'enfuit aussi
vite qu'il était apparu. Les trois chats filèrent s'abriter sous un buisson, où les attendaient Nuage d'Écureuil et Pelage d'Or.

« Au nom du Clan des Étoiles, qu'est-ce que
c'était que ça ? hoqueta Pelage d'Orage en regardant
la silhouette s'élever toujours plus haut jusqu'à
n'être qu'un point dans le ciel. Je n'ai jamais vu un
oiseau pareil.

— Un aigle. » Nuage Noir les rejoignit en se fau-
filant sous la plus basse branche. « On en voit de
temps en temps sur le territoire du Clan du Vent.
Ils s'attaquent surtout aux agneaux, mais les anciens
disent qu'ils s'en sont déjà pris à des chats.

— Je l'ai échappé belle, marmonna Pelage
d'Orage. Merci à vous deux », ajouta-t-il à l'intention de Griffe de Ronce et de Jolie Plume.

La chatte frissonna.

« Imaginez ce qui se serait passé s'il nous avait
vus un peu plus tôt, lorsqu'on était tous coincés sur
ce rocher…

— Je préfère ne pas y penser ! rétorqua Nuage
d'Écureuil.

— Nous devrions faire une pause pour nous
remettre de nos émotions, miaula Griffe de Ronce.
Et si nous chassions ? J'ai senti des lapins dans le
coin.

— J'y vais, proposa Nuage Noir. Je n'ai pas
besoin de repos. Tu viens, Jolie Plume ? »

Pelage d'Orage faillit protester lorsque sa sœur se

leva pour suivre Nuage Noir. Finalement, il se contenta de lancer :

« Méfiez-vous de cet aigle ! »

Après leur départ, Pelage d'Or ferma les yeux en poussant un soupir d'épuisement et, en un instant, elle s'endormit. Pelage d'Orage se roula en boule près d'elle, mais il avait du mal à se laisser aller. En entendant les murmures de Griffe de Ronce et de Nuage d'Écureuil, il se surprit à tendre l'oreille. Il enviait leur complicité et, une fois encore, il regretta que Nuage d'Écureuil appartienne au Clan de Griffe de Ronce et non au sien. Il s'inquiétait aussi pour sa sœur, seule, là-bas, avec l'apprenti. Ils feraient mieux de continuer à avancer tant qu'ils le pouvaient. S'ils perdaient trop de temps, l'obscurité les surprendrait et les forcerait à passer la nuit sur place.

Il parvint finalement à dériver vers un sommeil superficiel et agité. Un léger coup de patte dans les côtes l'éveilla. Il cligna des yeux ; les prunelles vertes de Nuage d'Écureuil étaient penchées vers lui. Un délicieux fumet de lapin vint caresser ses narines.

« Ils sont de retour, annonça Nuage d'Écureuil. Et ils ont ramené assez de viande pour tout le monde. Bien sûr, ajouta-t-elle, une lueur amusée dans les yeux, je peux manger ta part si tu n'en veux pas.

— Pas touche ! » feula Pelage d'Orage en lui rabattant l'oreille du bout de la queue.

Tout en dévorant sa pièce de viande, il observait Jolie Plume et Nuage Noir qui se régalaient côte à côte. Il réprima un grognement.

Une fois que tout le monde fut rassasié, il parvint à attirer Jolie Plume à l'écart.

« Écoute-moi, Jolie Plume, Nuage Noir et toi... marmonna-t-il.

— Quoi, Nuage Noir ? » Les yeux bleus de la guerrière brillaient de fureur mal contenue. « Vous autres, vous êtes injustes avec lui !

— Ce n'est pas la question, répondit-il. Que va-t-il se passer quand nous serons de retour chez nous ? Nuage Noir appartient à un autre Clan.

— Nous ne savons même pas si les Clans existeront encore, lui rappela-t-elle. Nous allons quitter la forêt, non ?

— Et tu crois que les limites claniques disparaîtront d'un coup ? renifla-t-il. J'en doute. »

L'éclair de colère qui traversa le regard de sa sœur le surprit.

« Tu as déjà oublié ce que Minuit nous a prédit ? cracha-t-elle. Les Clans ne survivront pas s'ils sont incapables de s'associer.

— Et toi, tu as déjà oublié ce qui arrive lorsque deux chats de Clans différents se mettent ensemble ? Pense à notre père, à la façon dont il a toujours été déchiré entre deux Clans. Toi et moi, on a failli mourir parce qu'on était des clan-mêlés ! Étoile du Tigre nous aurait assassinés si les chats du Clan du Tonnerre n'étaient pas venus nous sauver.

— Mais Étoile du Tigre n'est plus, maintenant, s'entêta Jolie Plume. Il n'y aura jamais plus de tyran comme lui dans la forêt. Et Minuit a dit que tous les Clans devraient trouver un autre endroit où vivre. Tout sera différent.

— Pourtant, Nuage Noir et toi...

— Je refuse d'en parler davantage, coupa-t-elle, sa colère soudain oubliée. Je suis désolée, Pelage d'Orage, mais cela ne te regarde pas. »

Le guerrier gris s'apprêtait à répondre d'un ton acerbe, puis il comprit qu'elle avait raison. D'un geste gauche, du bout de la queue, il lui caressa l'épaule.

« Je m'inquiète pour toi, c'est tout. »

La chatte lui donna un coup de langue sur l'oreille.

« Je sais. Mais c'est inutile. Je t'assure. »

Lorsque les félins quittèrent le couvert du buisson pour poursuivre leur voyage, le ciel s'était déjà assombri. Le vent était tombé mais l'air était toujours frais et des nuages s'amassaient autour du sommet de la montagne, éclipsant le soleil.

« Il va pleuvoir, déclara Pelage d'Or. Il ne manquait plus que ça.

— Alors avançons tant que nous le pouvons encore », répondit Griffe de Ronce.

Ils suivirent la fissure qui balafrait le flanc de la montagne, restant près du bord, utilisant autant que possible les buissons pour se dissimuler, au cas où l'aigle reviendrait. Pelage d'Orage gardait toujours un œil sur le ciel. Il vit une fois un petit point, dérivant paresseusement au-dessus des cimes, et comprit que l'oiseau de proie était toujours à l'affût.

Ils passèrent devant la source du mince cours d'eau, qui jaillissait d'une crevasse entre deux rochers, et burent une dernière fois avant de poursuivre. Pelage d'Orage leva la tête vers les parois à pic qui les attendaient, cherchant un repère familier signalant la présence de gibier ou d'un abri. Hélas, il ne vit rien d'autre que la roche grise stérile.

La faille s'étrécit et la végétation se raréfia. Pelage d'Orage se sentait bien trop exposé, mais l'aigle ne revint pas. Au crépuscule, une pluie fine et glacée se mit à tomber. Leur fourrure fut vite trempée.

« Nous devrons bientôt nous arrêter, déclara Nuage d'Écureuil. Mes coussinets sont enflés à faire mal.

— En tout cas, on ne peut pas camper ici, grogna Griffe de Ronce avec humeur. Il faut qu'on s'abrite de la pluie.

— Non, Nuage d'Écureuil a raison, objecta Pelage d'Orage. C'est dangereux de poursuivre dans le noir. On risque la chute. »

Les poils de Griffe de Ronce se hérissèrent sur sa nuque. Il décocha à Pelage d'Orage un regard assassin. Le guerrier gris entendit sa sœur pousser un cri affolé derrière lui. Il comprit qu'ils étaient sur le point de se battre. Son respect grandissant pour le chasseur du Clan du Tonnerre ne l'encourageait guère à l'affronter. Pourtant, il ne pouvait se dédire et laisser Griffe de Ronce les conduire en pleine nuit au milieu des précipices.

Les deux chats se défièrent un moment dans un silence tendu. Puis la fureur du guerrier tacheté sembla s'apaiser ; sa fourrure reprit un aspect normal.

« Tu as raison, Pelage d'Orage. Abritons-nous sous ce rocher, là-bas. C'est toujours mieux que rien. »

Il les guida jusqu'à un surplomb qui ne les protégeait que d'un côté. Le vent et la pluie redoublèrent alors qu'ils s'installaient, serrés les uns contre les autres pour se tenir chaud et à peu près au sec.

« Tu parles ! marmotta Nuage Noir. Si c'est ça qu'on appelle un abri, alors moi je suis une pie ! »

Tu es tout aussi bavard, pensa Pelage d'Orage.

Cette nuit-là, il ne dormit que par intermittence. Dès qu'il se réveillait, il sentait ses amis remuer eux aussi dans leur sommeil. Lorsque enfin le ciel commença à pâlir, il se mit péniblement sur ses pattes, les muscles endoloris et les yeux piquants. Il jeta un coup d'œil par-delà le surplomb mais ne vit qu'une épaisse brume blanche à perte de vue.

« On doit être dans les nuages, murmura Griffe de Ronce, venu le rejoindre. J'espère que le brouillard se lèvera bientôt.

— Tu crois qu'on devrait poursuivre ? lui demanda Pelage d'Orage d'un ton hésitant, ne voulant pas provoquer un autre différend. Si l'on ne voit pas où l'on met les pattes, on risque de se jeter droit dans le vide.

— Chez nous, on se débrouille lorsque le brouillard tombe sur la lande », fit remarquer Nuage Noir en bâillant. Il se leva à son tour puis ajouta d'un air perplexe : « Mais on connaît notre territoire, on se repère à l'odeur aussi bien qu'à la vue.

— Et notre déjeuner ? s'enquit Nuage d'Écureuil. Il n'y a aucune trace de lapin par ici. Je meurs de faim ! »

Pelage d'Orage tenta d'ignorer les gargouillis de son propre estomac. Griffe de Ronce quitta leur abri pour se risquer à l'extérieur, tête levée.

« J'y vois à quelques queues de renard, rapportat-il. Cette fissure semble se poursuivre sans fin. Je crois qu'on ne risque rien tant qu'on la suit. »

Il jeta un coup d'œil interrogatif à Pelage d'Orage, comme s'il regrettait leur dispute et voulait s'assurer de son approbation.

Le guerrier gris le rejoignit et frissonna en sentant le brouillard pénétrer son pelage.

« D'accord, miaula-t-il. Ouvre la voie. De toute façon, nous n'avons pas le choix. »

À contrecœur, les autres félins suivirent Griffe de Ronce dans la froide brume qui poissait leur fourrure ; tous s'engagèrent après lui dans la fissure. Pelage d'Orage remarqua que la claudication de Pelage d'Or avait empiré ; sa patte semblait plus raide que la veille. La racine de glouteron de Minuit avait certes guéri l'infection, mais Pelage d'Orage craignait que les muscles soient atteints. Il aurait fallu consulter un guérisseur. Hélas, il était inutile d'y songer.

La lumière du jour s'accentua et les volutes de nuages pâlirent comme si, quelque part loin au-dessus d'eux, le soleil se levait. Au fur et à mesure de leur montée, la fissure devenait plus étroite et encaissée.

« J'espère que ce n'est pas une voie sans issue, miaula Jolie Plume. On ne pourra jamais retourner sur la corniche. »

À peine eut-elle prononcé ces paroles que les nuages se dissipèrent. Un versant lisse se dressait sous leurs yeux effarés, là où les parois de la faille se rejoignaient. Poursuivre l'ascension semblait impossible, à moins que des ailes ne leur poussent. Pelage d'Orage se sentit soudain misérable, sa four-

rure grise plaquée contre son corps, le ventre
tenaillé par la faim.

« Et maintenant ? » miaula Pelage d'Or, qui semblait aussi abattue que lui.

Les six félins s'étaient figés, tête levée. La pluie
était si fine que le vent faisait tourbillonner les gouttelettes. Pelage d'Orage était au comble du désespoir. Pourquoi s'acharner ? Même s'ils parvenaient
à rentrer chez eux, la forêt serait détruite. Leur seul
espoir reposait sur les paroles d'un blaireau – animal
que les chats avaient toujours considéré comme leur
ennemi. Coincé là entre des rochers trempés de
pluie, il lui était difficile de se rappeler qu'il faisait
confiance à la sagesse de Minuit. Et si Pelage
d'Orage en venait à douter, qu'en serait-il de ses
camarades de Clan lorsqu'il leur transmettrait son
message ? Ils s'étaient toujours méfiés de lui et de
Jolie Plume, à cause de leur héritage de clan-
mêlés... Pourquoi les écouteraient-ils maintenant ?

Soudain, le guerrier gris prit conscience d'un
grondement continu au loin. Ce bruit lui rappelait
la rivière s'engouffrant dans le ravin sur son territoire natal.

« Qu'est-ce que c'est ? miaula-t-il, la tête dressée.
Vous entendez ça ?

— Ça vient de là », souffla Griffe de Ronce.

Pelage d'Orage suivit le matou tacheté jusqu'au
bout de la fissure et découvrit une entaille verti-
cale dans la roche, juste assez large pour laisser passer un chat. Griffe de Ronce s'y engagea le premier,
encourageant les autres à le suivre d'un mouvement
de la queue. Pelage d'Orage attendit que tous s'y
soient faufilés pour fermer la marche. Sa fourrure

frôlait les parois de chaque côté. Il se demanda ce qu'ils feraient si la crevasse devenait si étroite qu'ils y restaient coincés.

Le grondement s'accentua et, au bout d'un moment, le sentier déboucha sur une corniche à l'air libre. Des blocs de pierre s'élevaient devant eux, jusqu'à une arête découpée sur le ciel. Un torrent jaillissait de la crête, écumant sur le flanc de la montagne, avant de disparaître derrière un pic acéré.

« Au moins, on va pouvoir se désaltérer ! s'exclama Nuage d'Écureuil.

— Attention, la mit en garde Griffe de Ronce. Un mauvais pas, et tu seras bonne pour nourrir les corbeaux. »

Nuage d'Écureuil le foudroya du regard, mais ne dit rien. Elle s'avança prudemment jusqu'au bord du torrent et s'accroupit pour laper l'onde limpide. Pelage d'Orage et les autres l'imitèrent. L'eau glaciale rafraîchit le guerrier du Clan de la Rivière ; il reprit courage. Peut-être que leur périple dans ces montagnes hostiles allait bientôt prendre fin, après tout.

Il se remit sur ses pattes et lança un regard en aval. La vue le pétrifia : juste au-dessous d'eux, les rochers se dérobaient, laissant place à un précipice. Pelage d'Orage s'en approcha à pas menus et tendit le cou. Le torrent se déversait dans un bassin, bien des longueurs de queue plus bas. Le grondement tonitruant de la cascade résonnait dans ses oreilles et lui donnait le vertige. D'instinct, il sortit les griffes, cherchant à se cramponner à la roche trempée de pluie.

Ses camarades se massèrent autour de lui, les yeux écarquillés.

« Magnifique ! s'écria Nuage d'Écureuil. Je parie que ça grouille de gibier, en bas. »

À travers la brume de fines gouttelettes qui s'élevait du bassin, Pelage d'Orage aperçut un autre goulet semblable à celui qu'ils venaient de quitter. L'herbe y poussait entre les pierres et des buissons garnissaient les parois rocheuses. Nuage d'Écureuil avait raison : si d'autres animaux vivaient dans les parages, ce serait là, au bas des chutes.

« Mais nous devons continuer à monter », fit remarquer Griffe de Ronce. Il inclina les oreilles vers la source du torrent. « Cela n'a pas l'air trop dur à escalader. Si nous descendons, nous risquons de ne pas pouvoir revenir ici.

— On s'en fiche, du moment qu'on peut manger », marmonna la rouquine – si bas que Pelage d'Orage douta que son camarade de Clan l'ait entendue.

Griffe de Ronce reprit la tête du groupe. Ils continuèrent donc leur ascension, malgré la fatigue et leur fourrure trempée qui les alourdissait. Pelage d'Or, en particulier, avait du mal à suivre : elle se hissait péniblement sur chaque rocher, comme à bout de forces.

Le torrent gargouillait près d'eux, éclaboussant les rochers déjà mouillés et glissants. La pluie avait redoublé d'intensité. Pelage d'Orage surveillait le cours d'eau d'un œil inquiet : une crue soudaine ne manquerait pas de les balayer sur son passage. Depuis son poste à l'arrière du groupe, il essayait de garder un œil sur tous ses camarades, sachant qu'au moindre faux pas l'un d'eux risquait d'être entraîné par le courant et précipité dans le bassin au pied de la cascade.

À peine eut-il envisagé une telle éventualité que Jolie Plume dérapa sur la roche et bascula dans l'eau. D'une patte, elle réussit à s'agripper à la rive, mais le torrent menaçait de l'emporter à tout instant. La chatte ouvrit les mâchoires sur un cri silencieux.

Pelage d'Orage bondit vers elle, bousculant Pelage d'Or au passage. Mais Nuage Noir le prit de vitesse ; l'apprenti s'était arc-bouté au-dessus de l'eau écumante pour planter ses crocs dans la nuque de la guerrière ; il la hissa jusqu'à la berge.

« Merci, Nuage Noir », hoqueta-t-elle.

Une lueur de gratitude, teintée d'adoration, illuminait les prunelles bleues de Jolie Plume. Pelage d'Orage en fut agacé.

« Regarde où tu mets les pattes, miaula Nuage Noir, bourru. Tu te prends pour un chef de Clan, avec neuf vies à gâcher ? Je t'ai sauvée une fois, arrange-toi pour que ce soit la dernière.

— Désolée. » Jolie Plume frotta son museau contre celui du petit chat gris sombre.

« Fais un peu attention, nom d'une souris ! » feula Pelage d'Orage, sans savoir ce qui l'irritait le plus : l'imprudence de sa sœur ou le fait que Nuage Noir l'ait secourue avant lui. D'un coup d'épaule, il écarta l'apprenti pour examiner Jolie Plume. « Ça va ?

— Oui, oui. Plus de peur que de mal », répondit-elle en s'ébrouant.

Un grondement assourdissant leur parvint alors

du sommet de la montagne, couvrant jusqu'au fracas de la cataracte. Pelage d'Orage leva la tête et se figea, horrifié : une énorme coulée de boue, de branches et d'eau fonçait droit sur eux. Ses pires craintes devenaient réalité. Le torrent était en crue. Nuage d'Écureuil poussa un cri de terreur qui fit reculer Griffe de Ronce.

La vague les balaya avant qu'ils aient le temps de réagir. Elle percuta Pelage d'Orage de plein fouet, le fauchant sur son passage. Il agita inutilement les pattes tandis qu'il était emporté, qu'il heurtait des rochers auxquels il essayait en vain de s'accrocher. Une de ses pattes percuta un bloc de pierre, lui arrachant un cri de douleur ; il faillit s'étrangler quand l'eau s'engouffra dans sa gueule. Puis ses pattes battirent soudain dans le vide, il sut qu'il tombait vers le bassin au pied de la cascade.

Un silence étrange se fit, à peine brisé par le murmure de l'eau vive. Ensuite le grondement reprit de plus belle, prêt à l'avaler, lorsqu'il plongea dans le bassin. Tandis que l'impact le faisait basculer cul par-dessus tête, il aperçut Nuage Noir qui battait follement des pattes avant d'être aspiré par les flots. Une colonne d'eau s'abattit alors sur le guerrier gris, lui enfonçant la tête sous la surface ; il ne vit plus que de l'écume blanche, n'entendit qu'un fracas assourdissant, et plus rien.

Clan des Étoiles, pardonnez-moi, pria Pelage d'Orage dans un sursaut désespéré. *Je sais que ce n'était pas ma mission, mais j'ai fait de mon mieux. S'il vous plaît, veillez sur nos Clans…*

CHAPITRE 6

Nuage de Feuille jaillit à la surface de l'eau. Elle inspira une profonde goulée d'air puis réussit à reprendre pied. Malgré le fort courant de la rivière qui menaçait de la faucher à tout instant, elle parvint à rejoindre la rive à quelques longueurs de queue. Elle frissonna sous le pâle soleil de la saison des feuilles mortes. Sur la berge, Papillon l'observait, perchée sur un rocher.

La chatte du Clan de la Rivière plissa ses yeux ambrés d'un air amusé.

« Ce n'est pas en plongeant que tu vas attraper du poisson ! se moqua-t-elle.

— Je le sais bien ! rétorqua Nuage de Feuille. J'ai glissé, c'est tout.

— Je te crois », ronronna Papillon. Elle donna un petit coup de langue à son poitrail doré. « Allez, sors de là, on recommence. On n'arrête pas tant que je n'ai pas réussi à t'apprendre à pêcher.

— Je ne suis pas sûre qu'on ait raison de faire ça, protesta Nuage de Feuille en rejoignant la rive.

— Évidemment, qu'on a raison. Les lapins et les écureuils commencent à disparaître, à cause des

Bipèdes, mais il y a assez de poissons pour nourrir tout le monde.

— Sauf que ça m'oblige à venir sur le territoire du Clan de la Rivière, fit remarquer l'apprentie du Clan du Tonnerre. Que dirait Étoile du Léopard si elle le savait ?

— Nous sommes toutes deux des guérisseuses, répondit Papillon en clignant des yeux. Les frontières entre les Clans n'ont pas autant d'importance pour nous que pour les autres. »

Nuage de Feuille n'interprétait pas le code du guerrier de cette façon. Son amie avait usé du même argument quelques jours auparavant, lorsqu'elle avait sauvé Nuage de Feuille et Poil de Châtaigne des guerriers du Clan du Vent lancés à leurs trousses.

Ce matin-là, elle avait interpellé Nuage de Feuille tandis qu'elle ramassait des herbes près des Rochers du Soleil et lui avait proposé de lui donner une leçon de pêche. Nuage de Feuille s'était sentie très nerveuse en franchissant la frontière, mais sa faim l'avait poussée de l'avant, car le gibier devenait rare même sur le territoire du Clan du Tonnerre. Néanmoins, ses sens demeuraient en alerte, guettant le moindre signe d'une patrouille du Clan de la Rivière.

« Bon, poursuivit Papillon. Tapis-toi près de moi, et regarde dans l'eau. Dès que tu vois un poisson, sors-le de l'eau d'un coup de patte. C'est facile. »

Les corps luisants de deux poissons gisant sur la rive prouvaient à quel point c'était en effet facile pour Papillon. Nuage de Feuille les contempla avec envie, se demandant si elle arriverait un jour à apprendre l'art de la pêche.

« Tu en veux ? » lui proposa Papillon en suivant son regard.

Nuage de Feuille hésita. Ses camarades de Clan, eux, restaient le ventre vide. Mais elle n'avait pas mangé de viande fraîche depuis la veille au soir, et encore, elle avait dû se contenter d'un maigre campagnol.

« Ce ne serait pas bien… murmura-t-elle, tout en essayant de se convaincre que se priver n'aiderait guère son Clan.

— Mais si. Quel mal y a-t-il à cela ? »

Nuage de Feuille ne se le fit pas répéter. Elle s'accroupit au-dessus des poissons et plongea ses crocs dans la chair fraîche.

« Mmm, délicieux, marmonna-t-elle.

— Apprends à les pêcher toi-même, et tu pourras en rapporter à ton Clan », dit Papillon d'un air satisfait.

Elle-même grignota à peine, comme si elle était déjà rassasiée et ne se souciait guère de manger.

Après une dernière bouchée, Nuage de Feuille se promit de ne pas rentrer bredouille. Elle vint se poster sur le rocher près de Papillon et se concentra sur l'eau en contrebas, à l'affût.

Une odeur inconnue lui parvint à l'instant même où Papillon crachait : « Plume de Faucon ! » Nuage de Feuille sentit qu'on la poussait d'un coup de patte dans les côtes. Elle chancela et se retrouva de nouveau dans la rivière. Elle agita follement les pattes, se demandant pourquoi son amie voulait la noyer. Quand elle refit surface, elle reconnut la silhouette massive de Plume de Faucon qui approchait. Elle comprit alors : Papillon n'avait trouvé que ce moyen pour la dissimuler aux yeux de son frère.

Elle nageait doucement, seul son museau dépassait de l'eau. Elle se laissa entraîner par le courant vers une touffe de roseaux où elle se cacha en attendant de pouvoir regagner la rive.

Nuage de Feuille allait devoir rester tapie là, trempée et transie, jusqu'à ce que le matou s'en aille. Alors seulement elle pourrait traverser le terrain à découvert qui la séparait de la frontière du territoire du Clan du Tonnerre. Elle secoua la tête pour chasser l'eau de ses oreilles.

« ... je guette le moindre signe du Clan du Vent, entendit-elle le guerrier déclarer. Je sais très bien qu'ils nous volent du poisson et, un jour, je les prendrai sur le vif.

— Ils ne viendraient pas jusque-là, rétorqua Papillon d'un air innocent. Ils pêchent sans doute plus près des Quatre Chênes – si tant est qu'ils se risquent chez nous.

— Ceux du Clan du Tonnerre ne s'en privent pas, eux, grogna le guerrier. Je sens leur odeur. »

Nuage de Feuille frémit et se fit toute petite dans les roseaux.

« Et alors ? La frontière est juste à côté, lui fit remarquer sa sœur. Ce serait plutôt étrange de ne pas les sentir. »

Il grogna de plus belle.

« Il se passe quelque chose d'anormal dans la forêt. Des chats ont disparu dans chaque Clan. Te souviens-tu de ce que disaient les autres chefs lors de la dernière Assemblée ? Cela fait quatre chats, sans compter Pelage d'Orage et Jolie Plume. Je ne sais pas ce qui se trame, mais je le découvrirai. »

Nuage de Feuille se crispa. Elle avait parlé à Papillon des monstres des Bipèdes ; apparemment, celle-ci n'en avait rien dit au reste de son Clan. La colère qu'elle percevait dans la voix du guerrier l'inquiétait. Elle pria le Clan des Étoiles pour que Papillon ne choisisse pas cet instant pour dévoiler ses confidences. À son grand soulagement, son amie se contenta de miauler sur un ton calme :

« Chez nous, tout va bien, alors pourquoi s'alarmer ?

— Des abeilles te bourdonnent dans le crâne, ma parole ! feula le guerrier. C'est une occasion à ne pas rater pour le Clan de la Rivière. Si les autres Clans sont faibles, nous pourrons dominer toute la forêt !

— Comment ? cracha Papillon avec dégoût. C'est toi qui as des abeilles dans le crâne. Pour qui te prends-tu ? Étoile du Tigre ?

— Il y a pire, comme modèle », rétorqua-t-il.

Nuage de Feuille était tétanisée par la peur. Comment pouvait-on admirer un chat sanguinaire assoiffé de pouvoir ?

Une idée frappa soudain l'apprentie guérisseuse : voilà pourquoi, peu de temps auparavant, Papillon avait évoqué un félin ambitieux. Son propre frère l'inquiétait ! Quelques jours plus tôt, Nuage de Feuille aurait juré que la forêt n'abriterait jamais un autre Étoile du Tigre ; à présent, elle ne pouvait que tendre l'oreille, horrifiée.

« Tu as oublié ce qui est arrivé à Étoile du Tigre ?

grondait Papillon. Il a échoué. De lui, il ne reste que son nom, qui sert à effrayer les chatons.

— Je saurai tirer les leçons de ses erreurs », déclara Plume de Faucon d'une voix caverneuse. « Notre mère nous en a appris assez sur son compte, après tout. Il a enfreint le code du guerrier, et il méritait d'échouer. J'éviterai ces écueils. »

Nuage de Feuille regardait les roseaux sans les voir, perplexe. La mère de Plume de Faucon – Sacha, la chatte errante – leur avait parlé d'Étoile du Tigre… Comment pouvait-elle le connaître ? Nuage de Feuille n'avait jamais rencontré Sacha – celle-ci n'était restée que peu de temps au sein du Clan de la Rivière, lui confiant néanmoins ses petits. Personne ne savait d'où elle venait.

L'apprentie était trop stupéfaite pour remarquer que le vent avait tourné et emportait son odeur vers le frère et la sœur.

« L'odeur du Clan du Tonnerre est bien trop forte, déclara soudain Plume de Faucon. » Le cœur de Nuage de Feuille fit un bond dans sa poitrine. « La trace est fraîche. Si je trouve un de leurs guerriers sur notre territoire, je lui arrache la fourrure. »

Papillon réagit aussitôt.

« Tu as raison ! s'exclama-t-elle. Par là ! Viens vite ! »

Nuage de Feuille entendit la voix de son amie diminuer peu à peu, à mesure qu'elle s'éloignait.

« Cervelle de souris ! lança Plume de Faucon. C'est de l'autre côté… »

L'apprentie n'attendit pas la suite. Tandis que le guerrier suivait sa sœur en pestant, Nuage de Feuille jaillit des roseaux et fila droit vers son territoire. Elle ne reprit son souffle qu'une fois à l'abri d'une touffe de fougères, du bon côté de la frontière.

Elle regarda alors vers la rivière et aperçut Plume de Faucon qui longeait la berge. Il s'arrêta pour flairer les roseaux où elle s'était cachée et foudroya aussitôt sa sœur du regard. De nouveau, Nuage de Feuille fut frappée par la ressemblance entre le puissant guerrier tacheté et un autre félin de sa connaissance – mais lequel ? Elle chassa cette idée aussi agaçante qu'une puce dans la nuque.

Elle était maintenant trop loin pour suivre la conversation des deux chats du Clan de la Rivière. Ils continuèrent à longer le cours d'eau jusqu'au passage à gué, puis regagnèrent la rive opposée. Lorsqu'ils disparurent enfin dans les roseaux, Nuage de Feuille poussa un profond soupir de soulagement et se mit à trotter vers le camp.

L'un des ultimes rayons du soleil perça les nuages et vint projeter comme une flaque de sang sur le sol de la forêt. Museau Cendré allait se demander où elle était passée, Nuage de Feuille le savait. Cependant, l'apprentie avait besoin de temps pour réfléchir : elle voulait comprendre comment Plume de Faucon et Papillon pouvaient en savoir autant sur Étoile du Tigre. Elle s'assit donc et entreprit de nettoyer sa fourrure encore humide.

Chatte errante, Sacha avait dû vagabonder longtemps dans la forêt. Elle avait pu se rendre sur le territoire du Clan de l'Ombre lorsque Étoile du Tigre en était le chef. C'était possible...

Nuage de Feuille se figea. Elle venait de se souvenir à qui Plume de Faucon ressemblait tant. Griffe de Ronce ! Or, tout le monde savait qui était le père de Griffe de Ronce. Était-il possible qu'Étoile du Tigre soit aussi le père de Plume de Faucon et de Papillon ? Si tel était le cas, alors Plume de Faucon et Griffe de Ronce étaient demi-frères.

Elle contemplait les arbres comme s'ils détenaient les réponses à ses questions, lorsqu'elle fut tirée de ses pensées par un battement d'ailes frénétique. Une pie venait de quitter le couvert des buissons pour se poser sur une branche au-dessus de sa tête. Au même instant, un éclat de voix retentit :

« Crotte de souris ! »

Les broussailles frémirent violemment, puis Plume Grise en émergea, lançant un regard noir à la pie qui lui avait échappé.

« Je l'ai ratée, marmonna-t-il. Je ne sais pas ce qui m'arrive. »

À l'approche du lieutenant, Nuage de Feuille se dressa sur ses pattes et inclina la tête avec respect. Elle émit un ronronnement compatissant, tout en espérant que sa fourrure humide ne la trahirait pas. Inutile que Plume Grise devine d'où elle venait.

« Bonjour, Nuage de Feuille, miaula-t-il. Désolé si je t'ai fait peur. À dire vrai, je sais très bien ce qui m'arrive, ajouta-t-il, nerveux. Je n'arrive pas à penser à autre chose qu'à Jolie Plume et Pelage d'Orage. Si seulement je savais où ils sont partis… Sans oublier Griffe de Ronce et Nuage d'Écureuil. »

Nuage de Feuille se sentit plus coupable encore. Elle pouvait dissiper l'inquiétude de Plume Grise en lui rapportant ce qu'elle savait de la prophétie, mais elle avait promis aux autres de ne rien révéler à personne.

« Au plus profond de moi, je sais qu'ils vont bien, répondit-elle pour le rassurer un peu. Et qu'ils nous reviendront. »

Plume Grise releva la tête, ses yeux ambrés soudain éclairés par une lueur d'espoir.

« C'est le Clan des Étoiles qui te l'a dit ?

— Pas exactement, mais…

— Je n'arrête pas de me demander si tout cela est lié aux Bipèdes, la coupa-t-il. Des chats disparaissent, et les Bipèdes nous envahissent… »

Il gratta la terre de ses pattes, arrachant des touffes d'herbe au passage.

« Plume Grise, je peux te poser une question ? miaula-t-elle pour changer de sujet.

— Bien sûr. De quoi s'agit-il ?

— As-tu déjà rencontré Sacha, la mère de Plume de Faucon et de Papillon ?

— Une fois. Lors d'une Assemblée, répondit-il, surpris par sa question.

— Comment était-elle ?

— Plutôt gentille. Discrète et amicale. Elle ressemblait beaucoup à Papillon. Mais elle supportait mal de vivre au milieu de tant de chats. Je n'ai guère été surpris quand elle a quitté la forêt, dès que Papillon et Plume de Faucon ont été capables de se passer d'elle.

— Quelqu'un sait qui était leur père ?

— Pas à ma connaissance. J'ai toujours pensé que c'était un autre chat errant.

— Un chat errant ? »

Des pas résonnèrent dans leur dos. Nuage de Feuille se retourna : Étoile de Feu venait vers eux.

« Vous avez vu des chats errants ? » répéta-t-il. Sa fourrure hérissée couleur de flamme trahissait sa tension. « Le Clan des Étoiles le sait, nous n'avons guère besoin de cela en ce moment.

— Non, non, pas du tout, le rassura Plume Grise. Nuage de Feuille me posait des questions sur Sacha, et sur le père de Papillon et de Plume de Faucon. »

Le rouquin regarda sa fille d'un air étonné.

« Et pourquoi t'intéresses-tu tant à eux ? »

L'apprentie hésita un instant. Elle ne pouvait pas révéler qu'elle venait de passer l'après-midi avec Papillon sur le territoire du Clan de la Rivière.

« Oh, je viens juste de voir Plume de Faucon, répondit-elle finalement. Il patrouillait le long de la frontière. »

Au moins, ce n'était pas entièrement faux, se dit-elle pour se rassurer. Elle ne pouvait tout de même pas lui annoncer que, à son avis, le père des enfants de Sacha n'était autre qu'Étoile du Tigre – jadis le pire ennemi d'Étoile de Feu !

« En tout cas, moi, je n'en sais rien, reprit le rouquin. Sacha s'est peut-être confiée à quelqu'un, parmi le Clan de la Rivière. »

Il s'avança vers Plume Grise et pressa son museau contre celui de son vieil ami, comme s'il devinait les pensées qui le troublaient. Ils partageaient le même chagrin, celui d'un père qui a perdu la chair de sa chair. Ils levèrent la tête vers la cime des arbres, où une brise fraîche arrachait des feuilles aux branches ; celles-ci voletaient jusqu'au sol où elles rejoignaient les autres feuilles mortes jonchant la terre.

« Ils doivent avoir froid, maintenant qu'ils n'ont plus leurs Clans pour les abriter, murmura Plume Grise.

— Au moins, ils sont ensemble », répondit Étoile de Feu en se frottant contre son ami.

Longtemps, les deux guerriers restèrent silencieux. Puis le meneur se tourna vers sa fille.

« Nuage de Feuille, parfois, il t'arrive de savoir à quoi pense Nuage d'Écureuil, pas vrai ? Tu nous as dit qu'elle était avec les chats du Clan de la Rivière. As-tu la moindre idée de l'endroit où ils se trouvent à présent ? »

Nuage de Feuille cligna des yeux. Elle ne pouvait refuser à son père cette occasion de savoir si sa fille était vivante... et elle voulait elle-même s'en assurer. Elle ferma les yeux et repensa à ce lien étrange qui l'unissait à sa sœur depuis toujours. Elle fit le vide dans son esprit et se concentra de toutes ses forces. Elle hoqueta en sentant une vague glaciale l'emporter et frissonna lorsqu'une bourrasque ébouriffa sa fourrure humide. Mais elle ne perçut aucun signe de sa sœur... rien que des trombes d'eau, des rafales de vent et des rochers à l'infini.

En rouvrant les yeux, Nuage de Feuille fut surprise de constater que sa fourrure était sèche ; et dans la forêt, le vent était tombé. Elle était bel et bien entrée en contact avec sa sœur !

« Elle est vivante », chuchota-t-elle. Le regard de son père s'illumina. « Et, où qu'elle soit, il doit pleuvoir beaucoup... »

CHAPITRE 7

EN OUVRANT LES YEUX, Pelage d'Orage fut ébloui par une lumière aussi cinglante qu'un coup de griffe. Son souffle était rauque, et le moindre de ses muscles, douloureux. Il se sentait trop épuisé pour esquisser le moindre geste.

Une fois habitué à la luminosité, il constata qu'il était couché sur un rocher détrempé par la pluie, près d'un trou d'eaux noires et tumultueuses. Ses oreilles bourdonnaient ; en levant un peu la tête, il aperçut la cascade qui se jetait dans le bassin, soulevant un banc de bruine. Il comprit alors que le bourdonnement qu'il entendait n'était autre que le grondement de la cataracte.

Il se souvint aussitôt de la vague qui l'avait projeté par-dessus les rochers, puis dans ce bassin. Comment avait-il pu survivre ? Il se rappelait le bruit assourdissant, l'écume, les ténèbres... Il fut saisi d'effroi en pensant à ses amis.

« Jolie Plume ? Nuage d'Écureuil ? appela-t-il d'une voix éraillée.

— Par ici. »

La réponse était si ténue qu'elle se perdit presque dans le vacarme incessant de la cascade. En tournant la tête, Pelage d'Orage avisa Nuage d'Écureuil étendue sur le rocher près de lui, sa fourrure roux sombre détrempée.

« Besoin de dormir… » marmonna-t-elle en fermant les yeux.

Derrière elle, Griffe de Ronce était allongé sur le flanc, inerte. Il regardait vers le ciel, le souffle court. Nuage Noir se trouvait de l'autre côté de Pelage d'Orage. Frappé d'horreur, le guerrier gris crut un instant que l'apprenti du Clan du Vent était mort, jusqu'à ce qu'il voie ses côtes se soulever et s'abaisser faiblement.

Où sont Jolie Plume et Pelage d'Or ? Pris de panique, Pelage d'Orage tenta tant bien que mal de se lever. Nul signe de sa sœur ou de la chatte écaille. Puis un mouvement de l'autre côté du bassin attira son attention. Au pied de la cascade, Jolie Plume aidait Pelage d'Or à grimper sur un rocher. La guerrière du Clan de l'Ombre titubait sur trois pattes. Dès qu'elle eut atteint la terre ferme, elle s'effondra. Jolie Plume se hissa à son tour hors de l'eau. Son pelage trempé, collé à ses flancs, semblait presque noir. Elle s'allongea près de Pelage d'Or et, malgré la fatigue, donna quelques coups de langue sur l'épaule de la blessée.

« Que le Clan des Étoiles soit loué ! murmura Pelage d'Orage. Nous sommes tous sains et saufs. »

Il savait qu'ils devaient trouver un abri : s'ils restaient là, ils seraient des proies faciles pour les prédateurs comme l'aigle. Mais il était trop épuisé pour bouger. Il voulut lisser un peu sa fourrure – même cela était au-dessus de ses forces. Il resta donc immobile, laissant son esprit vagabonder.

Lorsqu'il eut de nouveau les idées claires, Pelage d'Orage remarqua qu'ils avaient atteint une cuvette rocheuse, ouverte sur un côté, là où le torrent quittait le bassin pour s'enfoncer dans la vallée. Des blocs de pierre couvraient les deux rives ; quelques arbres chétifs poussaient çà et là. La surface du bassin renvoyait le reflet frémissant de la lumière du soleil. La pluie avait presque cessé et les nuages commençaient à se dissiper. Des arcs-en-ciel dansaient dans l'écume soulevée par la cascade. Un mince rayon de soleil caressait les rochers, à une longueur de queue de lui. Il s'y traîna péniblement et soupira de bonheur en sentant la chaleur réchauffer sa fourrure.

Quelques instants plus tard, il crut voir quelque chose bouger. Il cilla, luttant pour accommoder sa vision. Il ne remarqua d'abord rien, puis un nouveau tremblotement attira son attention au-delà du bassin. Sa fourrure se hérissa. On les épiait !

Le guerrier gris plissa les yeux, scrutant les blocs de pierre près de la chute d'eau.

« Griffe de Ronce, murmura-t-il, jette un coup d'œil par là-bas.

— Quoi ? » Le félin leva les yeux, balaya la cuvette du regard, avant de reposer la tête sur la pierre. « Je ne vois rien.

— Là ! »

Pelage d'Orage cracha quand il aperçut un autre mouvement, bien plus près cette fois-ci. Il sortit les griffes, tout en sachant que ses amis et lui seraient incapables de se défendre.

Soudain, une forme gris-brun se détacha sur les rochers et s'avança vers lui en longeant le bord du bassin. Un chat ! Avant que Pelage d'Orage ait eu le temps de réagir, un deuxième félin apparut, puis un troisième, et d'autres encore. Toute une bande de matous quittait l'abri des rochers où ils s'étaient dissimulés, se fondant parfaitement dans le décor comme s'ils étaient eux-mêmes des statues de pierre. Ils s'arrêtèrent au bord de l'eau, contemplant sans sourciller le groupe de voyageurs à moitié noyés.

Pelage d'Orage avait la gorge nouée. Ces chats ne ressemblaient à aucun autre : leur fourrure, plaquée contre leurs flancs, était d'un gris-brun uniforme. Lorsque l'un des nouveaux venus se plaça sous le soleil, le guerrier du Clan de la Rivière comprit qu'ils recouvraient leur corps d'une épaisse couche de boue pour dissimuler la couleur de leur pelage et mieux se fondre dans la pierraille.

Pelage d'Orage se leva, ignorant ses muscles endoloris. D'une patte légère, il secoua Nuage d'Écureuil tout en chuchotant :

« Assieds-toi lentement. Et surtout ne dis rien. »

L'apprentie releva la tête. En avisant le groupe de félins qui les observaient, elle se mit avec peine sur ses pattes, une lueur inquiète dans les yeux. Son mouvement alerta Griffe de Ronce, qui se dressa d'un bond. Pelage d'Orage vint se placer près de son ami. La présence du puissant guerrier le rassurait face au danger.

Griffe de Ronce chercha leurs compagnons du regard.

« Jolie Plume, Pelage d'Or : ici, tout de suite. » Son ton était autoritaire malgré l'épuisement qui lui troublait la voix. « Toi aussi, Nuage Noir. »

Pour une fois, l'apprenti obéit sans mot dire. Il

aida Jolie Plume à épauler Pelage d'Or, qui semblait à peine capable de marcher. Tous trois claudiquèrent tant bien que mal au bord de l'eau et rejoignirent les autres, les yeux écarquillés, effrayés par ces étranges félins.

Malgré sa peur, la curiosité de Pelage d'Orage était piquée. Ces inconnus semblaient si différents des chats de la forêt... Ils pourraient peut-être leur fournir un abri et de la nourriture, pensa-t-il... avant de se souvenir que ses amis et lui venaient de pénétrer sur leur territoire. Ils auraient de la chance si les félins couverts de boue se contentaient de les chasser.

Il retint son souffle lorsque l'un des chats s'approcha d'eux pour les étudier tour à tour. Il vint se placer devant Pelage d'Orage et l'examina en détail, sans plus se préoccuper des autres. Pelage d'Orage essaya de croiser ce regard jaune, intrigué par l'intérêt qu'il suscitait.

« C'est lui ? » Une chatte tigrée s'avança avec entrain. Elle parlait la même langue que les chats de la forêt, mais avec un accent différent. *Étrange question*, songea Pelage d'Orage. Il la regarda approcher, son corps souple se déplaçant facilement sur les pierres glissantes au bord de l'eau. « Le jour que nous attendions tant est-il enfin venu ? » insista-t-elle en rejoignant le premier chat.

Celui-ci tourna vivement la tête vers la chatte et la foudroya du regard.

« Silence, Source ! » Il reporta son attention sur Pelage d'Orage et lui demanda d'un ton bourru : « Qui êtes-vous ? Vous venez de loin ? »

Pelage d'Or marmonna :

« Qu'est-ce que c'est que ça ? Des guerriers de boue ? On ne craint rien, face à eux, et de loin. »

Le courage de la guerrière du Clan de l'Ombre était réconfortant.

« Oui, notre voyage a été long, répondit Nuage d'Écureuil. Pouvez-vous nous aider ?

— Attention », l'avertit Griffe de Ronce. Il ajouta à l'intention de l'étranger : « Nous sommes des voyageurs de passage dans ces montagnes. Nous ne sommes pas venus vous chercher querelle, mais si vous nous traitez en ennemis, nous résisterons. »

Le matou plissa les yeux avant de déclarer :

« Nous ne souhaitons pas nous battre. Votre périple vous a guidés jusqu'à la Tribu de l'Eau Vive.

— Vous êtes les bienvenus si vous venez en paix », ajouta la guerrière tigrée.

Pelage d'Orage se souvenait que Minuit avait évoqué des chats regroupés en Tribus et non en Clans. Ces félins boueux devaient en faire partie. Pourtant, le blaireau n'avait pas précisé que les six compagnons les rencontreraient durant leur voyage de retour. Pelage d'Orage se rappela qu'il avait instinctivement fait confiance à Minuit. Si cette Tribu avait été dangereuse, il les aurait prévenus, ou bien leur aurait indiqué une autre voie. Or, il avait au contraire suggéré que cet itinéraire avait été tracé pour eux. Leur destin était-il donc de croiser le chemin de la Tribu ?

Un autre chat étrange s'avança pour considérer Pelage d'Orage d'un œil brillant.

« Allez, Pic, miaula-t-il à son camarade. Nous devrions escorter celui-ci jusqu'à Conteur.

— Attendez ! » Griffe de Ronce s'interposa,

tandis que Pelage d'Orage bandait ses muscles, prêt à combattre. « Vous ne le conduirez nulle part sans nous. Nous voulons parler à votre chef. » Du bout de la queue, Pic fit signe à l'autre chat de reculer. Le guerrier tacheté se détendit un peu. « Nous voulons simplement voyager en paix, poursuivit-il. Je m'appelle Griffe de Ronce, du Clan du Tonnerre. »

Pic inclina la tête tout en tendant une patte, geste étrange mais poli.

« Je m'appelle Pic où Nichent les Aigles, déclara-t-il.

— Et moi, je suis Source aux Petits Poissons », précisa la guerrière tigrée en saluant comme l'avait fait Pic.

Ce dernier lui jeta un regard désapprobateur, sans doute contrarié qu'elle se soit mise en avant. Puis il se tourna de nouveau vers Pelage d'Orage.

« Et celui-là, comment s'appelle-t-il ?

— Pelage d'Orage. » Le guerrier essaya d'ignorer la gêne devant la fascination qu'il semblait exercer sur ces chats. « Du Clan de la Rivière.

— Pelage d'Orage, répéta Pic.

— Et moi, Nuage d'Écureuil. »

La tension entre les deux groupes mourut lorsque l'apprentie se présenta.

« On m'appelle Nuage Noir.

— Mon nom est Jolie Plume, et voici Pelage d'Or. S'il vous plaît, vous pouvez l'aider ? Elle souffre d'une grave blessure à l'épaule. »

Griffe de Ronce cracha ; ce n'était pas le moment de révéler leurs faiblesses à des étrangers.

Aussitôt, Nuage Noir prit sa défense.

« Elle a raison. Ce Clan aura peut-être un guérisseur.

— Vos paroles nous semblent bien étranges, répondit Pic. Mais nous vous aiderons. Suivez-nous, et vous pourrez parler à notre chef. C'est tout près. »

Pelage d'Orage balaya du regard le groupe de chats qui attendaient au bord de l'eau.

« Que pouvons-nous faire, à part les suivre ? murmura-t-il à Griffe de Ronce. Nous devons nous reposer. »

Il garda pour lui ses propres inquiétudes, suscitées par le regard pénétrant de Pic. Après tout, n'importe quel chat les aurait dévisagés de la sorte en trouvant les six étrangers presque morts noyés sur son territoire.

Pic les entraîna le long du bassin, gravit les premiers blocs de pierre près de la cascade et disparut derrière le rideau d'écume.

Pelage d'Orage écarquilla les yeux de surprise.

Puis Source s'avança, le bout de la queue pointé dans la direction prise par Pic.

« Voici le Sentier de l'Eau Vive. Venez… c'est sans danger. »

Les autres chats s'étaient levés pour les encadrer. Pelage d'Orage n'appréciait guère que ses amis et lui se fassent escorter tels des prisonniers. Mais il n'avait guère le choix. L'ascension était rude après leur chute, surtout pour Pelage d'Or qui boitait terriblement. Arrivée à mi-hauteur, elle trébucha ; elle serait retombée dans le bassin si Source n'avait pas bondi pour la rattraper.

La guerrière du Clan de l'Ombre eut un mouvement de recul.

« Je n'ai pas besoin d'aide », grogna-t-elle.

Pelage d'Orage se hissa jusqu'à l'endroit où Pic avait disparu. Ce dernier les attendait sur une corniche étroite qui passait derrière la cascade. Une cavité sombre s'ouvrait au bout du passage.

« Pas question que j'entre là-dedans ! s'exclama Nuage d'Écureuil.

— Tout ira bien, la rassura Griffe de Ronce.

— Il n'y a aucun danger », miaula Pic, qui suivit la corniche d'un pas confiant et s'arrêta au seuil de la grotte.

Pelage d'Orage inspira profondément. Ils devaient faire confiance à ces chats : ils n'avaient aucune chance de franchir les montagnes sans nourriture ni repos.

« Venez », lança-t-il.

Il s'engagea le premier, progressant à petits pas, collé à la paroi rocheuse pour rester le plus loin possible de la cascade grondante. À peine une longueur de queue l'en séparait ; la bruine trempait sa fourrure et la roche sous ses coussinets était froide et glissante. Trop tendu pour risquer un regard en arrière, il n'était pas certain que ses amis le suivaient. Il lui semblait s'enfoncer seul dans les ténèbres.

La corniche débouchait sur une caverne dont la voûte s'élevait presque jusqu'au sommet de la cascade. Pelage d'Orage fit halte sur le seuil. Il vit alors que de l'eau ruisselait en permanence sur les parois. Il perçut l'odeur d'une multitude de chats, cachés dans la pénombre.

« Qu'y a-t-il là-dedans ? » s'enquit Jolie Plume, jetant autour d'elle des regards anxieux.

Elle frissonnait ; son pelage trempé paraissait aussi sombre que celui de Nuage Noir.

L'apprenti l'effleura du bout du museau.

« Quoi qu'il arrive, nous serons ensemble », murmura-t-il.

De nouveau, Pic leur fit signe de le suivre, puis pénétra dans la grotte. Il marqua une pause pour s'assurer que les autres étaient bien derrière lui.

« Je n'aime pas ça, marmonna Nuage d'Écureuil. Comment savoir ce qui nous attend là-dedans ?

— Surprise, surprise, répondit Griffe de Ronce. Mais nous devons nous y résoudre. Chaque étape de notre voyage a sa raison d'être. Nous irons jusqu'au bout ; nous le devons à nos Clans.

— Nous savions que ce ne serait pas une partie de plaisir », ajouta Pelage d'Orage.

Le guerrier gris tenta de réprimer le sentiment d'horreur qui s'emparait de lui à l'idée de mettre une patte dans la caverne.

« Eh bien, puisqu'il le faut, finissons-en », déclara Nuage Noir.

Il se fraya un passage parmi ses camarades et pénétra dans la grotte.

Pelage d'Orage le suivit, bientôt imité par les autres. Il entendit Pelage d'Or miauler doucement, tant pour elle-même que pour ses compagnons :

« Le Clan des Étoiles nous accompagnera, jusque dans les ténèbres. »

CHAPITRE 8

🍃

« **S**I ON TE SAUTE DESSUS, roule sur le dos, expliquait
Museau Cendré. Comme ça, tu peux griffer ton
adversaire au ventre. Vas-y, essaye. »

Nuage de Feuille attendit l'attaque de son mentor. Puis elle exécuta la feinte et enfonça ses pattes
arrière dans l'abdomen de la guérisseuse, l'envoyant
valser sur le côté.

« Bien », miaula Museau Cendré. Elle se remit
sur ses pattes d'un mouvement gauche dû à sa vieille
blessure. « Ça suffit pour aujourd'hui. »

Les deux chattes s'étaient entraînées toute la
matinée dans la combe sablonneuse. Malgré les
épais nuages dans le ciel, Nuage de Feuille savait
grâce aux grognements de son ventre qu'il était
presque midi. Elle avait pris grand plaisir aux leçons
de son mentor. L'exercice avait été un bon moyen
d'oublier un instant ses soucis.

Elle suivit Museau Cendré jusqu'au ravin. Avant
l'entrée du tunnel d'ajoncs, Nuage de Feuille aperçut la patrouille qui revenait au camp, composée
d'Étoile de Feu, Pelage de Poussière et Poil de Châtaigne. Le chef du Clan du Tonnerre semblait plus
inquiet que jamais. Quant à Pelage de Poussière, sa

fourrure brune était hérissée et sa queue battait l'air nerveusement.

Museau Cendré claudiqua jusqu'à Étoile de Feu tandis que Nuage de Feuille rejoignait Poil de Châtaigne.

« Au nom du Clan des Étoiles, que se passe-t-il ?

— C'est le Clan du Vent, répondit la guerrière. Il chasse sur notre terre. »

Nuage de Feuille se souvint des matous amaigris et désespérés qui les avaient poursuivies, son amie et elle. Cette nouvelle ne l'étonnait guère.

« Nous avons trouvé des bouts de fourrure et des os de lapin près du cours d'eau qui longe les Quatre Chênes, poursuivit Poil de Châtaigne. Ils sentaient le Clan du Vent à plein nez.

— C'est que les lapins ont disparu de leur territoire », répondit l'apprentie guérisseuse.

Elle essaya de ne pas penser qu'elle avait elle-même dérobé du poisson au Clan de la Rivière.

« Il n'empêche, c'est contre le code du guerrier, fit remarquer Poil de Châtaigne. Pelage de Poussière était furieux.

— Il l'est toujours, à ce que je vois. »

Elle suivit son amie jusqu'au tunnel. Dans la clairière, Étoile de Feu et Pelage de Poussière s'étaient arrêtés près du tas de gibier. Son ventre se noua lorsqu'elle le vit si peu garni.

« Regarde-moi ça ! pesta Pelage de Poussière en désignant la réserve du bout de la queue. Tu crois que le Clan peut se contenter de si peu ? Il faut que tu fasses quelque chose contre le Clan du Vent, Étoile de Feu. »

Le chef secoua la tête.

« Nous savons tous qu'Étoile Filante ne permettrait pas à ses guerriers de nous voler du gibier, à moins que son Clan ne connaisse de grosses difficultés.

— Étoile Filante n'est peut-être pas au courant, rétorqua le guerrier. De plus, c'est le Clan du Tonnerre qui souffre actuellement. Ce n'est pas comme si nous croulions sous les proies.

— Je sais, soupira le rouquin.

— Je m'inquiète pour Fleur de Bruyère. Elle a déjà beaucoup maigri, et elle doit toujours allaiter nos trois chatons.

— Si cela continue, je vais devoir imposer le rationnement, déclara Étoile de Feu. En attendant, nous allons essayer d'empêcher le Clan du Vent de continuer. Promis. »

Il fit volte-face et bondit au sommet du Promontoire pour convoquer une assemblée du Clan. Les félins vinrent aussitôt se rassembler au pied du grand rocher. Nuage de Feuille fut choquée par leur maigreur. Elle n'avait jusque-là pas eu conscience de la gravité de la situation : le changement avait été progressif, à mesure que le gibier s'était raréfié. Mais maintenant, ils ressemblaient davantage aux maigres guerriers du Clan du Vent qu'aux robustes chasseurs de la forêt. Pelage de Poussière avait raison. Plus que les autres encore, Fleur de Bruyère semblait hagarde et épuisée. Ses petits avaient eux aussi fondu ; ils traînaient derrière leur mère comme s'ils n'avaient plus l'énergie de jouer. Tous les Clans, mis à part le Clan de la Rivière, allaient-ils donc mourir de faim, peu à peu ?

Nuage de Feuille écouta avec attention Étoile de Feu expliquer ce que la patrouille avait découvert. Des cris d'indignation fusèrent lorsqu'il annonça que le Clan du Vent avait pénétré sur le territoire pour y voler du gibier.

« Le Clan du Vent mérite une leçon ! s'écria Flocon de Neige. Voilà des jours que je n'ai pas flairé de lapin.

— On devrait les attaquer sur-le-champ, ajouta Poil de Souris, la fourrure hérissée par la colère.

— Non, répondit Étoile de Feu avec fermeté. La situation est suffisamment grave, inutile de déclencher des hostilités. »

Poil de Souris ne le contredit pas, mais marmonna dans sa moustache, tandis que Flocon de Neige agitait follement la queue. Cœur Blanc lui miaula quelques mots à l'oreille, sans doute pour l'apaiser.

« Que vas-tu faire ? lui lança Perce-Neige depuis l'entrée de la tanière des anciens. Leur demander gentiment de nous laisser notre pitance ? Tu crois vraiment qu'ils vont t'écouter ? »

D'autres voix s'élevèrent pour protester, dont plus d'une reprenait la suggestion belliqueuse de Poil de Souris.

« Non, répéta Étoile de Feu. Je vais parler à Étoile Filante. C'est un chef noble et digne de confiance. Il ne sait peut-être pas que ses guerriers nous ont volé du gibier.

— À quoi mèneront ces palabres ? railla Flocon de Neige. Étoile de Jais n'a rien voulu entendre lorsque tu es allé le trouver.

— À mon avis, reprit Perce-Neige, tu traverses les frontières entre les Clans bien trop souvent. Le dernier à agir de la sorte n'était autre qu'Étoile du Tigre. »

Nuage de Feuille tressaillit en entendant la vieille chatte suggérer que leur chef ressemblait un tant soit peu au sanguinaire Étoile du Tigre. L'apprentie n'était pas la seule à être choquée. D'autres membres du Clan protestèrent, allant jusqu'à cracher sur Perce-Neige. Pourtant, lorsque Étoile de Feu répondit, sa voix était posée.

« Étoile du Tigre voulait satisfaire sa soif de pouvoir. Moi, je n'aspire qu'à la paix. Étoile de Jais a refusé de m'écouter, certes, ajouta-t-il en regardant Flocon de Neige d'un œil sévère. Mais Étoile Filante a toujours été plus raisonnable.

— Il dit vrai, confirma Plume Grise depuis le pied du Promontoire. Vous vous rappelez l'époque où Étoile Bleue voulait déclarer la guerre au Clan du Vent ? Étoile Filante a préféré la voie de la paix, alors.

— Mais il n'y avait pas de pénurie de gibier, lui rappela Cœur d'Épines.

— C'est vrai, renchérit Poil de Souris, dont la queue s'agitait de plus belle. Certains sont prêts à tout s'ils ont le ventre vide. »

Stupéfaite, Nuage de Feuille écouta des voix s'élever tout autour d'elle pour soutenir Poil de Souris. Elle aperçut Tempête de Sable, sa mère, qui échangeait des regards inquiets avec Plume Grise.

D'un battement de la queue, Étoile de Feu leur intima le silence.

« En voilà assez ! Ma décision est prise. Tous les Clans connaissent des difficultés, à présent. Ils doivent y faire face ensemble. Ce n'est pas le moment de se combattre les uns les autres.

« — Prends garde, Étoile de Feu, le prévint Poil de Châtaigne tandis que les cris se muaient en marmonnements dépités. Même si tes intentions sont pacifiques, les autres Clans pourraient ne pas le comprendre. »

La jeune guerrière jeta un coup d'œil vers Nuage de Feuille, songeant sans doute à leur incursion sur le territoire du Clan du Vent quelques jours auparavant.

Étoile de Feu acquiesça.

« Le Clan du Vent ne pourra que nous écouter si notre patrouille semble suffisamment forte pour se défendre, dit-il. Je ferai comprendre à Étoile Filante qu'il y aura du grabuge s'il ne parvient pas à garder ses guerriers de leur côté de la frontière. Mais nous ne chercherons pas la bagarre. Si le Clan des Étoiles le veut, ce sera inutile. »

Nuage de Feuille eut une vision de la lande saccagée telle qu'elle lui était apparue lors de son escapade. Elle se rappela l'expression désespérée des matous qui l'avaient pourchassée et frémit à l'idée d'une bataille qui viendrait aggraver la détresse de ces malheureux.

« Les temps sont durs pour nous tous, déclarat-elle d'une voix hésitante. Nous devrions essayer de nous entraider. Pourquoi ne pas nous partager le poisson de la rivière ? Il n'est pas près d'en manquer.

— Il revient au Clan de la Rivière de le proposer, pas à nous, fit remarquer Plume Grise.

— D'ailleurs, personne ne sait pêcher parmi nous. C'est trop difficile, ajouta Pelage de Granit.

— Pas du tout, s'indigna Nuage de Feuille. Nous pouvons apprendre. »

Elle remarqua les regards soupçonneux que lui lançaient certains. Gênée, elle se dandina d'une patte sur l'autre.

« C'est juste une idée, marmonna-t-elle.

— Une idée irrecevable », trancha Étoile de Feu d'un ton sans appel.

Soucieuse de ne pas attirer davantage l'attention, Nuage de Feuille baissa la tête et se tut. Son père désignait les guerriers qui composeraient la patrouille dépêchée vers le Clan du Vent.

« Plume Grise, bien sûr, commença-t-il. Tempête de Sable, Pelage de Poussière, Cœur d'Épines. Pelage de Granit et toi, Museau Cendré. S'il refuse de m'entendre, Étoile Filante écoutera toujours l'avis d'une guérisseuse. »

Nuage de Feuille remarqua qu'il n'avait choisi aucun des guerriers préconisant l'attaque immédiate, mais il avait tout de même sélectionné des combattants hors pair. Cette patrouille-là n'aurait guère besoin de s'enfuir en courant !

Elle resta à sa place jusqu'à la dissolution de l'assemblée. Son père sauta du Promontoire. Malgré ses yeux toujours baissés, elle sut qu'il s'approchait d'elle.

« Eh bien, Nuage de Feuille… » dit-il.

Elle leva la tête. Le regard affectueux de son père la rassura, mais elle se sentit plus honteuse encore.

« Qu'est-ce que c'est que cette histoire de pêche ? » demanda-t-il.

Elle se devait de lui dire la vérité.

« Papillon m'a montré comment m'y prendre, expliqua-t-elle. Elle m'a assuré que ce n'était pas

131

défendu, puisque nous sommes toutes les deux guérisseuses.

— *Apprenties* guérisseuses, rectifia-t-il. Et il vous reste manifestement beaucoup à apprendre. Tu sais que c'est contre le code du guerrier de s'approprier les proies d'un autre Clan. Même les guérisseurs doivent le respecter.

— Je le sais. » Elle se sentit de nouveau coupable, comme un chaton pris en faute. Elle espérait simplement que le Clan de la Rivière n'avait rien découvert, et que Papillon n'avait pas été punie pour sa générosité. « Je suis désolée.

— Je vais devoir sévir, tu en as conscience ? » poursuivit Étoile de Feu. Il posa tendrement une patte sur la nuque de sa fille avant d'ajouter : « Je ne peux pas courir le risque qu'on m'accuse de favoritisme à ton égard.

— Allons, Étoile de Feu ! » Museau Cendré venait de les rejoindre clopin-clopant et contemplait son chef d'un air amusé. « Je me souviens d'une époque où deux copains allaient porter des proies du Clan du Tonnerre jusqu'au territoire du Clan de la Rivière parce que les Bipèdes empoisonnaient les poissons. Tu n'as tout de même pas oublié ?

— Non. Et Plume Grise et moi avions été punis pour cela », rétorqua le rouquin. Il soupira. « Nuage de Feuille, je sais qu'il est dur de ne pas réagir en voyant d'autres chats mourir de faim. Mais c'est le code du guerrier qui fait de nous ce que nous sommes. Si tout le monde l'enfreint dès que ça lui chante, où allons-nous ? Quoi qu'il arrive à la forêt, aujourd'hui ou demain, nous ne pouvons renier tout ce en quoi nous croyons.

132

— Je suis désolée, Étoile de Feu », répéta la novice.

Elle parvint alors à se redresser et à regarder son père dans les yeux.

« Laisse-la rejoindre la patrouille, intervint Museau Cendré. Ce sera une bonne expérience pour elle. »

L'apprentie regarda son chef avec espoir.

« Franchement, Museau Cendré... soupira le rouquin d'un ton exaspéré. Pour la plupart, ce serait une récompense, non une punition... Bon, très bien. Nous partons immédiatement. Je vais chercher les autres. »

Il effleura du museau l'épaule de sa fille avant de s'éloigner, la queue bien droite.

Nuage de Feuille regarda son mentor avec reconnaissance.

« Merci, ronronna-t-elle. Je sais que j'ai été stupide. Mais... de la façon dont Papillon présentait les choses, on n'avait pas l'impression de mal faire. »

Museau Cendré pouffa.

« Comme l'a dit Étoile de Feu, vous avez toutes les deux beaucoup à apprendre.

— Je ne sais pas si j'y arriverai un jour ! s'écria Nuage de Feuille. Il y a des règles pour les guerriers, d'autres pour les guérisseurs... C'est si compliqué !

— "Être" un guérisseur, cela ne veut rien dire en soi, il faut avant tout être capable de prendre la bonne décision – qui n'est pas toujours la première qui vient à l'esprit. Te souviens-tu de ce que je t'ai dit à propos de Croc Jaune ? Elle n'a jamais suivi les règles, mais elle était l'une des meilleures guérisseuses qu'ait abritées la forêt.

« — J'aurais bien aimé la connaître, soupira Nuage de Feuille.

— Moi aussi, j'aurais voulu qu'elle te voie. À défaut, je peux te transmettre ses enseignements. Pour être une véritable guérisseuse, il faut le sentir dans son cœur et ses cinq sens. Il faut être plus courageuse qu'un guerrier, plus sage qu'un chef de Clan, plus humble que le plus petit des chatons, plus désireuse d'apprendre qu'un apprenti. »

Nuage de Feuille leva la tête vers son mentor.

« Je ne suis pas sûre d'en être capable.

— Moi, j'en suis sûre. » Museau Cendré parlait d'une voix basse et profonde. « Car nous n'y parvenons pas seuls, mais grâce à la force du Clan des Étoiles, que nous possédons en nous. » Son air sérieux s'effaça soudain, remplacé par sa bonne humeur habituelle. Elle tapota gentiment son apprentie du bout de la queue. « Allez, ton père nous en voudrait si nous étions en retard. »

Le soleil n'était déjà plus à son zénith depuis longtemps lorsque Étoile du Feu mena sa patrouille vers les Quatre Chênes. Le vent s'était levé. À peine eurent-ils quitté le camp que Nuage de Feuille entendit les monstres forcer le passage toujours plus loin dans le territoire du Clan du Tonnerre. En comparaison, les bruits habituels de la forêt – le pépiement des oiseaux, le frétillement des proies dans les sous-bois – ne se percevaient plus. Les petits animaux dont les félins se nourrissaient étaient partis, effrayés par les Bipèdes, ou bien tués par les monstres qui ravageaient leur habitat.

À mesure qu'ils approchaient des Quatre Chênes, le grondement diminuait dans le lointain. Nuage de

Feuille entendit enfin des proies dans les buissons. Mais la mauvaise saison s'annonçait plus dure que jamais.

Cœur d'Épines poussa un cri qui la tira de ses pensées.

« Regardez ! »

Au bord du cours d'eau, quelque chose bougeait dans les sous-bois. Deux chats, un mâle brun sombre et un autre, tigré, franchirent le ruisseau d'un bond et grimpèrent le coteau menant aux Quatre Chênes. L'un d'eux portait dans la gueule une petite proie, souris ou campagnol.

« Des guerriers du Clan du Vent ! s'exclama Tempête de Sable, la fourrure hérissée. C'étaient Griffe de Pierre et Oreille Balafrée, j'en suis certaine. »

Pelage de Poussière et Pelage de Granit se lancèrent à leur poursuite, mais leur chef les rappela d'un ordre sec :

« Nous ne devons pas avoir l'air d'attaquants. Je viens en paix, simplement pour parler à Étoile Filante.

— Tu vas les laisser partir ? s'étonna Pelage de Granit, incrédule. Alors qu'ils emportent notre gibier sous nos yeux ?

— C'est une preuve supplémentaire qu'ils nous volent nos proies, avança le rouquin. Ainsi, Étoile Filante ne pourra pas nier.

— Mais ils vont le prévenir, objecta Pelage de Poussière. Il pourrait nous tendre une embuscade avant qu'on atteigne son camp.

— Non. Ça ne lui ressemble pas. S'il choisit de nous affronter, il le fera ouvertement. »

Les deux guerriers échangèrent un regard peu convaincu, néanmoins ils cessèrent de protester. Nuage de Feuille voyait que Pelage de Poussière bouillait encore de rage, mais seul le battement irrité de sa queue le trahissait.

La patrouille traversa le ruisseau. Puis les huit félins montèrent jusqu'aux Quatre Chênes.

Aux abords de la frontière, la brise leur apporta une forte odeur de chats. En scrutant la lande balayée par le vent, Nuage de Feuille aperçut un groupe de guerriers du Clan du Vent qui filait sur la crête. Elle reconnut à sa fourrure noir et blanc et à sa longue queue Étoile Filante, le chef, qui courait en tête. Il dut repérer la patrouille du Clan du Tonnerre, car il ralentit l'allure et fit un signe du bout de la queue. Ses guerriers passèrent au pas et se déployèrent pour former une longue ligne face aux nouveaux arrivants.

« Tu vois ? feula Pelage de Poussière. Ils nous attendaient. »

Obéissant à un ordre tacite, les félins du Clan du Vent avancèrent jusqu'à la frontière et s'arrêtèrent à quelques longueurs de queue de la patrouille rivale. Nuage de Feuille les trouva plus maigres encore que dans son souvenir : leurs côtes saillaient visiblement sous leur pelage. Leur regard était hostile ; à l'évidence, aucun d'eux n'autoriserait les visiteurs à poser ne serait-ce qu'une patte sur leur territoire.

« Eh bien, Étoile de Feu ? grogna Étoile Filante. Qu'est-ce que tu viens encore faire ici ? »

CHAPITRE 9

PELAGE D'ORAGE ÉTAIT STUPÉFAIT. La grotte était au moins aussi large que la cascade qui la dissimulait au monde extérieur, et elle s'étendait si profondément dans la montagne que les recoins les plus éloignés se perdaient dans les ombres. Il discernait à peine les deux étroits passages qui s'ouvraient au fond de la caverne. La voûte, bien loin au-dessus de sa tête, disparaissait elle aussi dans l'obscurité. Çà et là, des pierres acérées comme des crocs affleuraient sur les parois.

Les rayons du soleil filtraient à travers la cascade. La lumière, pâle et ondoyante, donnait l'impression d'être sous l'eau. Tandis que les chats étranges les guidaient vers le cœur de la grotte, Pelage d'Orage entendit un léger ruissellement : un filet d'eau coulait sur un rocher couvert de mousse et venait rejoindre une mare peu profonde au milieu de la caverne. Deux ou trois chats – un ancien maigrelet et une paire de jeunes chats, assez âgés pour être des apprentis – s'y désaltéraient. Ils levèrent tous la tête d'un air inquiet à l'approche des nouveaux venus, comme s'ils redoutaient un terrible danger.

Au-delà de la mare se trouvait un tas de gibier. Plusieurs autres chats des montagnes vinrent y déposer leurs prises du jour. La réserve de viande était le premier élément qui parut familier à Pelage d'Orage. La vue de ces proies le fit saliver.

« Tu crois qu'ils nous laisseront goûter à leur gibier ? marmonna Nuage d'Écureuil à son oreille. Je meurs de faim !

— Si ça se trouve, c'est nous, leur gibier ! feula Nuage Noir, qui talonnait la rouquine.

— Jusque-là, ils n'ont rien tenté contre nous », fit remarquer Griffe de Ronce.

Pelage d'Orage aurait voulu partager son optimisme. Mais Pic et Source avaient disparu et, pendant longtemps, personne ne vint leur parler. Au lieu de quoi les deux félins qui buvaient firent quelques pas de côté et l'ancien marmonna de vagues paroles en scrutant le guerrier gris. Les deux apprentis échangeaient des murmures exaltés, étouffés par le grondement de la cascade – ce qui, apparemment, ne les empêchait pas de se comprendre.

Il essaya d'ignorer leurs messes basses et regarda autour de lui. Il repéra au pied des parois de la caverne ce qui ressemblait à des lieux de repos : de petites cavités dans le sol, garnies de mousse et de plumes. Une série de litières se trouvait près de l'entrée, deux autres étaient plus retirées, de chaque côté de la grotte. Il se demanda si elles étaient réparties entre les guerriers, les apprentis et les anciens. Il aperçut des chatons qui se bagarraient devant l'un des deux tunnels et en déduisit que celui-ci menait à la pouponnière. Soudain, la grotte

138

sombre, bruyante et terrifiante lui apparut sous un jour nouveau : c'était un camp ! La Tribu partageait certains usages des Clans de la forêt. Pelage d'Orage caressa alors vraiment l'espoir d'être nourri et de pouvoir se reposer. Pelage d'Or, qui s'était effondrée au sol en frissonnant, recevrait peut-être même des soins.

Pic reparut alors, émergeant du second tunnel. Il se dirigea droit vers le groupe de voyageurs épuisés. Un autre matou le suivait, au corps long et maigre. La couche de boue qui le recouvrait était si épaisse qu'il était impossible de deviner la couleur de son pelage. Ses yeux étincelaient d'un vert profond. Quelques poils blancs autour de son museau trahissaient son âge : il était plus vieux que tous les chats qu'ils avaient vus jusque-là.

« Salutations », miaula le félin d'une voix puissante qui résonna dans la caverne. Comme Pic et Source avant lui, il fit cet étrange geste, patte tendue. « Mon nom est Conteur des Pointes Rocheuses, mais vous pouvez m'appeler simplement Conteur. Je suis le soigneur de la Tribu de l'Eau Vive.

— Soigneur ? répéta Griffe de Ronce en jetant un coup d'œil perplexe à ses amis. Tu veux dire guérisseur ? Où est le chef de votre Clan… euh… de votre Tribu ? »

Conteur ne répondit pas tout de suite.

« Je ne suis pas sûr de comprendre ce que vous entendez par "guérisseur", et il n'y a pas d'autre chef que moi dans cette Tribu. J'interprète les signes des roches, des feuilles et de l'eau ; ils me montrent la voie à suivre… avec l'aide de la Tribu de la Chasse Éternelle.

« — Il est à la fois guérisseur et chef, marmonna Pelage d'Orage à Griffe de Ronce. Son pouvoir est immense ! »

En guise de réponse, Griffe de Ronce s'inclina poliment devant Conteur.

« Nous venons d'une forêt située bien loin d'ici », dit-il. Puis il répéta son nom et celui de ses camarades. « Un voyage périlleux nous attend, et nous avons besoin de nourriture et de repos pour pouvoir le poursuivre. »

Pendant qu'il parlait, d'autres félins de la Tribu vinrent se masser autour d'eux sans cacher leur curiosité. Pelage d'Orage différenciait les chatons des apprentis grâce à leur taille. Il remarqua que les guerriers semblaient se diviser en deux groupes : les membres du premier avaient de larges épaules et des pattes puissantes, les seconds étaient plus fins et leurs pattes plus longues paraissaient taillées pour la vitesse. En revanche, tous avaient l'air inquiets, nerveux, comme prêts à fuir.

Une chatte au pelage brun rayé, qui scrutait Pelage d'Orage avec insistance, murmura :

« Oui ! C'est lui... ce ne peut être que lui ! »

Le guerrier gris sursauta. Source avait dit à peu près la même chose, lors de leur rencontre près du bassin. Il ouvrit la gueule pour demander des explications, mais le soigneur de la Tribu s'était tourné vers la chatte tigrée.

« Silence ! » cracha-t-il. Il poursuivit d'un ton plus amène à l'intention des visiteurs : « Vous êtes les bienvenus dans notre caverne. Notre réserve est bien garnie. Mangez à satiété et reposez-vous. Nous avons beaucoup de choses à nous dire. »

Griffe de Ronce se tourna vers ses compagnons.

« On ferait aussi bien d'accepter leur hospitalité, miaula-t-il. Je ne crois pas qu'ils nous veuillent du mal. »

Tandis que Pelage d'Orage le suivait vers la réserve, il sentit de nouveau des dizaines de paires d'yeux rivées sur lui – sa fourrure en brûlait presque. Ce n'était pas son imagination : ils le dévisageaient, lui bien plus que ses amis. Lorsqu'il s'assit pour manger, ses poils le picotèrent du museau jusqu'au bout de la queue.

Il mordit à pleines dents dans le lapin qu'il avait choisi, et entendit aussitôt hoqueter dans son dos :

« Ils ne partagent pas ! »

Un jeune chat gris le foudroyait du regard. Une ancienne au pelage tigré se pencha vers lui pour chuchoter à son oreille :

« Chut… Ce n'est pas leur faute s'ils n'ont pas reçu les bons enseignements. »

Pelage d'Orage ne saisit pas tout de suite. Puis il observa deux chats de la Tribu qui se restauraient côte à côte : chacun prit une bouchée avant d'échanger sa proie avec son voisin. Le guerrier du Clan de la Rivière fut au comble de l'embarras en comprenant à quel point ses amis et lui avaient dû sembler grossiers aux yeux des chats des montagnes.

« Cette coutume n'existe pas chez nous, lança-t-il au jeune chat gris et à son aînée. Mais nous partageons le fruit de notre chasse. » Du bout de la queue, il désigna Jolie Plume, qui essayait de convaincre Pelage d'Or de manger une souris. « Aucun de nous ne laisserait ses amis le ventre vide, et les patrouilles

141

de chasse rapportent toujours leurs prises au Clan avant de se nourrir elles-mêmes. »

La chatte tigrée inclina la tête d'un air amical.

« Vos coutumes nous sont inconnues, miaula-t-elle. Peut-être pourrons-nous apprendre les uns des autres.

— Peut-être, oui », répéta Pelage d'Orage.

Il retourna à son repas. Au bout de quelques instants, l'un des chatons les plus intrépides s'approcha du groupe de visiteurs, poussé par ses frères de litière.

« D'où venez-vous ? » voulut-il savoir.

Nuage d'Écureuil avala le morceau qu'elle mâchait avant de répondre :

« De très loin. De l'autre côté de ces montagnes, après des champs à perte de vue, il y a une forêt. Nous venons de là-bas.

— C'est quoi, un champ ? » demanda le chaton. Sans attendre, il ajouta : « Quand je serai grand, je serai garde-caverne.

— C'est très bien, fit Jolie Plume.

— Évidemment, avant, je serai d'abord aspirant.

— Aspirant ? Qu'est-ce que c'est que ça ? » marmotta Nuage Noir.

Pelage d'Orage dissimula un sourire devant le regard chargé de mépris que le chaton lança à l'apprenti du Clan du Vent.

« Un aspirant garde-caverne, bien sûr. Tu sais, quand on s'entraîne et tout ça. Vous ne connaissez donc rien à rien, vous autres ?

— Il parle des apprentis, expliqua Pelage d'Orage, qui ne put s'empêcher de préciser : comme toi. »

Nuage Noir montra les crocs lorsque le chaton s'exclama :

« Tu n'es qu'un aspirant ? Mais tu es bien trop vieux !

— On dirait qu'ils partagent certaines de nos traditions, murmura Pelage d'Or.

— Je me demande s'ils croient au Clan des Étoiles… chuchota Nuage d'Écureuil.

— Ils ne peuvent pas se rendre à la Grotte de la Vie, fit remarquer Pelage d'Orage. C'est bien trop loin pour eux. D'ailleurs, personne ne les y a jamais vus.

— Conteur a évoqué la Tribu de la Chasse Éternelle, rappela Jolie Plume. C'est peut-être ainsi qu'ils appellent le Clan des Étoiles. » Ses grands yeux bleus s'écarquillèrent soudain. Elle poursuivit d'une voix hésitante : « Ou alors, vous pensez qu'ils ont d'autres ancêtres ? Que d'autres guerriers de jadis veillent sur eux ?

— Je ne sais pas, répondit Griffe de Ronce. Mais nous devrions le découvrir bientôt. »

Pelage d'Orage termina son repas. Il ne s'était pas senti aussi rassasié depuis qu'ils avaient quitté le bois où ils avaient fait leurs adieux à Minuit et à Isidore. Il aurait aimé dormir un peu – il n'en eut pas le temps. Il était encore occupé à se lécher les babines lorsque Conteur s'avança vers eux, accompagné de trois chats. L'un d'eux était Pic ; les deux autres, des femelles, lui étaient inconnus. Source avait disparu, et Pelage d'Orage en fut un peu déçu. La jeune chatte avait fait montre de courage et d'amitié lors de leur rencontre, il était impatient de la revoir.

« Avez-vous bien mangé ? s'enquit Conteur.

— Très bien, merci, répondit Griffe de Ronce. C'est gentil à vous de partager votre gibier.

— C'est bien normal, déclara Conteur, surpris par cette remarque. Le gibier n'est pas à nous, mais aux pierres et à la montagne. »

Il s'assit face aux chats de la forêt, la queue enroulée autour de lui. Les trois autres, qui restèrent debout, entourèrent leur chef. Griffe de Ronce se contenta de les observer, plein d'espoir.

« Vous connaissez déjà Pic, miaula Conteur. C'est le chef des garde-cavernes, les chats qui protègent cet endroit, ajouta-t-il devant la mine perplexe de ses interlocuteurs. Et voici Brume où Chatoie le Soleil. C'est l'une de nos meilleures chasse-proies. »

Brume leur adressa un signe de tête et les examina d'un air à la fois amical et curieux.

« Elle, c'est Étoile qui Brille sur l'Eau. Pour le moment, c'est une porteuse. Mais dès que ses petits auront grandi, elle redeviendra garde.

— Ainsi, vous avez tous des tâches différentes ? demanda Pelage d'Or, tandis que ses camarades murmuraient des salutations.

— En effet, répondit Conteur.

— Les meilleurs combattants deviennent-ils gardes, et les plus rapides, chasse-proies ? » voulut savoir Pelage d'Orage, à présent moins inquiet que fasciné par cette étrange Tribu.

Conteur remua les moustaches pour exprimer sa contrariété.

« Non. Chaque chat de notre Tribu naît pour accomplir une certaine tâche. C'est la tradition. Mais parlez-nous plutôt de vous », se hâta-t-il

d'ajouter au moment où Nuage d'Écureuil s'apprêtait à lui poser une autre question. « Pourquoi
accomplir ce long voyage ? Nous n'avions jamais vu
de chats comme vous jusqu'à aujourd'hui. »

Griffe de Ronce jeta un regard en coin vers Pelage
d'Orage et marmonna :

« Qu'est-ce que tu en penses ? On leur raconte ?

— À mon avis, on devrait leur dire que c'est le
Clan des Étoiles qui nous envoie, souffla le guerrier
gris à l'oreille de son ami, trop conscient de l'ouïe
fine des chats des montagnes. Autrement, ils pourraient nous considérer comme des renégats. Mais
ne leur révèle pas la raison de notre voyage, ajouta-
t-il. Il ne faut pas qu'ils nous prennent pour des
faibles. »

Griffe de Ronce acquiesça. Il s'éclaircit la gorge
et entreprit d'expliquer toute leur aventure, depuis
les rêves envoyés par le Clan des Étoiles aux quatre
élus, jusqu'aux signes de l'eau salée qui les avaient
guidés à l'endroit où sombre le soleil, où ils avaient
rencontré Minuit.

D'autres chats des montagnes les rejoignirent
pour écouter le récit. Pelage d'Orage remarqua leurs
regards pleins d'admiration lorsque Griffe de Ronce
évoqua les dangers qu'ils avaient affrontés, mais il
entendit aussi quelques marmonnement dubitatifs
– certains avaient du mal à croire les étrangers.

« Ne vous inquiétez pas, ajouta-t-il lorsque Griffe
de Ronce fit une pause dans son histoire. Le Clan
des Étoiles ne nous a pas envoyés pour vous combattre. En fait, il n'avait jamais mentionné que nous
vous rencontrerions.

— Le Clan des Étoiles ? répéta Brume en coulant un regard vers Conteur. Qu'est-ce que c'est ?

— Ne t'offusque pas », répondit Conteur. Il cligna des yeux pour rassurer Brume. « Tous les félins ne partagent pas nos croyances, et nous devons respecter ce dont nous ignorons tout. Il ne faut pas avoir peur de l'inconnu. Je t'en prie, ajouta-t-il en levant la patte vers Griffe de Ronce, continue.

— Finalement, nous sommes arrivés là où sombre le soleil et avons découvert que Minuit était un blaireau. Il nous a révélé la signification de la prophétie du Clan des Étoiles, et maintenant nous rentrons chez nous pour la transmettre à nos Clans.

— Une prophétie ? » répéta Conteur. Ses yeux verts contemplaient Pelage d'Orage avec une intensité dérangeante. « Alors vous aussi, vous avez des visions de ce qui est caché ?

— Eh bien, parfois nous faisons des rêves, expliqua Pelage d'Or. Mais la plupart du temps, ce sont les guérisseurs qui interprètent les signes pour nous : dans les nuages, les vols d'oiseaux, la chute des feuilles…

— Ce que je fais, moi aussi », déclara Conteur.

Il s'interrompit lorsqu'un groupe de chats apparut à l'entrée de la grotte. Il se leva en murmurant :

« Excusez-moi. Ce sont des gardes revenant de leur ronde. Je dois entendre leur rapport. »

Sur un signe de tête, il s'en alla rejoindre le chef de la patrouille.

Brume et Étoile demeurèrent avec les chats de la forêt. Pelage d'Orage fut de nouveau frappé par l'expression de profonde inquiétude de leurs hôtes. Il se rendit compte qu'il ne les avait encore jamais

vus s'amuser : aucun apprenti ne jouait à se bagarrer, les guerriers n'accomplissaient pas le rituel du
partage, les anciens n'échangeaient pas de commé-
rages ni de vieilles histoires. Toute la Tribu semblait vivre dans un état de peur permanente. Pelage
d'Or paraissait traversée par les mêmes pensées, car
elle se tourna vers Brume et demanda :

« Quelque chose vous tracasse ? Vous semblez
tous soucieux...

— Êtes-vous menacés par une autre Tribu ?
ajouta Nuage d'Écureuil.

— Non, nous sommes les seuls dans les environs,
répondit Étoile. À notre connaissance, il n'y a pas
d'autres chats dans les montagnes. Comment pour-
rait-il exister une autre Tribu, puisque c'est nous
qui gardons la Grotte aux Pointes Rocheuses ?

— La quoi ? » miaula Nuage Noir.

Sa question resta sans réponse.

Brume échangea un regard avec Étoile avant de
murmurer à l'oreille de sa camarade :

« À ton avis, que peut-on leur révéler ? »

Pelage d'Orage parvint à peine à saisir ces
quelques mots qui ne lui étaient pas destinés.

Un autre chat de la Tribu, qui s'était approché
pour écouter la conversation, feula de colère. La
plupart des membres de l'assistance semblaient
effrayés ou fâchés contre Brume. Pelage d'Orage se
sentait gagné par la tension accrue.

« De quoi avez-vous peur ? insista-t-il malgré
tout.

— De rien, répondit Étoile. En tout cas, rien
dont nous puissions parler. »

Sur ce, elle s'inclina avant de s'éloigner, invitant Étoile à la suivre. Brume jeta un ultime regard aux chats de la forêt : ses yeux étaient emplis d'effroi. Tandis qu'elle disparaissait dans les ténèbres au fond de la grotte, les autres commencèrent à se disperser.

Perplexe, Pelage d'Orage se tourna vers Griffe de Ronce. Il reconnut sa propre appréhension dans les prunelles ambrées du guerrier du Clan du Tonnerre.

« Qu'est-ce qui se passe ici ? marmonna-t-il.

— Seul le Clan des Étoiles le sait, répondit Griffe de Ronce en secouant la tête. À l'évidence, quelque chose les terrorise. »

CHAPITRE 10

❧

Nuage de Feuille parcourut du regard la ligne hostile formée par les membres du Clan du Vent, avant de s'arrêter sur un apprenti couleur fauve. Le jeune mâle montra les crocs ; aussitôt la fourrure de Nuage de Feuille se hérissa. En tant que guérisseuse, elle était censée se trouver au-delà des rivalités claniques. Pourtant, ses oreilles s'étaient plaquées sur son crâne, ses griffes plantées dans la terre. S'ils venaient à se battre, cet apprenti découvrirait qu'elle savait se défendre.

« Alors ? » Comme Étoile de Feu ne répondait pas, Étoile Filante répéta : « Qu'est-ce que vous voulez ? Vous pensez que nous sommes si faibles que vous pouvez nous chasser de notre territoire, comme Étoile Brisée avant vous ? »

Feulements et crachats s'élevèrent parmi ses guerriers. Étoile de Feu dut attendre un instant que le silence revienne pour se faire entendre :

« Étoile Filante, depuis l'époque où Plume Grise et moi sommes allés vous chercher pour vous ramener chez vous, je ne vous ai témoigné que de l'amitié. L'as-tu oublié ? J'en ai bien peur. Sinon, tu ne

149

me ferais pas l'injure de me comparer à Étoile Brisée. »

Nuage de Feuille crut distinguer une lueur de culpabilité dans le regard du chef rival. Pourtant, son ton était arrogant lorsqu'il répliqua :

« Alors pourquoi être venu accompagné d'autant de guerriers ?

— Ne sois pas stupide, Étoile Filante, grogna le rouquin. Nous ne sommes pas assez nombreux pour affronter tout ton Clan. Nous voulons simplement te parler. Le Clan du Vent a pris l'habitude de dérober du gibier sur notre territoire, et tu sais aussi bien que moi que cela va à l'encontre du code du guerrier. »

Étoile Filante eut l'air surpris. Avant qu'il ait eu le temps de répondre, son lieutenant, Griffe de Pierre, lança :

« Prouve-le ! Prouve que le Clan du Vent vous a volé la moindre souris !

— Comment oses-tu ? s'emporta Plume Grise. Nous vous avons vus, à l'instant ! Et nous avons trouvé des os de gibier imprégnés de votre sale odeur.

— C'est toi qui le dis, le railla Griffe de Pierre. À mon avis, ce n'est qu'une excuse pour nous attaquer. »

Furieux, Plume Grise franchit la frontière d'un bond, toutes griffes dehors. Griffe de Pierre poussa un cri, et les deux guerriers roulèrent sur l'herbe.

Étoile Filante contemplait les deux bagarreurs d'un air méprisant. De part et d'autre de la frontière, les félins se préparaient à bondir, les crocs découverts, les yeux illuminés par le feu de la bataille. Le cœur battant, Nuage de Feuille essaya de se rappeler les techniques de combat enseignées par son mentor.

Étoile de Feu s'avança en crachant d'un air féroce.

« Arrêtez ! » ordonna-t-il.

Plume Grise s'écarta aussitôt de son adversaire, le souffle court. Griffe de Pierre se remit sur ses pattes en le foudroyant du regard.

« Plume Grise, je t'ai dit que nous n'étions pas venus nous battre », le tança son chef.

Les yeux jaunes du lieutenant brillaient comme la braise.

« Tu as entendu ses mensonges ?

— Oui, mais cela ne change rien à mes ordres. Reviens. Tout de suite. »

Plume Grise obtempéra, la queue battant l'air rageusement.

Museau Cendré s'avança clopin-clopant pour se placer près d'Étoile de Feu.

« Tu sais que les guérisseurs ne mentent pas, dit-elle à Étoile Filante. Tu sais aussi que le Clan des Étoiles ne souhaite pas que les Clans rivaux se volent les uns les autres.

— Le Clan des Étoiles souhaite-t-il donc que les miens meurent de faim ? demanda Étoile Filante, amer. Hier, l'un de nos anciens est mort. Il ne sera que le premier d'une longue série si nous ne faisons rien.

— Nous vous aiderions si nous le pouvions, assura Museau Cendré. Mais notre gibier aussi se fait rare. Toute la forêt souffre à cause des Bipèdes.

— Nous devrions coopérer, déclara Étoile de

Feu. Je jure devant le Clan des Étoiles que si le Clan du Tonnerre trouve une solution à ces problèmes, nous la partagerons avec le Clan du Vent. »

Étoile Filante soutint longuement son regard. Son expression amère disparut, ne laissant place qu'à une profonde tristesse.

« Une solution ? J'ai peur qu'il n'y en ait pas. En attendant, vous avez raison de garder votre gibier pour vous. Le code du guerrier exige que vous nourrissiez d'abord votre propre Clan. Le Clan du Vent n'attend de vous aucune assistance. »

Le rouquin inclina la tête.

« Étoile Filante, il n'y aura pas de combat aujourd'hui, mais si ces vols se poursuivent, tu sais ce qui t'attend. »

Il fit demi-tour avant de s'éloigner, signalant à ses guerriers de le suivre. Pendant leur retraite, des cris triomphants s'élevèrent parmi les guerriers du Clan du Vent, comme s'ils venaient de remporter une bataille et de repousser un envahisseur.

Nuage de Feuille sentit sa fourrure se hérisser sur sa nuque. La clameur mourut au loin, à mesure qu'ils s'éloignaient, suivant Étoile de Feu le long de la crête dominant les Quatre Chênes, jusqu'en bas du coteau menant au ruisseau.

« Pourquoi ne pas avoir réglé cela par un combat ? demanda Pelage de Poussière. On aurait pu leur donner une bonne leçon, qu'ils n'auraient pas oubliée de sitôt.

— Nous les chasserons s'ils pénètrent sur notre territoire, promit Étoile de Feu. Mais prions le Clan des Étoiles qu'Étoile Filante entende raison et qu'il parvienne à garder ses guerriers sur leur territoire.

Je ne pense pas qu'il savait ce qui se passait jusqu'à aujourd'hui.

— Peut-être. Mais il soutiendra les siens, maintenant. »

La fourrure de Pelage de Poussière se dressa comme si ses ennemis se tenaient en face de lui.

« Et si tu allais chasser ? suggéra Étoile de Feu. Essaye de trouver un peu de viande pour Fleur de Bruyère. »

Pelage de Poussière lui lança un regard oblique ; les poils de sa nuque retombèrent peu à peu en place.

« D'accord. » Il ajouta dans un grognement, comme à contrecœur : « Merci. »

Il disparut aussitôt dans la végétation épaisse qui bordait le cours d'eau.

Étoile de Feu le regarda partir, les yeux pleins de tristesse. Voir son père si impuissant, si frustré, était insupportable pour Nuage de Feuille. Elle savait qu'il ne se laisserait jamais abattre, pas tant que les monstres n'auraient pas détruit tous les arbres de la forêt. Mais ce jour semblait approcher à grands pas. Que ferait donc Étoile de Feu, alors ?

Tandis qu'elle le suivait par-delà le ruisseau, vers le camp du Clan du Tonnerre, elle se débattit une fois de plus avec sa conscience. Elle se sentait toujours coupable de ne pas avoir avoué à son père ce qu'elle savait sur Nuage d'Écureuil et Griffe de Ronce. Le temps était peut-être venu de parler, d'alléger en partie le fardeau de son père. Mais comment réagirait-il, en apprenant qu'elle s'était tue si longtemps ? Nuage de Feuille se crispa en imaginant sa colère.

Remarquant que Museau Cendré s'était un peu laissé distancer, elle se dit que son mentor aurait peut-être la réponse. Elle pouvait se confier à elle : la guérisseuse comprendrait, et l'aiderait peut-être à parler à son père.

Nuage de Feuille attendit que son mentor la rejoigne.

« Museau Cendré... », commença-t-elle, impatiente d'entendre les conseils toujours avisés de la chatte.

Mais lorsque celle-ci se tourna vers elle, ses yeux bleus étaient embrumés par la tristesse.

« Je n'ai reçu aucune nouvelle du Clan des Étoiles, coupa-t-elle. Nous a-t-il donc abandonnés ? Il ne peut tout de même pas souhaiter que les Bipèdes nous anéantissent... »

Comme pour souligner son désespoir, le rugissement des monstres des Bipèdes gronda dans le lointain.

Elle se frotta contre son mentor dans un geste rassurant.

« Et si le Clan des Étoiles nous avait parlé d'une autre manière ? » souffla-t-elle.

Son cœur s'affola dans sa poitrine.

« De quelle autre manière ? Il ne m'a pas envoyé le moindre rêve, le moindre signe...

— Il a pu communiquer avec un autre chat.

— Toi, par exemple ? »

Museau Cendré la dévisagea, les yeux embrasés par l'espoir.

« Non, mais...

— Non, le Clan des Étoiles est silencieux. » Le sursaut d'énergie de Museau Cendré mourut aussitôt. « Il doit attendre quelque chose de nous, mais quoi ? »

Nuage de Feuille fut incapable de poursuivre. Peut-être que ce n'était finalement pas le moment de parler. Comment Museau Cendré réagirait-elle en apprenant que le Clan des Étoiles avait préféré envoyer en mission des guerriers inexpérimentés plutôt que des guérisseurs ? Elle se sentait si seule et si perdue qu'elle essaya instinctivement de contacter Nuage d'Écureuil pour partager les pensées de sa sœur, mais n'y trouva rien de réconfortant. Que les ténèbres, et le grondement de l'eau vive.

« Nuage de Feuille, tu viens ? »

L'apprentie sursauta. Elle fut surprise de voir que Museau Cendré la devançait de plusieurs longueurs de queue.

« J'arrive. Désolée. »

Elle se remit en route à l'arrière de la patrouille, tête basse. Elle redoutait ce que le destin réservait aux élus du Clan des Étoiles et à la forêt entière. Plus que tout encore, elle s'inquiétait pour Nuage d'Écureuil, où qu'elle soit...

❧

CHAPITRE 11

L A LUMIÈRE DE LA LUNE qui filtrait dans la caverne métamorphosait la cascade en un rideau argenté et ondoyant. Pelage d'Orage avait l'impression que la journée avait duré une éternité. À présent, même les petites alvéoles dans le sol de la grotte lui semblaient aussi confortables que son nid parmi les roseaux.

Conteur était revenu. Il avait indiqué à ses hôtes des niches, sur un côté de la caverne, garnies d'une mince couche de mousse et de plumes.

« Vous pouvez vous reposer là, avait-il déclaré. Vous resterez parmi nous aussi longtemps qu'il le faudra. Vous êtes les bienvenus. »

Après son départ, Griffe de Ronce fit signe à ses compagnons de le rejoindre.

« Il faut qu'on parle. À votre avis, combien de jours pouvons-nous rester ici ? »

La queue de Nuage Noir battit d'un côté, puis de l'autre.

« Comment peux-tu poser une question pareille ? grogna-t-il. Je pensais qu'on était en mission. Qu'on devait regagner au plus vite la forêt pour avertir les Clans des prédictions de Minuit.

— Nuage Noir a raison, reconnut Pelage d'Orage à contrecœur.

— Je suis d'accord, miaula Pelage d'Or. La mauvaise saison sera bientôt là. À cette altitude, il neigera sans aucun doute.

— Tu oublies ton épaule ? » fit Griffe de Ronce. Depuis leur plongeon dans la cascade, la guerrière boitait sur trois pattes et un filet de sang séché descendait jusqu'à ses griffes. « Nous devons attendre que cette morsure de rat soit guérie. Ensuite, nous pourrons avancer bien plus vite.

— Je me suis cognée en tombant, c'est tout, rétorqua-t-elle, la fourrure soudain hérissée. Si tu penses que je vous ralentis, dis-le franchement.

— Ce n'est pas ce qu'il sous-entendait. » Jolie Plume se frotta contre la guerrière pour l'apaiser, prenant garde d'éviter sa blessure. « C'est plus grave qu'un simple coup. La plaie s'est rouverte ; elle ne cicatrisera que si tu te reposes. »

Nuage d'Écureuil avait l'air pensive.

« On dirait que les chats de cette Tribu ne souhaitent pas notre départ. De quoi ont-ils si peur ? Quel terrible danger nous menacera lorsque nous les aurons quittés ? »

Les autres se regardèrent dans un silence gêné. Pelage d'Orage s'était posé la même question. Une part de lui voulait demeurer à l'abri de la caverne aussi longtemps que possible plutôt que d'affronter un terrible ennemi inconnu tapi dans les montagnes.

« Ce sera risqué de toute façon, fit remarquer Nuage Noir. Bon, je suis d'accord avec Pelage d'Or, mais nous pouvons demander à Conteur de la soigner avant de reprendre la route.

— Tout ça, c'est parfait, le coupa Nuage d'Écureuil, les yeux étincelants. Mais nous partons tous du principe que nous pouvons filer quand nous le voulons.

— Qu'est-ce que tu veux dire ? Ils n'oseraient tout de même pas nous retenir de force ! » s'exclama Nuage Noir.

Nuage d'Écureuil pouffa.

« Je te parie ma prochaine part de viande qu'ils le feraient sans hésiter. Regarde un peu par là-bas. »

Elle inclina les oreilles vers la sortie. Un garde était posté de chaque côté de la cascade ; ils n'essayaient même pas de dissimuler le fait qu'ils surveillaient les étrangers.

« Peut-être qu'ils protègent l'entrée contre des ennemis extérieurs, hasarda Jolie Plume.

— Tentons de leur fausser compagnie, suggéra Nuage Noir. Comme ça, on sera fixés.

— Non, répondit Griffe de Ronce d'un ton sans réplique. Il faudrait être une cervelle de souris pour partir maintenant. Nous sommes tous épuisés. Nous devons dormir. Demain, nous verrons comment se porte l'épaule de Pelage d'Or, et nous aviserons. »

Les autres murmurèrent leur approbation. Même Nuage Noir comprenait que ce n'était pas le moment de s'attirer des ennuis. Tous les chats de la forêt furent bientôt installés, massés les uns contre les autres comme pour se protéger des regards curieux de leurs hôtes.

Pelage d'Orage était en train d'arranger sa litière lorsqu'il entendit des pas derrière lui. L'un des chats des montagnes traversait la caverne dans sa direction. Il reconnut Source à sa fourrure lisse et tigrée, à sa démarche souple. La voir lui réchauffa le cœur. Elle portait entre les mâchoires un bouquet de plumes.

Elle le déposa dans l'alvéole qu'il avait choisie pour dormir et inclina la tête.

« Conteur m'envoie m'assurer que tu es bien installé.

— Euh… merci. »

Il se demanda si Source irait aussi s'enquérir de ses camarades ou si Conteur ne l'avait envoyée qu'auprès de lui.

« Je… j'espère que vous vous plairez ici, poursuivit la chatte d'un ton hésitant. Notre grotte doit être bien différente de là d'où vous venez. Vous dormez dans des cavernes, dans votre forêt ?

— Non, nous nous bâtissons des nids de roseaux dans des buissons. Le camp du Clan de la Rivière, mon Clan, est basé sur une île. »

Une pointe de nostalgie le transperça à cet instant. Aurait-il à nouveau un jour l'occasion de se rouler en boule dans le gîte des guerriers, bercé par le doux murmure du vent dans les roseaux ? Si Minuit avait raison, et si tous les Clans devaient quitter la forêt, retrouverait-il jamais un foyer aussi paisible ?

Les yeux de Source étincelèrent au clair de lune.

« Es-tu un garde-caverne ou un… » Elle s'interrompit et se dandina, gênée. « Mais non, évidemment, vous n'avez pas de caverne ! Gardes-tu ton camp ou bien es-tu un chasse-proie ?

— Nos Clans ne sont pas organisés comme votre

Tribu. Nous participons tous à la garde, à la chasse et aux patrouilles.

— Ce doit être difficile. Nous, nous sommes dès notre naissance destinés à une tâche. Nous savons donc exactement ce que nous avons à faire. Je suis une chasse-proie, ajouta-t-elle. Si Conteur le permet, il te plairait peut-être de chasser avec moi demain ? »

Pelage d'Orage en resta coi. À entendre la chatte, elle ne doutait pas que leurs visiteurs resteraient un moment parmi eux. Il n'aimait pas non plus l'idée de devoir demander la permission de Conteur pour la moindre chose ; ils respecteraient le chef de la Tribu le temps de leur séjour, mais n'en accepteraient aucun ordre. Quoi qu'il en soit, il serait amusant de chasser en compagnie de Source.

Il hésita à lui demander sans détour s'ils étaient leurs prisonniers mais, avant qu'il puisse parler, la jolie chatte tigrée le salua d'un signe de tête.

« Tu es fatigué, dit-elle. Je vais te laisser seul, à présent. Dors bien. J'espère que nous chasserons bientôt ensemble. »

Pelage d'Orage lui rendit son salut et la regarda s'éloigner avant de se lover dans les plumes. Les doux ronrons de ses amis endormis résonnaient autour de lui. Malgré ses muscles endoloris et la fatigue qui lui tournait la tête, il mit du temps avant de sombrer à son tour dans le sommeil.

Des bruits de pattes près de sa litière réveillèrent Pelage d'Orage le lendemain matin. Lorsqu'il ouvrit les yeux, il vit que la lumière du soleil se déversait à travers la cascade et inondait la grotte. Il se souvint alors qu'ils étaient censés suivre le levant pour regagner leur forêt. Il se dressa et s'étira.

Griffe de Ronce était déjà debout. Il observait un groupe de gardes qui quittait la caverne par l'entrée principale. Le chat gris le rejoignit, et le salua en agitant les moustaches.

« L'épaule de Pelage d'Or s'est mise à saigner dans la nuit, annonça le guerrier du Clan du Tonnerre. Je crois que les muscles se sont de nouveau déchirés. Je lui ai conseillé de continuer à se reposer, mais cela veut dire que nous devrons rester ici un ou deux jours de plus, au moins. »

Pelage d'Orage jeta un coup d'œil vers le dos écaille de Pelage d'Or, toujours roulée en boule dans sa litière. Jolie Plume examinait d'un air soucieux sa blessure, sous le regard impassible de Nuage Noir. Quant à Nuage d'Écureuil, elle dormait encore.

Voir sa sœur si près de l'apprenti du Clan du Vent ne fit rien pour améliorer l'humeur de Pelage d'Orage.

« Eh bien, si nous n'avons pas le choix... marmonna-t-il. Mais tôt ou tard, il faudra découvrir pourquoi ces matous nous ont si bien accueillis. Ils nous cachent quelque chose, c'est évident.

— C'est vrai », reconnut Griffe de Ronce. Il soutint calmement le regard de Pelage d'Orage. « Mais le meilleur moyen d'en apprendre davantage, c'est de coopérer... au début, du moins.

— Tu n'as peut-être pas tort », grommela le guerrier gris.

Un mouvement au fond de la grotte attira son attention. Conteur émergea de l'un des tunnels et se dirigea vers eux. Nuage Noir et Jolie Plume l'aperçurent également. L'apprenti secoua Nuage d'Écureuil du bout de la patte pour la réveiller, après quoi les trois félins rejoignirent en quelques bonds Pelage d'Orage et Griffe de Ronce. Pelage d'Or leva la tête en voyant Jolie Plume s'éloigner.

« On s'en va ? demanda-t-elle d'une voix qui trahissait sa souffrance. Je peux reprendre la route, s'il le faut. »

Jolie Plume lui jeta un regard rassurant.

« Non, pas encore. Essaye de dormir.

— Tu vas demander à Conteur de nous laisser partir d'ici ? feula Nuage Noir à l'intention de Griffe de Ronce. S'il veut nous retenir prisonniers, je lui arrache les oreilles !

— Sûrement pas ! rétorqua Griffe de Ronce. Tu sais très bien que Pelage d'Or doit se reposer jusqu'à ce que sa blessure soit cicatrisée. Inutile d'offenser nos hôtes. Laisse-moi parler. »

Le novice lui lança un regard noir, mais se tut.

« Je suis certain que nous ne sommes pas prisonniers, affirma Pelage d'Orage avec plus de conviction qu'il n'en avait. Pourquoi voudraient-ils nous retenir ? Nous ne leur avons rien fait.

— Peut-être qu'ils attendent quelque chose de nous », suggéra Nuage d'Écureuil.

Cette idée était si proche de ce que Pelage d'Orage pensait lui-même qu'il ne trouva rien à répondre. De plus, Conteur approchait ; ils ne pouvaient plus parler librement.

« Bonjour, miaula le soigneur. Avez-vous bien dormi ?

— Très bien, merci, répondit Griffe de Ronce.

Mais Pelage d'Or est gravement blessée. Nous aimerions rester parmi vous un jour ou deux, le temps qu'elle se remette, si cela ne vous fait rien.

— Parfait. » Conteur se tourna vers Pelage d'Orage, et la lueur étrange dans ses yeux verts renforça l'inquiétude du guerrier du Clan de la Rivière. « J'examinerai l'épaule de votre amie, puis j'irai chercher des herbes pour la soigner.

— Quant à nous, nous aimerions chasser, poursuivit Griffe de Ronce. Nous avons besoin de nous dégourdir les pattes, et nous souhaitons attraper notre propre gibier. Vous ne pouvez pas continuer à nous nourrir tous les six pendant que nous restons là à ne rien faire. »

Les oreilles de Conteur s'inclinèrent vers l'avant, et ses yeux se plissèrent. Pelage d'Orage eut l'impression que la requête de Griffe de Ronce ne lui plaisait guère.

Pourtant, le soigneur hésita à peine avant de répondre :

« Bien sûr. Nous vous serons reconnaissants de votre aide. Un groupe de chasse-proies s'apprête à partir, vous pouvez les accompagner. »

En effet, Pelage d'Orage aperçut quelques chats de la Tribu rassemblés près de l'entrée. Source était parmi eux, ainsi que Brume, la chasse-proie rencontrée la veille. Conteur guida ses invités jusqu'à eux.

« Nos nouveaux amis veulent partir chasser, annonça-t-il. Emmenez-les avec vous, et apprenez-leur nos techniques. »

Une fois ses ordres donnés, il s'éloigna de nouveau. Pelage d'Orage le regarda partir, un peu vexé qu'il pense que les guerriers des Clans aient besoin

164

de leçons de chasse. Puis il se rendit compte que Source l'avait rejoint.

« Salutations, miaula-t-elle. Nous sommes si nombreux que nous ferions mieux de nous séparer. Veux-tu m'accompagner ?

— Avec plaisir », répondit Pelage d'Orage, un peu surpris de se sentir si joyeux que la chatte ait renouvelé son invitation de la veille.

Aussitôt, les chasse-proies de la Tribu se divisèrent en deux groupes. Nuage Noir et Jolie Plume partirent avec le premier, emmené par Brume, pendant que Pelage d'Orage, Griffe de Ronce et Nuage d'Écureuil rejoignaient celui de Source.

Pelage d'Or les regarda s'éloigner, l'air peu rassurée. En quittant la caverne, Pelage d'Orage vit Étoile, la porteuse, déposer une part de viande devant la blessée.

« Elle ne craint rien, murmura Griffe de Ronce. Avec un peu de chance, elle dormira jusqu'à notre retour. La Tribu ne semble pas lui vouloir de mal. »

Étoile parlait à la blessée avec amitié : Pelage d'Orage se tranquillisa. Cheminant à pas prudents le long de la corniche derrière la cascade, il frissonna en sentant la bruine tremper sa fourrure. Enfin, il rejoignit les rochers au bord du bassin.

Tandis qu'il s'ébrouait, il remarqua que Pic et un certain nombre d'autres matous attendaient déjà, le pelage strié de boue fraîche. C'étaient tous des félins puissants, aux larges épaules, au contraire des chasse-proies. Pelage d'Orage devina qu'il s'agissait de garde-cavernes.

Il croisa le regard de Griffe de Ronce et marmonna :

« Que font-ils ici ? »

Source entendit sa question pourtant murmurée.

« Des garde-cavernes nous accompagnent pendant la chasse, expliqua-t-elle. Nous avons besoin d'eux pour nous protéger des aigles et de… »

Tout en jetant un coup d'œil à Pelage d'Orage, elle laissa sa phrase en suspens. Le guerrier du Clan de la Rivière aurait bien voulu qu'elle en dise plus, mais il se contenta de son explication.

Lorsque Source eut appris à Pic que les visiteurs les accompagnaient, les gardes se mêlèrent aux deux groupes. Le premier, celui de Nuage Noir et Jolie Plume, entreprit d'escalader les rochers d'où étaient tombés Pelage d'Orage et ses camarades la veille. De son côté, Source entraîna ses compagnons plus loin dans la vallée.

Quelques touffes d'herbe et des buissons chétifs poussaient entre les pierres. Même si la pluie avait cessé, les blocs de rochers luisaient d'humidité dans la lumière du petit matin. Les chances de débusquer des proies semblaient bien maigres à Pelage d'Orage. En flairant l'air, il ne détecta que de faibles traces.

Source mena son groupe d'un côté de la vallée, à l'ombre des buissons. Pelage d'Orage comprenait maintenant pourquoi ils barbouillaient leur pelage de boue : ils pouvaient ainsi se fondre dans les rochers, au point que, lorsqu'ils ne bougeaient plus, ils devenaient presque invisibles. En comparaison, la fourrure roux sombre de Nuage d'Écureuil ressortait comme une éclaboussure de sang. Quant à Pelage d'Orage, avec sa robe grise, et Griffe de Ronce, à la fourrure sombre et tachetée, ils passaient relativement inaperçus. Tous les chats de la Tribu se déplaçaient en silence. Pelage d'Orage devait se concentrer pour être sûr que ses propres pas étaient aussi discrets.

Bientôt, il vit Nuage d'Écureuil faire halte, les oreilles frémissant d'excitation.

« Une souris ! » murmura-t-elle.

Pelage d'Orage la repéra, lui aussi : elle grignotait une graine à quelques longueurs de queue de là. Nuage d'Écureuil se tapit, prête à bondir, mais aussitôt Source l'arrêta.

« Attends », dit-elle.

Pelage d'Orage s'attendait à ce que l'apprentie proteste vivement, mais elle se retint pour ne pas effrayer la proie. Elle se contenta de lancer un regard noir à Source, que celle-ci ne remarqua même pas. Ses yeux étaient rivés sur le rongeur.

Une ombre passa au-dessus d'eux. Soudain, un faucon piqua vers le sol, comme tombé du ciel, et saisit la souris dans ses puissantes serres. Au même moment, Source bondit. Elle sauta sur le dos du rapace, plongeant ses griffes dans ses épaules. L'oiseau battit furieusement des ailes ; il parvint même un instant à soulever Source du sol, mais retomba aussitôt, entraîné par le poids de la chatte. Un second chasse-proie vint à la rescousse et l'aida à achever le faucon. Ses ailes cessèrent de battre et il s'effondra, inerte, sur le sol rocailleux.

« Deux proies au lieu d'une ! » s'exclama Pic en se léchant les babines.

Les yeux écarquillés, Pelage d'Orage admirait les talents de chasseur de Source. Quelle guerrière elle aurait fait si elle était née dans la forêt ! Il se prit à l'imaginer au sein du Clan de la Rivière, enseignant aux autres cette nouvelle technique, mais il bannit aussitôt cette image de son esprit. Source appartenait aux montagnes, et d'ici un jour ou deux il devrait lui dire adieu. Il ressentit à cette idée une pointe de regret. Sa réaction le surprit. Comment avait-il pu s'attacher à elle si vite, alors qu'il la connaissait à peine ?

Nuage d'Écureuil avait oublié son indignation et fixait le faucon d'un air incrédule.

« Formidable ! s'exclama-t-elle. Je veux essayer. » Elle ajouta en se tournant vers Griffe de Ronce : « Tu crois qu'on pourrait chasser comme ça, chez nous ?

— Il n'y a pas autant de faucons qu'ici, fit remarquer le guerrier tacheté. Mais cela pourrait être utile au Clan du Vent : Nuage Noir nous disait qu'il avait déjà vu des aigles survoler la lande. »

Pelage d'Orage constata que, au lieu d'enfouir le rongeur et le rapace dans la terre en vue de les récupérer plus tard, Source les traînait au sol pour les dissimuler dans une crevasse. Puis elle reprit la tête de son groupe.

Cette fois-ci, elle les conduisit sur un sommet, après avoir bondi sur des rocs et longé une corniche. Pelage d'Orage ne voyait pas quel genre de gibier elle comptait trouver là-haut, mais il était impatient de découvrir la suite : il avait compris que les chats des montagnes connaissaient des tours dont lui et ses amis n'avaient pas idée.

Ils arrivèrent devant une masse de brindilles mêlées d'herbe sèche qui bloquait la corniche. Une odeur ancienne de gibier s'en dégageait. Source sauta lestement par-dessus, bientôt imitée par les autres.

« C'est un nid de faucon, expliqua-t-elle. À la saison de l'eau libre, nous y trouvons parfois des petits.

— "La saison de l'eau libre" ? répéta Nuage d'Écureuil.

— J'imagine qu'elle parle de la saison des feuilles nouvelles, murmura Griffe de Ronce. Lorsque l'eau se libère de la glace. C'est à cette époque qu'il y a des petits dans les nids.

— Et ils sont délicieux à manger, ajouta Pic, qui venait derrière eux. Du coup, ils sont moins nombreux à devenir adultes et à nous chasser. » Il fit soudain un bond extraordinaire. Pelage d'Orage hoqueta de surprise, la tête soudain levée vers le ciel. Un énorme rapace venait de piquer droit sur lui, toutes serres tendues, mais le saut de Pic l'avait obligé à changer de cap.

Le garde retomba juste au bord de la corniche, retrouva son équilibre facilement. Pelage d'Orage en éprouva plus de respect pour lui encore : vu son courage et la vitesse à laquelle il avait attaqué l'oiseau de proie, il n'avait rien à envier aux meilleurs guerriers des Clans.

« Merci », haleta le chat gris.

Accroupi au bord du vide, il regarda le faucon dériver au loin, à des longueurs de queue sous eux.

Pic se tourna vers lui, ses yeux ambrés luisant d'ardeur.

« C'est la première chose qu'on apprend aux aspirants : n'oublie jamais de regarder au-dessus de ta tête ! »

CHAPITRE 12

Tapi sur un aiguillon rocheux, Pelage d'Orage contemplait la vallée en contrebas. Le soleil se couchait pour la quatrième fois depuis que ses amis et lui étaient arrivés à la grotte de la Tribu. Malgré l'urgence de leur mission, ils n'avaient pu poursuivre leur voyage. L'épaule de Pelage d'Or était en train de guérir, grâce aux herbes de Conteur, mais ses muscles raides empêchaient encore la chatte de marcher.

À présent, Pelage d'Orage avait l'impression de maîtriser les techniques de chasse de la Tribu. Elles reposaient davantage sur l'attente et l'immobilité que sur la traque : parmi les rochers, il n'y avait pas autant de couverts que dans la forêt ou près de la rivière, là où il pêchait jadis.

Ses oreilles frémirent lorsqu'il entendit un battement d'ailes. En scrutant les ombres, il aperçut un oiseau qui venait de se poser juste au-dessous de lui et picorait le sol. Pelage d'Orage banda ses muscles et bondit. Ses griffes s'enfoncèrent dans les plumes ; le cri de panique de l'oiseau s'interrompit lorsque le matou planta les crocs dans sa nuque.

Le guerrier gris se leva, sa prise dans la gueule.

171

Il distingua alors dans la pénombre la silhouette de l'un des gardes couverts de boue qui s'approchait. L'odeur de l'oiseau masquait toutes les autres. Il ne reconnut Pic que lorsque le matou parla :

« Bravo ! Tu feras un bon chasse-proie. »

Pelage d'Orage le remercia d'un signe de tête, mais les mots de Pic l'inquiétèrent un peu ; que voulait-il vraiment dire ? Le garde semblait parfois penser que Pelage d'Orage allait rester avec eux pour toujours. Mais il n'eut pas l'occasion de l'interroger sur ce sujet : Source et les autres chasse-proies venaient d'arriver, et la patrouille reprit le chemin de la grotte tout en ramassant les proies qu'ils avaient attrapées plus tôt ce jour-là.

Parvenu au bassin, Pelage d'Orage déposa son fardeau pour se reposer un instant avant l'ascension des roches jusqu'à l'étroite corniche. Le soleil était maintenant couché et le sommet de la montagne se découpait sur un ciel couleur de sang. Le chat gris réprima un tremblement et tenta de ne pas y voir un signe du drame qui se jouait là-bas, dans leur forêt. Même s'il était heureux de chasser aux côtés de la Tribu, ses amis et lui devaient repartir au plus vite.

Source vint le rejoindre près de l'eau, ses yeux brillant dans la lumière du soir.

« Une bonne journée de chasse, ronronna-t-elle. Tu as parfaitement appris nos usages, Pelage d'Orage. »

Ce compliment le fit frissonner du museau jusqu'au bout de la queue. Plus que jamais, il savait qu'elle lui manquerait lorsqu'il s'en irait. Au cours des derniers jours, elle était devenue une amie ;

même son étrange accent commençait à lui être familier. Il devinait qu'elle ressentait la même attirance pour lui. Du moins, elle l'invitait toujours à chasser avec elle… Aurait-elle de la peine lorsqu'il partirait ?

En entrouvrant la gueule, il capta soudain une forte odeur fétide, qui ne ressemblait à rien de ce qu'il connaissait – un peu comme celle d'un chat malade, mais plus âcre, proche de la puanteur d'une charogne. Ses poils se hérissèrent sur sa nuque – le danger approchait.

« Qu'est-ce que c'est que ça ? » feula-t-il.

Tétanisée par la peur, Source ne répondit pas. Le reste de la patrouille se hâtait de rassembler les prises, pressé de rejoindre la sécurité de la caverne. Pic bondit et manqua renverser Pelage d'Orage sur son passage. En levant la tête, ce dernier crut discerner une sombre silhouette au sommet de la cascade. Puis il dut se concentrer pour ne pas perdre l'équilibre sur les pierres lisses et glissantes de la corniche ; le faucon qu'il portait dans la gueule lui gênait la vue. Personne ne tenta de lui expliquer la raison de cette soudaine vague de panique, mais Pelage d'Orage savait désormais qu'il ne servirait à rien de poser des questions.

Dans la grotte, il déposa sa prise sur le tas de gibier et alla retrouver ses amis, qui attendaient près de leurs litières.

Ses compagnons entouraient Pelage d'Or, qui s'était levée pour examiner son épaule. Jolie Plume nettoyait la blessure à coups de langue empressés.

« Tu vas beaucoup mieux, Pelage d'Or, déclara-t-elle. Ce n'est plus du tout enflé, et la plaie se

referme proprement. Comment te sens-tu, aujour-
d'hui ? »

La guerrière du Clan de l'Ombre fit rouler ses
muscles meurtris, avant de se laisser tomber à terre
dans la position du chasseur pour ramper sur le sol
de la grotte.

« Conteur connaît bien son affaire, annonça-
t-elle. Je ne sais pas quelles herbes il a utilisées, mais
elles sont aussi efficaces que la racine de glouteron.
Mon épaule est un peu raide, ajouta-t-elle en se
redressant, mais tout ira bien si je n'oublie pas de
l'échauffer régulièrement. J'espère juste qu'un jour
je mettrai la patte sur ce fichu rat !

— Le moment de partir est venu, conclut Griffe
de Ronce. Je vais prévenir Conteur, et nous nous en
irons à l'aube, demain matin.

— Et ils n'ont pas intérêt à essayer de nous retenir ! lança Nuage Noir.

— Ils n'en feront rien. » Jolie Plume enfouit son
museau dans le flanc de l'apprenti. « Je suis certaine
que tu t'inquiètes à tort. La Tribu ne nous a témoigné que de l'amitié depuis notre arrivée.

— Ils seront sûrement contents d'être débarrassés de nous, plaisanta Nuage d'Écureuil. Le
gibier doit manquer ici aussi pendant la mauvaise
saison.

— D'ailleurs, la neige ne va pas tarder à tomber,
observa Jolie Plume. Les rochers étaient blancs de
givre ce matin.

— C'est bien ce que je dis, miaula Nuage d'Écureuil en ondulant de la queue. Ils ne supporteront
plus longtemps qu'on s'empiffre sans rien faire. »

Pelage d'Orage surprit un regard dubitatif de

Griffe de Ronce. Nuage Noir remarqua alors que Pelage d'Orage les avait rejoints.

« Te voilà enfin ! s'exclama l'apprenti en faisant le gros dos. Tu commençais à t'ennuyer avec tes nouveaux amis de la Tribu ?

— Nuage Noir ! » le houspilla Jolie Plume.

Piqué au vif, Pelage d'Orage vint se planter devant le jeune matou.

« S'il a quelque chose à me dire, laisse-le faire, gronda-t-il.

— C'est juste que tu passes tout ton temps avec eux. Tu préférerais peut-être rester ici pour de bon… Après tout, la vie sera loin d'être facile lorsque nous serons de retour dans la forêt.

— Ne sois pas stupide », cracha Pelage d'Orage. Il se détourna de l'apprenti et croisa les regards graves des autres. « Quoi ? reprit-il, inquiet. Qu'ai-je fait de mal ? Je suis parti chasser une fois ou deux, c'est tout. Griffe de Ronce, tu disais toi-même que nous devions attraper notre propre gibier. Qu'est-ce qui vous fait dire que je me soucie moins que vous de la destinée de la forêt ?

— Personne ne pense une chose pareille, miaula Jolie Plume d'une voix apaisante.

— Si, lui, il le pense, contra-t-il en inclinant les oreilles vers Nuage Noir. Ce ne serait pas plutôt à cause des rêves ? Parce que je n'ai pas été choisi par le Clan des Étoiles… Vous n'auriez pas fait d'autres rêves, par hasard, sans rien m'en dire ? »

Il sortit ses griffes ; leur contact contre la pierre le répugnait. Il aurait tant voulu sentir sous ses pattes la terre meuble de la rive ou bien un lit de roseaux. Il comprenait que Nuage Noir réagisse ainsi : l'apprenti avait toujours été hargneux, et il aurait cherché la bagarre avec le Clan des Étoiles lui-même. Mais que les autres – y compris sa propre sœur ! – remettent en cause sa loyauté...

Il n'avait connu une telle douleur qu'une seule fois : lorsque Étoile du Tigre, qui avait unifié le Clan de la Rivière et le Clan de l'Ombre, avait ordonné la mort de Pelage d'Orage et de Jolie Plume parce qu'ils étaient des clan-mêlés. Sa sœur, elle au moins, aurait dû s'en souvenir et le comprendre. Devait-il donc se sentir coupable d'être à l'aise parmi la Tribu, alors que sa loyauté envers le Clan de la Rivière n'avait jamais faibli ?

« Non, nous n'avons pas fait d'autres rêves, lui répondit Griffe de Ronce. Calme-toi, Pelage d'Orage, et toi, Nuage Noir, cesse de le provoquer. On a assez de problèmes comme ça.

— C'est à cause de cette cascade, miaula soudain Pelage d'Or. Ce vacarme, de jour comme de nuit, est en train de me rendre folle. Le Clan des Étoiles pourrait bien nous envoyer toutes sortes de signes, nous ne les entendrions même pas. Je serai contente quand on sera de nouveau à l'air libre, bien loin d'ici. »

Nuage Noir renchérit, grondant :

« Nous devons coûte que coûte regagner la forêt, et la défendre comme des guerriers dignes de ce nom. À Pelage d'Orage de voir s'il veut venir.

— La ferme, cervelle de souris, le tança Nuage d'Écureuil. Pelage d'Orage est aussi loyal que toi. »

Celui-ci la remercia d'un regard.

« Évidemment, je vous accompagne, miaula-t-il.

— Alors mangeons, et essayons de profiter d'une

bonne nuit de sommeil, conclut Griffe de Ronce. Ce sera sans doute notre seule occasion de nous reposer avant longtemps. »

Pelage d'Orage leva la tête et se figea soudain ; pendant leur conversation, quelques chats de la Tribu s'étaient approchés d'eux et les observaient d'un air grave.

Pic fit un pas en avant.

« Pourquoi parlez-vous donc de partir ? s'enquit-il. Vous n'arriverez jamais à traverser les montagnes pendant la saison de l'eau gelée. Restez avec nous jusqu'au retour du grand soleil.

— C'est impossible ! s'exclama Nuage d'Écureuil. Le danger menace notre propre territoire… nous vous l'avons dit en arrivant.

— Nous vous remercions pour votre hospitalité, ajouta Griffe de Ronce avec plus de tact. Mais il nous faut vous quitter, à présent. »

Les membres de la Tribu se regardaient ; sur leur nuque, leur fourrure se hérissait. Ils eurent soudain l'air menaçant. Plusieurs des puissants garde-cavernes allèrent se poster entre eux et la sortie, pendant que les porteuses se hâtaient de rassembler leurs petits pour les entraîner vers la pouponnière. La situation était claire : Pelage d'Orage savait que s'ils essayaient de partir, ils ne pourraient éviter l'affrontement.

Il aperçut Source à l'arrière du groupe et se fraya un passage jusqu'à elle.

« Que se passe-t-il ? Pourquoi nous traitez-vous comme des prisonniers ? »

Source évita son regard.

« Je t'en prie… murmura-t-elle. Tu es si malheureux ici que demeurer parmi nous te paraît affreux ?

— La question n'est pas là. Nous sommes en mission… nous n'avons pas le choix. »

Pelage d'Orage se retourna pour interroger Pic, mais le garde-caverne refusa lui aussi de croiser son regard ; il comprit alors que leur amitié passait bien après sa loyauté envers la Tribu. Cette trahison lui déchira le cœur.

« Crotte de renard ! » marmonna Nuage Noir en tentant de passer en force entre les gardes.

Pic leva une patte, et un autre garde intervint avec un sifflement furieux. L'apprenti du Clan du Vent fit le gros dos et agita la queue pour montrer qu'il était prêt à les affronter tous les deux.

« Attends, s'interposa Jolie Plume. Essayons d'abord de comprendre ce que tout cela signifie.

— Ça ne signifie qu'une chose : des ennuis, feula Nuage Noir. Personne ne m'empêchera de sortir d'ici. »

Il écarta Jolie Plume d'un mouvement de l'épaule et se jeta sur Pic, faisant rouler au sol le garde-caverne. Griffe de Ronce bondit pour séparer les combattants : il plongea ses crocs dans la peau du cou de l'apprenti et le tira en arrière.

Ce dernier pivota pour lui faire face, ses yeux lançant des éclairs.

« Fiche-moi la paix !

— Dès que tu arrêteras de te conduire comme une cervelle de souris ! cracha Griffe de Ronce, tout aussi furieux. Si tu continues, ces gardes vont te transformer en chair à corbeaux. Nous devons avant tout découvrir ce qu'ils veulent. »

Pelage d'Orage répugnait à admettre leur défaite, mais s'ils se battaient ce soir pour fuir – à supposer qu'ils y parviennent –, ils devraient affronter la froideur de la nuit au milieu de montagnes inconnues. Un coup d'œil aux garde-cavernes agiles et musclés lui suffit pour savoir qu'ils ne s'en sortiraient pas sans blessures, ce qui rendrait leur voyage plus ardu encore. *Pourquoi Minuit ne nous a-t-il pas prévenus ?* se demanda-t-il, au désespoir. *Ou bien a-t-il simplement gardé le secret ?*

Conteur apparut au seuil du tunnel qui menait à son antre. *Nous allons peut-être enfin avoir des réponses*, pensa Pelage d'Orage.

Les garde-cavernes s'écartèrent pour laisser leur chef s'approcher des chats de la forêt. Griffe de Ronce vint se placer devant lui.

« Il doit y avoir un malentendu », lança-t-il. Pelage d'Orage le voyait lutter pour garder son calme. « Nous devons partir demain, et votre Tribu ne semble pas vouloir nous laisser faire. Nous vous remercions pour votre aide et votre hospitalité, mais... »

Il s'interrompit. Conteur de l'écoutait pas. Ses yeux luisaient comme des lucioles. Il haussa la voix pour se faire entendre de tous les félins :

« J'ai reçu un signe de la Tribu de la Chasse Éternelle. Le temps du Conte est venu. »

Les chats de la forêt échangèrent des murmures perplexes.

Les garde-cavernes resserrèrent leur cercle autour d'eux et les entraînèrent vers le tunnel d'où était sorti Conteur.

« Bas les pattes ! feula Pelage d'Or à l'un d'entre eux. Où nous emmenez-vous ? »

Pelage d'Orage se posait la même question. Jusqu'à maintenant, il avait pensé que le second tunnel menait simplement à la tanière du soigneur.

« À la Grotte aux Pointes Rocheuses, répondit Conteur. Là-bas, bien des choses vous seront dévoilées.

— Et si nous refusons d'y aller ? »

Sans hésiter, Nuage Noir se jeta sur le garde le plus proche, un matou presque deux fois plus gros que lui. Celui-ci lui assena un coup de patte nonchalant qui envoya l'apprenti rouler au sol, à moitié assommé. Jolie Plume cracha sur le garde et lança une patte en avant, toutes griffes dehors.

Pelage d'Orage sentit sa fourrure se hérisser sur sa nuque, mais avant qu'une vraie bagarre ne se déclenche, Griffe de Ronce siffla :

« Non ! S'ils sont prêts à nous donner une explication, nous l'écouterons. Ensuite, nous déciderons de la marche à suivre. Tu m'entends, Nuage Noir ? »

L'apprenti, qui se relevait avec peine, la fourrure déchirée et la queue gonflée de colère, lui lança un regard noir mais obtempéra tout de même.

« Avancez », grogna l'un des gardes.

Pelage d'Orage trébucha et manqua perdre l'équilibre lorsqu'on le poussa vers l'entrée du tunnel. Il lui fallut tout son sang-froid pour se laisser faire. Puis il prit conscience de la présence de Source à son côté. Il crut deviner une lueur de soulagement dans les prunelles de la chatte lorsqu'elle lui souffla à l'oreille :

« Ne t'en fais pas. Bientôt, tout s'éclaircira.

— Je ne m'en fais pas », répondit-il, cinglant. Comment lui pardonner sa trahison ? « Vous ne pourrez pas nous retenir ici éternellement. »

Il fut presque content de la voir grimacer.

« Je t'en prie… Tu ne comprends pas. C'est pour le bien de la Tribu. »

Pelage d'Orage lui montra les crocs avant de se détourner. Il s'engagea après Pelage d'Or dans le passage, suivi de deux gardes.

Dans l'obscurité, il entendit Conteur entonner une douce psalmodie :

« Lorsque la Tribu de la Chasse Éternelle nous appelle, nous venons l'écouter. »

D'autres voix lui répondirent ; non seulement celles des garde-cavernes, mais aussi celles d'autres membres de la Tribu venus se presser dans le tunnel.

« Dans la roche et les flaques, l'air et la lumière sur l'eau, dans la proie qui tombe et le chaton qui crie, dans la griffure et le battement du cœur, nous t'entendons. »

Les voix résonnaient dans l'ombre. Pelage d'Orage aperçut un rayon de lune qui filtrait d'il ne savait où et nimbait d'argent les oreilles tendues de Pelage d'Or. Ils débouchèrent dans une nouvelle grotte et, l'espace d'un instant, toutes ses peurs et ses frustrations s'évanouirent. Bouche bée, il contemplait la scène, à la fois émerveillé et craintif.

Cette caverne était bien plus petite que la première. Une fissure dans le haut plafond laissait passer le clair de lune qui baignait le sol d'une lumière grisâtre. Pelage d'Orage se tenait au milieu d'une forêt de pointes rocheuses jaune pâle, beaucoup plus nombreuses que dans la grotte principale. Certaines partaient du sol, d'autres tombaient du plafond. Quelques-unes s'étaient même rejointes et semblaient soutenir la voûte ; des filets d'eau coulaient le long de ces étranges arbres de pierre et formaient un petit bassin sur le sol.

Plus tôt ce jour-là, la pluie s'était infiltrée par la fissure et avait formé tout un motif de flaques. Le grondement de la cataracte, si tonitruant dans l'autre caverne, n'était plus qu'un murmure, si faible que Pelage d'Orage entendait les gouttes d'eau tomber de la voûte.

Tous les chats de la forêt étaient silencieux ; à l'instar du guerrier du Clan de la Rivière, leur émerveillement se lisait dans leurs yeux brillants. L'endroit rappelait la Grotte de la Vie. L'atmosphère y était mystique. Néanmoins, ce n'était pas la demeure du Clan des Étoiles, mais de la Tribu de la Chasse Éternelle ; celle-ci s'intéresserait-elle à des chats venus d'une lointaine contrée ? Pelage d'Orage frissonna tout en adressant une prière silencieuse au Clan des Étoiles : *Veillez sur nous et guidez-nous, même en ce lieu.*

Les garde-cavernes poussèrent du museau leurs prisonniers vers le fond de la caverne, pendant que Conteur les dépassait pour se placer au centre de la forêt minérale. Là, il fit face à l'assemblée de félins.

« Nous voici dans la Grotte aux Pointes Rocheuses, miaula-t-il d'une voix aiguë. La lune s'est levée, prise entre le roc et l'eau, comme il en a toujours été et comme il en sera toujours. Le temps du Conte est venu. Nous demandons à la Tribu de la Chasse Éternelle de nous montrer sa volonté.

— Montre-nous ta volonté », reprirent en chœur les autres chats de la Tribu.

Ils s'étaient presque tous frayé un passage derrière les chats de la forêt. La chaleur des corps compressés et leur haleine humide rendaient l'atmosphère étouffante.

Ombre parmi les ombres, Conteur glissait d'avant en arrière, scrutant les flaques. Ses yeux étincelaient à la lumière de la lune et la boue maculant sa fourrure semblait plus sinistre que jamais. Source avait révélé à Pelage d'Orage que leur chef avait reçu neuf vies de la Tribu de la Chasse Éternelle, tout comme les chefs des Clans recevaient neuf vies du Clan des Étoiles. Il avait toujours eu du mal à la croire, jusqu'à cet instant. Nimbé de cette lumière vaporeuse, entouré d'étranges roches acérées, Conteur semblait posséder plus de pouvoirs que tous les chats de la forêt réunis.

Enfin, le chef de la Tribu s'arrêta près de l'une des plus grandes flaques et murmura :

« Nous te saluons, Tribu de la Chasse Éternelle, et nous te remercions de ta pitié, de nous sauver enfin de Long Croc.

— Nous te remercions », répétèrent les autres.

Pelage d'Orage se raidit. Il consulta ses camarades du regard et vit sa propre confusion reflétée dans leurs yeux. De quoi parlait Conteur ? Qui était Long Croc et pourquoi la Tribu devait-elle s'en préserver ?

« Qu'est-ce… » commença Nuage d'Écureuil, avant qu'un garde ne lui intime le silence.

Conteur poursuivit :

« Tribu de la Chasse Éternelle, nous te remercions de nous avoir envoyé notre sauveur. »

Le chœur s'éleva de plus belle :

« Nous te remercions ! »

Conteur releva la tête et ordonna :

« Qu'il approche. »

Sans lui laisser le temps de protester, deux des gardes poussèrent en avant Pelage d'Orage. Pris par surprise, il glissa dans une flaque, brouillant le reflet de la lune en une myriade d'éclats scintillants. Des cris choqués fusèrent. L'un des félins marmonna :

« C'est un mauvais présage ! »

Tout en s'efforçant de rester calme, Pelage d'Orage secoua ses pattes pour en chasser l'eau et avança jusqu'à Conteur, au centre des pointes rocheuses.

« Que signifie tout cela ? » voulut-il savoir.

Conteur le fit taire en levant une patte. Au clair de lune, ses yeux luisaient d'une lueur triomphale.

« Ne pose pas de questions. Tel est ton destin. »

En balayant l'assemblée du regard, Pelage d'Orage constata que tous les membres de la Tribu le contemplaient avec le même espoir, extatiques.

« Tel est ton destin », répétèrent-ils.

Depuis le début, il avait vu juste. La Tribu ne l'avait pas traité comme ses compagnons, et il allait enfin comprendre pourquoi.

« Le temps est venu, entonna Conteur, solennel. Le sauveur est parmi nous et, enfin, nous allons être débarrassés de Long Croc.

— Je ne comprends rien ! s'exclama Pelage d'Orage. Je n'ai jamais entendu parler de ce Long Croc ! »

Comme si ses paroles avaient brisé un sortilège, ses amis se précipitèrent pour le rejoindre. Lorsque les garde-cavernes les repoussèrent, Nuage d'Écureuil cracha, et Nuage Noir comme Pelage d'Or firent crisser leurs griffes contre le sol de pierre, mais Griffe de Ronce les retint d'un mot. À l'évidence, les matous couverts de boue ne souhaitaient pas non plus en découdre. Ils gardaient leurs griffes rentrées, se contentant de pousser leurs hôtes à coups d'épaule pour les rassembler en un petit groupe.

« Long Croc est un chat énorme, déclara Conteur d'une voix altérée par la peur. Il vit dans la montagne, et pour lui nous sommes du gibier. Voilà bien des saisons qu'il nous élimine, un par un.

— Il ressemble à un lion, ajouta Pic. Vous connaissez les lions ?

— Nous connaissons des légendes sur le Clan du lion, répondit Pelage d'Orage. Les lions sont connus pour leur force et leur sagesse, et ils possèdent une crinière dorée, semblable aux chauds rayons du soleil.

— Long Croc n'a pas de crinière, déclara Conteur, lugubre. Peut-être l'a-t-il perdue à force d'ignominie. C'est l'ennemi de notre Tribu. Nous craignions qu'il ne nous persécute jusqu'à la mort du dernier d'entre nous.

— C'est alors que la Tribu de la Chasse Éternelle nous a envoyé notre sauveur. » Pelage d'Orage tourna la tête en reconnaissant la voix de Source. Elle s'était approchée de lui et le regardait avec admiration. « Pelage d'Orage, tu es l'élu. Tu nous sauveras tous. Je le sais.

— Comment le pourrais-je ? » Peu à peu, la colère montait en lui, lui faisant oublier sa stupeur. « Qu'attendez-vous de moi ?

— Juste avant la dernière pleine lune, la Tribu de la Chasse Éternelle nous a envoyé une prophétie, expliqua Conteur. Elle parlait d'un chat au pelage d'argent qui nous débarrasserait de Long Croc. Dès que nous t'avons vu au bord du bassin, nous avons su que tu étais celui qu'elle désignait.

— Mais c'est impossible ! protesta Pelage d'Orage. Je viens d'une forêt lointaine, et je n'ai jamais vu Long Croc.

— C'est vrai, ajouta Griffe de Ronce en venant se placer au côté de son ami. Nous sommes désolés d'apprendre que Long Croc vous menace, mais nos propres Clans sont eux aussi en danger.

— Ils ont besoin de nous, ajouta Jolie Plume. Nous devons partir au plus vite. »

Les oreilles de Conteur frémirent. Sans un mot, les garde-cavernes encerclèrent les chats de la forêt et entreprirent de les repousser vers l'entrée de la grotte... tous, à l'exception de Pelage d'Orage, qu'entourait une autre patrouille. Jolie Plume essaya désespérément de rejoindre son frère, mais un garde la renversa d'un grand coup de patte.

« Je t'interdis de la toucher, espèce de crotte de renard ! » cracha Nuage Noir en se jetant sur le matou, qu'il griffa à l'oreille.

Les deux félins roulèrent au sol dans une confusion de griffes et de crocs jusqu'à ce que Griffe de Ronce les sépare.

« Pas maintenant, ordonna-t-il à l'apprenti furieux.

On ne serait guère avancés si tu te faisais réduire en pièces.

— On devrait se battre ! feula Nuage Noir. Je préfère mourir au combat que rester prisonnier ici.

— Tu n'as qu'un mot à dire, renchérit Pelage d'Or à l'intention de son frère. Je leur arracherai la fourrure et les filerai à bouffer aux aigles.

— Clan des Étoiles, aidez-nous ! s'écria Jolie Plume tandis qu'on la refoulait vers le tunnel. Montrez-nous que vous ne nous avez pas abandonnés !

— Ne craignez rien, miaula Conteur d'un ton qu'il voulait rassurant. C'est la volonté de la Tribu de la Chasse Éternelle. »

Désespéré, Pelage d'Orage regardait ses amis s'éloigner, renvoyés vers la grotte principale. Lorsqu'il tenta de les suivre, Pic et un autre garde vinrent lui bloquer la route.

« Toi, tu vas par là, miaula Pic en montrant le fond de la Grotte aux Pointes Rocheuses. Tu y trouveras une litière pour dormir, préparée spécialement pour toi. » Pelage d'Orage le foudroya du regard, et Pic ajouta d'un air gêné : « Ce ne sera pas si terrible. Tu tueras Long Croc pour nous – comme l'affirme la Tribu de la Chasse Éternelle –, ensuite, tu pourras partir si tu le souhaites toujours.

— Tuer Long Croc ! » s'indigna Pelage d'Orage. Il se souvint tout à coup de l'odeur fétide et de la silhouette noire aperçue au sommet de la cascade. Pas étonnant que Source et le reste de la patrouille aient été si terrorisés. « Comment le pourrais-je, si vous tous avez échoué ? Il faut être une cervelle de souris pour avoir une idée pareille. Vous êtes tous fous !

— Non. » Conteur reprit la parole en venant se placer près du guerrier gris. « Tu dois avoir la foi et faire confiance à la Tribu de la Chasse Éternelle. Le signe était clair, et tu es venu, tout comme elle l'avait promis.

— J'ai la foi. Je crois au Clan des Étoiles », rétorqua Pelage d'Orage.

Pourtant, la peur lui tordait les entrailles. Les esprits des guerriers de jadis l'avaient-ils vraiment abandonné ?

« Va te reposer, miaula Conteur. Nous t'apporterons du gibier. Nous t'attendions depuis longtemps ; nous ne te voulons aucun mal. »

Certes, mais vous me retenez prisonnier, pensa-t-il, au comble du désespoir. Il gagna le fond de la grotte, où il trouva, comme promis, un creux garni d'herbe sèche et de plumes. À quelques longueurs de queue de là, une autre alvéole était aménagée : celle de Conteur, devina-t-il.

Pelage d'Orage se désaltéra à la première flaque venue, puis il s'allongea, la tête posée sur les pattes. Il voulut réfléchir à un moyen de s'évader, mais il avait du mal à se concentrer : la trahison de la Tribu l'avait profondément blessé. Il avait cru trouver des amis, alors qu'ils attendaient simplement de lui qu'il réalise la prophétie.

Quelques instants plus tard, Source apparut, un lapin dans la gueule. Elle le déposa timidement devant lui.

« Je suis désolée, souffla-t-elle. C'est vraiment si terrible, de rester avec nous ? Je… je veux être ton amie, Pelage d'Orage, si tu acceptes. » Elle hésita un instant avant d'ajouter : « Je vais rester avec toi, d'accord ? Nous faisons notre toilette les uns les autres ; c'est notre tradition, surtout en période de troubles. Nous appelons ça : "le réconfort". »

Elle parlait sûrement de la cérémonie du partage, se dit Pelage d'Orage. Un peu plus tôt, il aurait été ravi à l'idée d'accomplir ce rituel avec Source. Mais à présent, sa proposition l'outrageait. Pensait-elle vraiment qu'il souhaiterait sa compagnie, alors qu'elle lui avait menti, qu'elle l'avait trahi ?

« Pelage d'Orage… ? »

Les yeux de la chatte brillaient de compassion, mais leur éclat transperça le cœur du guerrier. Il se détourna sans mot dire.

Il entendit Source réprimer une plainte, puis le bruit de ses pas s'évanouit dans le tunnel. Alors, il retourna le lapin d'un coup de patte rageur. La faim qui lui avait tenaillé le ventre au retour de la chasse avait disparu ; maintenant, la simple idée de manger lui donnait la nausée. Il s'obligea néanmoins, bouchée après bouchée, à finir la proie, sachant que, quoi qu'il arrive ensuite, il aurait besoin de toutes ses forces.

Il se roula en boule sur sa litière et contempla le tunnel où ses amis avaient disparu. Pic et un autre garde étaient postés à l'entrée. Conteur sortit soudain de l'ombre et se glissa entre les gardes, vers la grotte principale. Le sol était jonché de flaques étincelantes, illuminées par le froid clair de lune. Elles rappelaient la rivière à Pelage d'Orage, mais le murmure incessant, le chatoiement et les éclaboussures du cours d'eau lui manquaient plus que jamais.

En fermant les yeux pour essayer de dormir, il se dit tristement qu'il n'aurait jamais dû partir pour ce voyage. Il n'avait pas été choisi par le Clan des Étoiles, n'avait jamais été convoqué en rêve. À cet instant, il aurait tout donné pour que cette aventure n'ait été qu'un rêve... Si seulement il pouvait se réveiller le lendemain matin chez lui, dans le Clan de la Rivière !

CHAPITRE 13

SOUS LE CLAIR DE LUNE, Nuage de Feuille se dan-
dinait d'une patte sur l'autre en écoutant le murmure du vent dans les Quatre Chênes. Museau
Cendré et elle avaient rendez-vous avec les autres
guérisseurs ; ils devaient se rendre ensemble à la
Grotte de la Vie, mais la demi-lune était déjà bien
haut dans le ciel et tous n'étaient pas arrivés.

« Ils sont en retard, miaula Museau Cendré. Dire
que nous aurions pu profiter de la lumière de la
lune... »

Petit Orage, le guérisseur du Clan de l'Ombre,
s'installa confortablement dans un nid d'herbe tendre.

« Ils seront bientôt là », dit-il.

La guérisseuse battait de la queue, tant elle était
agacée.

« Nous aurons besoin d'un maximum de temps
dans la Grotte de la Vie, surtout ce soir. Nous
devons découvrir ce qu'il convient de faire face aux
Bipèdes. »

Nuage de Feuille s'efforça de contenir sa propre
impatience, même s'il y avait longtemps que les
guérisseurs du Clan de la Rivière auraient dû les

rejoindre. Peut-être que, pour eux, accomplir la cérémonie du partage avec le Clan des Étoiles n'était pas si important, puisque leur territoire n'était pas envahi, pour l'instant. Le calme régnait, à présent. Les monstres dormaient la nuit, mais Nuage de Feuille savait qu'ils étaient toujours là, tapis sur la terre éventrée, au milieu des arbres qu'ils n'avaient pas encore abattus. Le silence de la forêt était inhabituel, presque effrayant. Manquaient les petits bruissements des proies, qui semblaient toujours plus sonores dans l'obscurité.

L'estomac de l'apprentie gargouilla. Avant de partir, Museau Cendré lui avait donné des herbes pour lui couper l'appétit durant le trajet. Mais rien ne pouvait lui faire oublier sa faim ; elle ne se rappelait même plus la dernière fois qu'elle s'était sentie rassasiée. Tous les membres du Clan souffraient de la famine. La pénurie de nourriture avait commencé à les affaiblir : ils ne couraient plus aussi vite et n'arrivaient plus à attraper le peu de gibier qui restait. La mauvaise saison arrivait à grands pas, desséchant les feuilles avant de les envoyer tournoyer jusqu'au sol, emportées par un vent glacial. La jeune chatte ne voyait pas comment le Clan des Étoiles allait pouvoir les aider.

À sa grande honte, son ventre gargouilla de plus belle, si fort que les autres l'entendirent. Petit Orage lui lança un regard compatissant.

« Étoile de Jais a envoyé des chasseurs récupérer des rats et de la chair à corbeaux dans le Charnier, annonça-t-il à Museau Cendré, la mine sombre. Personne n'est encore tombé malade, mais ce n'est qu'une question de temps.

— J'espère que tu te souviens des plantes et des baies que je t'avais données lorsque tu étais souffrant, répondit la guérisseuse.

— J'en ai fait toute une réserve. Je sais que j'en aurai bientôt un grand besoin.

— Et dis à ton Clan de ne pas toucher aux charognes. Du rat frais, passe encore, mais pas de la chair à corbeaux. »

Petit Orage soupira.

« J'ai déjà essayé de les mettre en garde, mais que puis-je faire ? : c'est Étoile de Jais qui donne les ordres. La plupart de nos guerriers sont trop affamés pour se soucier de ce qu'ils mangent. »

Soudain, Nuage de Feuille aperçut Patte de Pierre, le guérisseur du Clan de la Rivière, et Papillon, son apprentie : ils grimpaient le coteau depuis la berge de la rivière. Elle bondit sur ses pattes, ravie de revoir son amie. Néanmoins, elle éprouva malgré elle une pointe de jalousie en voyant que Papillon avait l'air bien nourrie : son long pelage doré brillait de santé.

« Enfin ! grogna Museau Cendré à l'arrivée des retardataires. Je commençais à penser qu'un poisson vous avait avalés tout rond.

— Eh bien, on est là à présent. »

Patte de Pierre prit à peine le temps de saluer les autres avant de se placer à la tête du groupe et de contourner la combe pour se diriger vers la frontière du Clan du Vent.

Museau Cendré et Petit Orage le suivirent, tandis que Nuage de Feuille et Papillon fermaient la marche, côte à côte.

« Je me suis attiré des ennuis, à cause de cette leçon de pêche ! murmura Nuage de Feuille. Je savais que je n'aurais pas dû manger votre gibier.

— Ton chef n'avait pas le droit de te punir ! s'indigna Papillon. Nous sommes des guérisseuses.

— Peut-être, mais nous n'aurions pas dû. Les guérisseurs doivent se plier au code du guerrier comme les autres. »

Papillon se contenta de renifler bruyamment.

« Je dois être assez douée, ajouta-t-elle au bout d'un instant. Patte de Pierre m'a montré les herbes qui soignent le mal vert et le mal noir, et il m'a enseigné la meilleure méthode pour enlever les échardes des coussinets. Il a dit qu'il n'avait jamais vu d'apprentie aussi talentueuse.

— C'est formidable ! » ronronna Nuage de Feuille.

Elle n'était pas agacée par la vantardise de son amie, car elle connaissait son manque d'assurance. Parce qu'elle était la fille d'une chatte errante, la plupart des membres de son Clan pensaient qu'on n'aurait jamais dû lui permettre de devenir apprentie guérisseuse. Papillon tenait à leur prouver qu'ils avaient tort.

En approchant de la frontière, Nuage de Feuille se sentit un peu nerveuse. La confrontation entre le Clan du Tonnerre et le Clan du Vent était récente ; elle savait que les guerriers seraient toujours hostiles. Ils paraissaient déterminés à garder secrète leur famine, même si elle sautait aux yeux, vu leurs silhouettes squelettiques et leurs regards éteints. Le désespoir les pousserait-il à attaquer des guérisseurs traversant leur territoire ? L'apprentie ne dit rien de ses craintes. Étoile de Feu serait furieux s'il apprenait qu'elle avait mis Papillon dans la confidence.

Aucun des guérisseurs ne s'arrêta en franchissant la frontière. Ils continuèrent droit devant, leur pas calé sur la démarche claudicante de Museau Cendré. Arrivée au sommet d'une pente douce, Nuage de Feuille contempla les pires ravages qu'elle ait vus jusqu'à présent. La cicatrice traversant le territoire du Clan du Vent était maintenant bien plus longue et large que la fois où l'apprentie et Poil de Châtaigne l'avaient découverte. Deux monstres étaient tapis non loin, leur robe rutilante reflétant la lumière de la lune. Si une colline se dressait sur leur route, ils n'hésitaient pas à y creuser un passage, laissant deux buttes de terre de chaque côté. Allaient-ils dévorer toute la lande ?

Nuage de Feuille frissonna et rejoignit son mentor en quelques bonds. Écorce de Chêne, le guérisseur du Clan du Vent, émergea alors d'un buisson d'ajoncs. Même si Nuage de Feuille s'était attendue à le voir affamé, elle fut sidérée par son extrême maigreur : il ressemblait à un squelette ambulant sous une fourrure miteuse.

Museau Cendré s'approcha de lui et pressa sa truffe contre la sienne.

« Que le Clan des Étoiles soit avec toi, Écorce de Chêne, miaula-t-elle.

— Et avec le reste de mon Clan, soupira le guérisseur. Parfois, j'ai l'impression que le Clan des Étoiles veut que nous les rejoignions jusqu'au dernier, sans même laisser un chaton en vie pour perpétuer le code du guerrier.

— Il nous montrera peut-être quoi faire lorsque nous partagerons les rêves des guerriers de jadis, à la Pierre de Lune, tenta de le rassurer Museau Cendré.

— La situation du Clan du Vent empire, murmura Papillon à l'oreille de Nuage de Feuille, les yeux écarquillés. Ils ont recommencé à nous voler du poisson, tu sais. Plume de Faucon en a surpris un ou deux, et les a chassés.

— Il faut bien qu'ils trouvent du gibier quelque part. »

Nuage de Feuille savait que les guerriers du Clan du Vent avaient mal agi, mais elle ne pouvait le leur reprocher. Pas alors que la rivière regorgeait de poissons, suffisamment pour nourrir tous les Clans. Un bref instant, elle comprit qu'Étoile de Feu avait raison : les Bipèdes détruisaient non seulement la forêt, mais au passage ils abolissaient les limites invisibles entre les Clans. Peut-être que là était la solution : l'union pour survivre...

Papillon fit halte pour humer l'air.

« Attends, je sens un lapin... enfin, je crois que c'est un lapin. Il a une drôle d'odeur. Oui, là-bas, regarde ! »

Du bout de la queue, elle désigna une déclivité dans la lande où un petit ruisseau gazouillait sur un lit de pierres. Sur la rive, gisait le corps d'un lapereau brun.

« Il est mort, fit remarquer Nuage de Feuille.

— Alors c'est de la chair à corbeaux. Mais bon, j'imagine que le Clan du Vent ne peut pas faire le difficile. Hé, Écorce de Chêne ! lança-t-elle. Regarde ce que j'ai trouvé. »

Elle dévala la pente jusqu'au cadavre du lapin.

« Arrête, lui ordonna Écorce de Chêne. N'y touche surtout pas ! »

Papillon s'arrêta en dérapant sur l'herbe, juste à côté du petit tas de fourrure.

Le guérisseur la rejoignit à pas menus, suivi de Nuage de Feuille et des autres. Il s'approcha du lapin pour le renifler, méfiant. Nuage de Feuille le flaira elle aussi, et reconnut l'odeur âcre qu'elle avait remarquée lorsque Poil de Châtaigne et elle étaient venues. Son estomac se retourna, l'obligeant à déglutir pour ne pas vomir. Quoi qu'il lui soit arrivé, ce lapin n'était plus comestible.

« C'est bien ce que je pensais, marmonna Écorce de Chêne, le regard embrumé. Encore cette odeur… » Il se tourna vers les autres félins et déclara : « Les Bipèdes ont fait quelque chose aux lapins de notre territoire. Ils meurent tous. Et si on en mange, on meurt aussi. Nous avons perdu la moitié de nos anciens et presque tous nos apprentis. »

Un silence horrifié suivit ses paroles. Le cœur de Nuage de Feuille se serra. Étoile Filante n'en avait rien dit lors de sa confrontation avec Étoile de Feu. Par fierté, le chef du Clan du Vent préférait laisser croire que ses guerriers n'attrapaient plus de gibier plutôt que d'avouer cette terrible hécatombe.

« Et tu n'as rien pu faire pour les aider ? s'enquit Patte de Pierre.

— Tu crois que je n'ai pas essayé ? » Écorce de Chêne semblait désespéré. « Je leur ai donné de la mille-feuille pour les faire rendre, tout comme nous le faisons en cas d'ingestion de baies empoisonnées.

197

Deux de nos membres les plus forts en ont réchappé, mais la plupart des malades en sont morts. » Il arracha l'herbe devant lui d'un coup de griffe. Dans ses prunelles brûlaient le chagrin et la frustration. « Quel espoir nous reste-t-il, lorsque même nos proies nous assassinent ? »

Museau Cendré boitilla jusqu'à lui et enfouit son museau dans son flanc.

« Allons-y, murmura-t-elle. Pour régler ce problème comme tous les autres, nous demanderons conseil au Clan des Étoiles.

— Ne devrait-on pas enterrer le lapin ? suggéra Nuage de Feuille au moment où le groupe reprenait la route. Au cas où d'autres chats le trouveraient ? »

Écorce de Chêne secoua la tête.

« C'est inutile. Aucun membre du Clan du Vent n'y touchera, maintenant. » Son nez se fronça de dégoût. « Nous sommes assez intelligents pour ne plus nous risquer à manger les proies de notre propre territoire. »

Tête basse, queue tombante, il reprit sa progression à travers la lande, vers les Hautes Pierres.

La lumière argentée de la Pierre de Lune aveugla Nuage de Feuille. Elle cilla, laissant les rayons l'apaiser jusqu'à ce qu'elle se sente comme un poisson plongeant en eaux profondes. Là, dans la grotte, bien loin sous les Hautes Pierres, il était facile de s'abandonner à la sagesse du Clan des Étoiles. Or, en ces sombres jours, les guérisseurs en avaient plus que jamais besoin.

Ils s'étaient allongés tout autour de la pierre. Papillon avait pris place près de Nuage de Feuille.

L'apprentie du Clan de la Rivière écarquillait les yeux, émerveillée par la surface étincelante du cristal. Nuage de Feuille essaya de se concentrer, de repousser dans un coin de son esprit les questions qui l'assaillaient à propos de Papillon et de son frère agressif, Plume de Faucon. Papillon avait tous les droits d'être là. Le Clan des Étoiles lui-même avait donné son accord en déposant une aile de papillon devant l'entrée de la tanière de Patte de Pierre, devenu son mentor.

Après une courte prière au Clan des Étoiles pour qu'il la guide, Nuage de Feuille ferma les yeux et pressa la truffe contre la pierre. Le froid la saisit aussitôt, le sol se déroba sous ses pattes : elle avait l'impression de flotter dans les ténèbres.

Nuage d'Écureuil ! Nuage d'Écureuil ! Tu m'entends ? appela-t-elle en esprit. Elle voulait plus que tout s'assurer que sa sœur était toujours saine et sauve. Mieux, si elle arrivait à entrer en contact avec elle, et si les quatre élus avaient découvert la solution à leurs problèmes, alors Nuage de Feuille pourrait l'annoncer aux autres et leur apporter l'espoir.

Mais cette nuit-là, quelque chose semblait bloquer ses pensées. Seul le grondement de l'eau vive, aussi étourdissant que le tonnerre, venait briser le silence. Soudain, les ténèbres se muèrent en cascade, qui se déversait inlassablement dans un bassin en contrebas. Avant que Nuage de Feuille ait eu le temps de comprendre ce qu'elle voyait, des nuages voilèrent la vision. Un terrible feulement retentit, suivi d'un éclair blanc – des crocs acérés. Comme elle sentait la présence des guerriers de jadis, elle voulut se réfugier auprès d'eux. Mais elle n'aperçut qu'une image fugitive montrant des chats maigres, à l'affût, au pelage couvert de boue et de sang. Leurs yeux n'étaient que des lacs de désespoir ; ils semblaient contempler un spectacle terrible caché à la vue de Nuage de Feuille. Elle les appela, sans succès – elle n'était même pas sûre qu'ils aient conscience de sa présence.

Une bourrasque tourbillonna autour d'elle, emportant toutes les visions au loin. Nuage de Feuille se réveilla en sursaut. Elle cligna des yeux, confuse, et contempla la grotte à présent plongée dans une obscurité à peine rompue par le scintillement de la Toison Argentée. Dans la pénombre, elle distinguait mal la chatte magnifique tapie près d'elle : sa fourrure était écaille-de-tortue, sa poitrine et ses pattes blanches. Un doux parfum de plantes émanait de son pelage.

L'espace d'un instant, Nuage de Feuille la prit pour Poil de Châtaigne, avant de se rappeler que son amie était restée au camp. Et… où étaient donc passés Papillon et les guérisseurs ? Nuage de Feuille et l'inconnue étaient seules dans la caverne.

La chatte écaille-de-tortue ouvrit les yeux et se tourna vers l'apprentie.

« Salutations, miaula-t-elle doucement. Tu ne dois pas t'inquiéter pour ta sœur ou ton Clan. Une ère de troubles est venue, mais les Clans sont forts et pourront l'affronter avec courage. »

Nuage de Feuille resta pétrifiée. Elle s'était réveillée dans un autre songe. Elle écarquilla soudain les yeux en devinant l'identité de l'inconnue.

Elle avait entendu bien des histoires au sujet de cette guérisseuse : elle s'était liée d'amitié avec son père, lorsqu'il avait rejoint le Clan du Tonnerre, et elle l'avait guidé vers sa destinée de chef de Clan.

« Tu es... Petite Feuille ? » demanda-t-elle.

La chatte acquiesça.

« En effet. Je vois qu'Étoile de Feu t'a parlé de moi.

— Oh, oui, fit l'apprentie en dévisageant Petite Feuille avec curiosité. Il m'a raconté à quel point tu l'as aidé.

— Je l'aimais comme j'aimais tous les autres félins, ronronna Petite Feuille. Peut-être même plus que je n'aurais dû, en tant que guérisseuse. Si le Clan des Étoiles ne m'avait pas choisie pour les rejoindre, les choses auraient pu tourner différemment. » Elle poursuivit en regardant tendrement l'apprentie. « Je n'ai jamais eu de chatons, mais je ne peux te dire à quel point je suis heureuse que la fille d'Étoile de Feu emprunte la voie des guérisseurs. Je sais que le Clan des Étoiles te réserve une grande destinée. »

Nuage de Feuille sentit sa gorge se serrer.

« Puis-je te demander quelque chose ? risqua-t-elle d'un ton hésitant.

— Bien sûr.

— Tu peux voir Nuage d'Écureuil ? Est-ce qu'elle va bien ? »

Un long silence s'établit.

« Je ne peux la voir, répondit la chatte. Mais je sais où elle se trouve. Elle est en sécurité, et sur le chemin du retour.

« — Pourquoi ne peux-tu la voir, si tu sais où elle est ? » insista l'apprentie.

Une lueur de gentillesse et de compassion illumina les yeux de Petite Feuille.

« Nuage d'Écureuil est pour le moment sous la protection d'un autre groupe de guerriers de jadis.

— Que veux-tu dire ? » Nuage de Feuille se rappela les effrayants matous au pelage strié de sang qu'elle avait sentis en essayant d'entrer en contact avec sa sœur. Elle écarquilla les yeux et bondit sur ses pattes. « Qui sont ces guerriers de jadis ? Il ne peut y avoir qu'un seul Clan des Étoiles ! »

Petite Feuille émit un léger rire.

« Le monde est vaste, chère petite. Ailleurs, d'autres chats sont guidés par d'autres esprits. On n'a jamais fini d'apprendre. »

Nuage de Feuille avait le tournis. Elle bégaya :

« M-m-mais je pensais…

— Le Clan des Étoiles ne contrôle ni la pluie ni le vent, pas vrai ? déclara Petite Feuille pour la mettre sur la piste. Ce n'est pas lui qui ordonne au soleil de se lever ni à la lune de croître et de décroître. N'aie pas peur, jeune chatte, poursuivit-elle. À partir de maintenant, où que tu ailles, je serai auprès de toi. »

Sa voix se fit de plus en plus ténue ; sa fourrure pâlit et sa silhouette sembla se fondre dans les ténèbres. Pendant un instant encore, Nuage de Feuille put voir son poitrail blanc éclatant telle une étoile et ses yeux pétillants. Puis elle s'éveilla en clignant des yeux. Autour d'elle, Papillon et les guérisseurs étaient étendus sur le sol de la caverne.

Est-ce vrai ? se demanda-t-elle, bouleversée. *Nuage d'Écureuil et les autres sont-ils vraiment entre les pattes d'un autre Clan ? Existe-t-il d'autres puissances que le Clan des Étoiles ? Et cela signifie-t-il que le Clan des Étoiles ne pourra rien faire pour sauver la forêt ?*

Lorsqu'elle se dressa sur ses pattes, le doux parfum de Petite Feuille flottait encore dans l'air.

CHAPITRE 14

Impuissante, Jolie Plume regarda une dernière fois l'entrée du tunnel tandis que les garde-cavernes la poussaient vers la grotte principale. Chaque pas qui l'éloignait de son frère lui transperçait le cœur comme un coup de griffe.

Que voulait donc dire Conteur, en affirmant que Pelage d'Orage était le sauveur qui débarrasserait la Tribu de Long Croc ? Certes, son frère était un guerrier fort et courageux, plus agile au combat que n'importe quel membre de leur expédition. Mais si Long Croc était aussi énorme et terrible que l'affirmait la Tribu, que pouvait bien y faire même le plus courageux des guerriers ?

Elle s'approcha de l'un des gardes, un gros matou tigré au pelage brun sale qui s'appelait Éboulis sous un Ciel d'Hiver.

« Je t'en prie, implora-t-elle. Vous ne pouvez pas garder Pelage d'Orage enfermé là-dedans. Sa place est avec nous. »

Jolie Plume lut de la compassion dans le regard du garde, mais il n'en secoua pas moins la tête.

« Non. Il est l'envoyé de la Tribu de la Chasse

Éternelle. Elle nous a prévenus qu'un chat au pelage d'argent viendrait.

— Mais...

— Inutile de parlementer, grogna Nuage Noir à l'oreille de la chatte. Ça ne sert à rien. Si nous devons nous battre pour libérer Pelage d'Orage, alors nous le ferons. »

Jolie Plume contempla la fourrure hérissée de l'apprenti et son air décidé.

« C'est impossible, se désola-t-elle. Ils sont trop nombreux.

— Je ne comprends pas pourquoi la Tribu est si terrifiée par ce Long Croc. Nous n'avons pas vu l'ombre de ses moustaches depuis notre arrivée !

— Tu devrais t'estimer heureux de ne pas l'avoir rencontré », rétorqua Éboulis.

Nuage Noir fit le gros dos, sans toutefois se jeter sur le garde. Il se contenta de se détourner et de toucher du bout de la truffe le museau de Jolie Plume. Pour elle, il aurait affronté tous les membres du Clan des Étoiles jusqu'au dernier, Jolie Plume le savait. Mais il devait comprendre que, dans le cas présent, la violence n'était pas une solution.

Les garde-cavernes escortèrent les compagnons à l'autre bout de la grotte, jusqu'à leurs nids de pierre.

« Vous ne nous chassez pas ? s'enquit Griffe de Ronce.

— En pleine nuit ? demanda le matou brun, indigné. Nous ne sommes pas cruels. Il fait froid dehors, et les périls sont nombreux. Vous pouvez vous restaurer et prendre du repos. Vous partirez demain matin.

— Avec Pelage d'Orage ? le défia Pelage d'Or.

— Je suis désolé, mais c'est impossible. »

Les gardes se retirèrent, à l'exception d'Éboulis et d'un autre mâle qui restèrent de faction à quelques longueurs de queue d'eux. Deux aspirants trottèrent vers eux, du gibier dans la gueule.

« C'est pas génial, ça ? miaula le premier, tout excité, en lâchant son fardeau. Plus de Long Croc !

— La ferme, cervelle de scarabée, feula son ami en lui donnant un coup dans les côtes. Tu sais bien que Pic nous a dit de ne pas leur parler. »

Ils s'éloignèrent aussitôt, jetant des coups d'œil alentour, inquiets qu'on ait pu les voir désobéir à un ordre.

« Hors de question que je mange ça ! cracha Nuage Noir avec un regard méprisant sur le petit tas de gibier. Je ne veux rien accepter d'eux.

— Par le Clan des Étoiles ! soupira bruyamment Pelage d'Or. Ça nous avancerait à quoi, stupide boule de poils ? Tu as besoin de prendre deux fois plus de forces, maintenant : pour sauver la forêt, et Pelage d'Orage. »

Nuage Noir marmonna une réponse inaudible, mais ne protesta plus. À contrecœur, il choisit un faucon qu'il traîna à l'écart.

« Alors ? demanda Nuage d'Écureuil lorsqu'ils se furent partagé le reste de la viande. On ne va quand même pas s'avouer vaincus ? Il faut trouver quelque chose !

— Nous sommes malheureusement impuissants, fit remarquer Griffe de Ronce. Nous ne sommes pas assez nombreux pour affronter les gardes.

— Tu ne comptes pas l'abandonner ? » s'exclama Nuage d'Écureuil, incrédule.

Griffe de Ronce prit le temps de réfléchir. Jolie Plume devinait à son expression torturée qu'un cruel dilemme le déchirait. Elle frissonna. Depuis leur départ de la forêt, elle avait appris à respecter les talents du jeune guerrier devenu de fait le chef de leur groupe. Si lui-même n'entrevoyait aucune solution, quel espoir restait-il à Pelage d'Orage ?

« On n'aurait jamais dû venir dans ces montagnes, feula Pelage d'Or. C'est encore pire que le territoire des Bipèdes. Minuit a mentionné une Tribu de chats, il devait donc connaître l'existence de Long Croc. Pourquoi nous a-t-il envoyés dans cette direction ?

— Ce devait être un piège, depuis le début, siffla Nuage Noir. Je savais qu'on n'aurait jamais dû se fier à ce blaireau.

— Mais pourquoi nous aurait-il tendu un piège ? objecta Griffe de Ronce. Le Clan des Étoiles nous a menés jusqu'à lui, et Minuit nous a prévenus que les Bipèdes détruisaient la forêt. Si nous ne pouvons pas lui faire confiance, alors plus rien n'a de sens. »

Jolie Plume aurait voulu être d'accord avec lui, mais elle se rappela soudain une phrase d'Isidore.

« Isidore a essayé de nous convaincre de ne pas passer par les montagnes, déclara-t-elle. Mais Minuit l'a empêché de parler. Tu as raison, ils étaient au courant, tous les deux ! »

Elle regarda ses compagnons et constata que tous partageaient son inquiétude.

« Minuit a dit qu'il nous faudrait être courageux, lui rappela Griffe de Ronce après un long silence. Que notre chemin avait été tracé pour nous. Donc, s'il nous a envoyés ici malgré tout, c'est qu'il doit y avoir un moyen de se sortir de là. Par ailleurs, nous pouvons en déduire que nous sommes toujours sur la bonne voie.

— C'est toi qui le dis, railla Nuage Noir. J'imagine que, pour un guerrier du Clan du Tonnerre, abandonner un guerrier du Clan de la Rivière n'a guère d'importance.

— Et en quoi est-ce important pour le Clan du Vent ? riposta Nuage d'Écureuil, furieuse. Au contraire, je pensais que tu serais ravi de ne plus avoir le frère de Jolie Plume dans les pattes. »

Nuage Noir se leva d'un bond, la défiant d'un sifflement. Les yeux verts de l'apprentie lancèrent des éclairs. Horrifiée, Jolie Plume s'interposa pour écarter Nuage Noir d'un coup d'épaule.

« Arrêtez ! s'écria-t-elle. Vous ne voyez pas que vous ne faites qu'empirer les choses ?

— Jolie Plume a raison, miaula Pelage d'Or. Ici, peu importe de quel Clan on vient. Quatre d'entre nous sont des clan-mêlés, de toute façon. Vous n'avez jamais songé que le Clan des Étoiles nous avait sans doute choisis précisément pour cette raison ? Si nous nous disputons entre nous, alors tout est perdu. »

Nuage d'Écureuil et Nuage Noir se défièrent un moment du regard, puis elle recula d'un pas, tandis que l'apprenti inclinait la tête en marmonnant des excuses.

« Bon, maintenant, on peut peut-être discuter sans s'arracher la fourrure ? » lança Pelage d'Or d'un ton acerbe. Comme personne ne répondait, elle poursuivit : « N'oubliez pas que le Clan des Étoiles n'a pas désigné Pelage d'Orage. Il a simplement

suivi sa sœur. » Elle marqua une pause, troublée :
« Et si… et si les chats de la Tribu avaient raison
et qu'il était bel et bien leur sauveur ?

— Voilà une idée digne d'une cervelle de
souris ! » s'exclama Nuage Noir.

Jolie Plume n'en était pas si sûre. Pelage d'Or
venait de formuler ce qu'elle craignait en son for
intérieur depuis que Conteur avait mentionné la
prophétie. Bien sûr, la fourrure de Pelage d'Orage
n'était pas exactement argentée – elle était plus sombre, comme celle de Plume Grise –, mais il avait fait
irruption dans le monde de la Tribu, comme leurs
ancêtres l'avaient promis.

« Cela signifie-t-il… » Sa voix se brisa, et elle dut
reprendre. « Cela signifie-t-il que nous allons le laisser ici ?

— Bien sûr que non, répondit Griffe de Ronce
avec détermination. Ces guerriers de jadis ne sont
pas nos ancêtres. Le Clan des Étoiles n'a rien à voir
avec cette Tribu. Puisque nous ne pouvons pas le
sortir de là par la force, il faudra trouver un autre
moyen. Demain matin, lorsqu'ils nous laisseront
partir, nous nous en irons sans faire d'histoire.
Ensuite, nous reviendrons en cachette pour secourir
Pelage d'Orage. »

Les cinq compagnons restèrent un instant silencieux, absorbés dans leurs pensées. Jolie Plume
entrevit pour la première fois une faible lueur
d'espoir. Puis elle remarqua que les garde-cavernes
les observaient d'un œil soupçonneux ; avaient-ils
tout entendu ? Elle inclina les oreilles vers eux. Suivant son regard, les chats des Clans se serrèrent les
uns contre les autres.

Nuage Noir reprit la parole à voix basse :

« Facile à dire. » Il semblait sceptique, mais avait quitté son ton railleur. « Il nous faudra toujours atteindre l'antichambre, et l'endroit grouille de gardes.

— On pourrait attendre la nuit, suggéra Pelage d'Or.

— Et le grondement de la cascade étouffera le bruit de nos pas », ajouta Nuage d'Écureuil, pleine d'optimisme.

Nuage Noir n'avait toujours pas l'air convaincu.

« J'en doute… Vous n'avez pas remarqué qu'ils sont si habitués au vacarme qu'ils entendent le cri d'un chaton à l'autre bout de la caverne ? »

Jolie Plume savait qu'il avait raison. Elle observa les lieux : l'obscurité et le bruit suffiraient-ils à masquer leur présence ? Peut-être. De toute façon, si improbable que fût leur réussite, ils se devaient d'essayer. Pelage d'Orage était son *frère*.

« Je suis partante », annonça-t-elle.

Tous tombèrent bientôt d'accord.

« Nous avons entrepris ensemble ce voyage et nous le finirons ensemble : ça vaut aussi pour Pelage d'Orage, conclut Griffe de Ronce. Finissons de manger et dormons un peu. Nous aurons besoin de toutes nos forces. »

Jolie Plume tenta de lui obéir et se força, malgré l'inquiétude qui lui nouait le ventre, à avaler le jeune faucon que l'aspirant avait apporté. Elle essaya de se changer les idées, de penser à ses amis des autres Clans, à leur loyauté sans faille. Elle avait du mal à imaginer que, une fois revenus dans la forêt, ils parviendraient à se séparer et à réintégrer leurs

211

Clans respectifs. Comment pourrait-elle reprendre une vie normale, une vie sans eux ?

Sentant le sommeil venir, elle se lova dans la petite cavité garnie de plumes. Quand soudain… *Qu'est-ce que c'est que ça ?* Elle tourna la tête, les oreilles dressées. Elle entendait des chuchotis, mais il n'y avait personne dans les environs à part ses camarades, tous endormis. Ses oreilles frémirent, elle se figea, pétrifiée. Les voix venaient de la cascade ! Le grondement, le sifflement de l'eau vive les masquaient presque. Elle se concentra pour distinguer leurs paroles :

Le chat au pelage d'argent est venu, semblaient-elles murmurer. *Long Croc sera vaincu.*

Non, rétorqua Jolie Plume en pensée, sans même chercher à savoir à qui elle parlait. *Vous vous trompez. Pelage d'Orage n'est pas à vous. Sa place est avec nous.*

Elle attendit une réponse, mais les voix s'étaient fondues au rugissement de l'eau. Jolie Plume en vint à se demander si elle les avait imaginées. Puis, exténuée, elle sombra dans un sommeil agité.

Le lendemain matin, on la secoua rudement par l'épaule. Elle ouvrit les yeux : Pic était penché sur elle.

« Il est temps que vous partiez », annonça-t-il.

D'autres gardes réveillaient ses amis. Tout en s'extirpant de sa petite alvéole de pierre, elle vit que Conteur attendait près du tunnel menant à la Grotte aux Pointes Rocheuses. À son côté, deux garde-cavernes se tenaient sur le qui-vive, et Jolie Plume crut en apercevoir d'autres encore dans le tunnel.

La Tribu faisait tout pour rendre impossible une quelconque tentative de sauvetage.

« Nous vous escorterons jusqu'à la limite de notre territoire et vous indiquerons la meilleure route à suivre à travers les montagnes, les informa Pic.

— Et Pelage d'Orage ? s'enquit Griffe de Ronce en se secouant pour faire tomber une plume accrochée à sa fourrure. Nous ne pouvons l'abandonner... »

Sans surprise, l'ultime effort du guerrier du Clan du Tonnerre pour délivrer pacifiquement son ami se solda par un échec. Pic secoua la tête sans même lui laisser le temps de finir sa phrase.

« Il ne peut partir avec vous. Son destin est de rester ici et de sauver notre Tribu de Long Croc. Nous prendrons soin de lui et l'honorerons comme il se doit. »

Nuage Noir cracha avec mépris.

Les garde-cavernes encerclèrent les chats des Clans et les entraînèrent vers la sortie. Jolie Plume remarqua que Nuage Noir boitillait, sans doute à cause du coup asséné la veille par l'un des gardes.

« Tu vas pouvoir voyager ? murmura-t-elle à son oreille.

— Je n'ai pas vraiment le choix, pas vrai ? » rétorqua-t-il d'un ton sec. Comme pour se faire pardonner son mauvais caractère, il pressa sa truffe contre le museau de la guerrière. « Ne t'inquiète pas, ça ira », ajouta-t-il

Juste avant qu'ils n'atteignent la cascade, Jolie Plume entendit qu'on l'appelait : Source bondissait vers elle.

« Je… je voulais vous dire adieu, miaula-t-elle. Je suis désolée que cela se finisse ainsi. Mais grâce à ton frère, notre Tribu va survivre. »

Jolie Plume plongea son regard dans les yeux de la jeune chasse-proie. Elle l'avait vue gagner peu à peu la confiance de son frère, puis le trahir. Source semblait même prête à le voir mourir face à Long Croc, tout ça pour le bien de la Tribu.

« Allez, viens », lui dit Nuage Noir en passant sa queue sur le flanc de Jolie Plume, qui était déjà trempé par la bruine de la cascade.

Sans un mot, la guerrière se détourna de Source. Tout en suivant la corniche étroite, elle guetta les voix surgies de l'eau grondante qui lui avaient parlé la veille. Ce jour-là, elle n'entendit que le rugissement incessant de l'écume.

Quel que soit votre pouvoir, nous reviendrons chercher mon frère, se jura-t-elle. *Sa place est avec nous, et son destin l'attend bien loin d'ici.*

Les cinq compagnons progressèrent dans les montagnes jusqu'à midi. Les garde-cavernes les encadraient toujours, le regard rivé droit devant. Ils ne s'arrêtèrent pas même pour chasser, et le silence tendu donnait des frissons à Jolie Plume.

Elle aurait voulu repérer chaque rocher, chaque arbre, chaque virage de la piste, pour s'assurer qu'ils pourraient suivre leur propre odeur et regagner la caverne. Les pentes rocheuses lui étaient maintenant plus familières, mais les sentiers se ressemblaient tous. De leur côté, les gardes semblaient parfaitement savoir où ils allaient, même s'ils devaient parfois faire un détour pour éviter un bloc de pierre ou un précipice.

Une seule fois, Pic les conduisit en bas d'un talus couvert d'éboulis, jusqu'à un torrent.

« Buvez », ordonna-t-il.

Nuage Noir plissa les yeux en contemplant les pierres glissantes qui bordaient le cours d'eau, tandis que Pelage d'Or échangeait un regard méfiant avec son frère.

« Nous n'allons pas vous pousser, miaula Pic d'un ton irrité. Dans les montagnes, il faut boire dès que l'occasion se présente. »

Sur leurs gardes, les chats des Clans s'accroupirent pour laper l'eau glaciale.

L'air était frais, et le soleil rayonnait dans un ciel pâle. Le vent ébouriffait leur fourrure, mais aucune pluie ne menaçait d'effacer leur odeur. Au grand soulagement de Jolie Plume, Nuage Noir ne semblait pas gêné par son boitillement – de moins en moins marqué à mesure que les muscles du jeune chat se chauffaient dans l'ascension. Pelage d'Or s'en tirait bien, elle aussi, même si Jolie Plume la vit grimacer une ou deux fois. Lorsqu'elle devait accomplir un saut difficile, elle ne se plaignait pas.

Ils franchirent des rochers escarpés, et Pic leur fit faire une halte.

« Voici la limite de notre territoire, annonça-t-il, malgré l'absence de marquages pour signaler une frontière. À partir d'ici, vous devrez poursuivre seuls. »

Jolie Plume en fut soulagée. Elle avait hâte de s'éloigner des garde-cavernes à la mine glaciale.

« Dirigez-vous vers cette montagne, dit-il, désignant un sommet effilé aux versants enneigés. Un
sentier la contourne et mène aux prairies au-delà.
Jusqu'à la tombée de la nuit, vous ne devriez rien
avoir à craindre… de Long Croc… »

À entendre ses hésitations, Jolie Plume eut
l'impression qu'il aurait voulu poursuivre, peut-être
pour les prévenir que d'autres dangers les guettaient.
Ses soupçons se renforcèrent lorsqu'elle surprit le
regard menaçant qu'un autre garde lança à Pic.

« Partez, miaula-t-il enfin d'un ton rude. Pendant
que vous pouvez encore profiter de la lumière du
jour. »

Il inclina la tête devant Griffe de Ronce.

« Adieu, dit-il. Je regrette que l'on ne se soit pas
rencontrés dans des circonstances plus favorables.
Nos Tribus ont beaucoup à apprendre l'une de
l'autre.

— Je ne veux rien apprendre de vous », grogna
Nuage d'Écureuil.

Pour une fois, Nuage Noir semblait d'accord avec
elle.

« Je le regrette moi aussi, répondit Griffe de
Ronce en faisant taire ses compagnons d'un regard
noir. Mais l'amitié ne peut fleurir entre nous tant
que vous retenez notre ami prisonnier. »

Pic s'inclina derechef ; il paraissait sincère.

« C'est pourtant notre destin et celui de votre ami,
tout comme les guerriers de jadis nous l'ont prédit.
Tout comme vos propres ancêtres vous ont prédit
autre chose. »

D'un mouvement de la queue, il rassembla sa
patrouille autour de lui. Les garde-cavernes ne les

quittèrent pas des yeux tandis que Griffe de Ronce entraînait ses amis le long d'une pente herbeuse. Plus ils progressaient, plus l'herbe cédait la place aux pierres nues.

Arrivé à une arête de roches acérées, Griffe de Ronce marqua une pause. Jolie Plume jeta un coup d'œil derrière elle : Pic et les autres gardes les surveillaient toujours.

« Ils veulent s'assurer que nous partons, grogna Pelage d'Or. Ils vont monter la garde, au cas où nous reviendrions.

— Tant pis pour eux », cracha Nuage Noir. Ses griffes crissèrent contre la pierre. « Si on tombe sur leur patrouille, elle finira en chair à corbeaux. »

Griffe de Ronce le foudroya du regard.

« Si possible, nous opérerons en douceur. Rappelle-toi : un long chemin nous attend. Économisons nos forces. Continuons à avancer, mieux vaut les laisser croire qu'on a abandonné. »

Il ouvrit la voie au milieu des rochers. De l'autre côté, la falaise dominait une combe couverte d'herbe. Une source jaillissait d'une crevasse et se déversait dans une petite mare. Quelques buissons poussaient çà et là. Jolie Plume huma une odeur de lapin.

« On pourrait peut-être s'arrêter ici ? suggéra Nuage d'Écureuil. Tu te souviens de ce qu'a dit Pic : il faut profiter de chaque occasion de boire. Chassons un peu, et reposons-nous jusqu'à ce qu'il soit temps d'y retourner.

— D'accord, répondit Griffe de Ronce après une hésitation. Mais on ferait mieux de monter la garde au cas où les autres nous suivraient.

— Je peux prendre le premier quart, proposa Pelage d'Or. Mon épaule ne me fait plus du tout mal, ajouta-t-elle. Je vous appelle en cas de problème. »

Avec une prudence extrême, aussi légère que si elle traquait une souris, la guerrière du Clan de l'Ombre se glissa entre les rochers et disparut de la vue de ses amis. Nuage d'Écureuil, qui gambadait déjà vers la combe, lança à la cantonade :

« Allez, venez ! Je meurs de faim !

— Elle va effrayer la moindre proie entre ici et les Hautes Pierres », grommela Nuage Noir tandis que Griffe de Ronce filait à la suite de l'apprentie.

Jolie Plume suivit Griffe de Ronce du regard jusqu'à ce qu'il ait rattrapé la jeune chatte. Ils poursuivirent leur chemin ensemble, fourrure contre fourrure. *Ils sont devenus très proches depuis le début de notre aventure*, songea la guerrière.

« Ne fais pas attention à Nuage d'Écureuil, dit-elle à Nuage Noir. Allons voir s'il y a des poissons dans cette mare. Je pourrais t'apprendre à en attraper, au cas où tu voudrais pêcher, une fois de retour chez nous. » Elle s'interrompit, embarrassée, les yeux baissés. « Ce sera toujours utile, quoi qu'il arrive. »

Nuage Noir sembla s'égayer.

« D'accord », fit-il.

Il marqua une pause, comme s'il voulait ajouter quelque chose, puis, sans un mot, il dévala la pente à la suite des deux chats du Clan du Tonnerre. Jolie Plume l'imita, l'esprit autant préoccupé par ses sentiments pour Nuage Noir que par ses craintes pour son frère. Elle s'approcha du bassin et plongea son regard dans ses profondeurs bleutées. Nuage Noir et elle auraient tout le loisir de discuter plus tard de ce qu'ils feraient une fois rentrés chez eux. Pour l'instant, la seule chose dont elle devait s'inquiéter, comme tous les autres, c'était de trouver du gibier pour prendre des forces et aller secourir Pelage d'Orage.

Un éclair d'argent attira son attention : sa patte fendit l'air, toutes griffes dehors, pour attraper un poisson.

« Viens par là, dit-elle à Nuage Noir. Comme ça, ton ombre ne tombera pas sur l'eau. Dès que tu vois un poisson, fais vite ! »

Nuage Noir obéit, longeant le bord boueux de la mare, une grimace plaquée sur ses traits. Il s'assit près d'elle mais, au lieu de scruter l'eau, il la regarda droit dans les yeux.

« Je sais que je ne devrais pas te demander cela, mais… On se verra toujours, une fois rentrés ? » La tête basse, il ajouta : « Je veux être loyal envers mon Clan, mais… je n'ai jamais rencontré une chatte comme toi, Jolie Plume. »

Un frisson de plaisir descendit le long de l'échine de la guerrière. Du bout de la truffe, elle toucha le museau de son camarade.

« Je sais ce que tu ressens, répondit-elle. Nous verrons bien. Ce ne sera peut-être pas si difficile. Avec tout ce qui se passe dans la forêt, les Clans seront obligés de s'unir. »

À sa grande surprise, il secoua la tête.

« Je ne vois pas pourquoi. Il y a *toujours* eu quatre Clans.

— Eh bien, il y a un début à tout, répondit-elle à voix basse. Bon, et ce poisson ? »

Nuage Noir effleura l'épaule de la guerrière du bout de la queue et se tapit au-dessus de l'eau. Un instant plus tard, il donna un coup de patte fougueux. Un poisson jaillit de la surface et tomba au sol en se tortillant. Nuage Noir le prit dans la gueule avant que sa proie ne retombe dans l'eau.

Jolie Plume sautilla sur place, avant de presser son museau contre l'épaule de l'apprenti.

« Bien joué ! Tu seras bientôt un vrai membre du Clan de la Rivière. »

Elle s'interrompit, confuse. Nuage Noir cligna des yeux, la comprenant à demi-mot.

Le regard du novice brillait. Jolie Plume aurait voulu que leurs compagnons le voient à cet instant, vif et enthousiaste, et non renfrogné et agressif.

Un mouvement au sommet des rochers la tira de ses pensées. Pelage d'Or était assise sur une pierre lisse.

« Les garde-cavernes sont partis, leur annonça-t-elle. Je continue quand même à surveiller. »

Un peu plus tard, Griffe de Ronce et Nuage d'Écureuil revinrent de leur partie de chasse, deux lapins et quelques souris dans la gueule. Avec les poissons attrapés par Jolie Plume et Nuage Noir, il y aurait du gibier pour tout le monde.

Ils montèrent la garde à tour de rôle, sans voir le moindre signe de la Tribu. Ils passèrent le reste de la journée sous le couvert des buissons. Jolie Plume se sentait bien plus à l'aise au calme et à l'air libre que dans la caverne bruyante.

Des nuages gris et de mauvais augure s'amonce-laient dans le ciel, voilant le soleil. Le vent tomba ; l'air devint lourd et moite, comme à l'approche d'un orage.

Le jour déclina enfin et les ombres s'épaissirent dans la combe.

Griffe de Ronce se mit sur ses pattes.

« Il est temps », miaula-t-il.

Il grimpa le coteau en quelques bonds ; en voyant les autres se lancer à sa suite, Jolie Plume remarqua soudain à quel point ils étaient repérables au milieu des rochers – en particulier Nuage d'Écureuil avec sa fourrure roux sombre.

« Cela ne marchera jamais, miaula-t-elle d'un ton désespéré. Ils nous verront venir, c'est sûr.

— Attendez, la coupa Nuage d'Écureuil, les yeux plissés. On pourrait nous aussi se rouler dans la boue, non ? Comme ça, on ressemblerait à des membres de la Tribu, surtout de nuit. Notre odeur serait également masquée. »

Pelage d'Or la couva d'un regard plein de respect.

« C'est la meilleure idée que j'aie entendue depuis au moins une lune », déclara la guerrière.

L'œil vif, Nuage d'Écureuil se hâta de redescen-dre à la mare. Elle en inspecta les bords.

« C'est tout gadouilleux, par là ! » lança-t-elle, et elle se coucha dans une flaque.

Nuage Noir agita les moustaches d'un air dégoûté, tandis que tous suivaient l'apprentie.

« Y a bien qu'elle pour penser à un truc pareil, grommela-t-il. Mais c'est pas bête », admit-il à contrecœur.

Jolie Plume grimaça en sentant la boue s'enfoncer entre ses coussinets. Le froid envahit son corps lorsqu'elle s'allongea sur la rive boueuse. *Heureusement, mon épaisse fourrure de chatte du Clan de la Rivière est habituée à être trempée*, pensa-t-elle. Nuage Noir serait bien plus gêné, avec son mince pelage aplati par le vent. Malgré tout, pour une fois, il ne se plaignit pas. Elle lui adressa un regard empli de tendresse.

La fourrure maculée, hérissée de piques, les chats des Clans passèrent la crête, puis, à pas de velours, entreprirent de regagner le territoire de la Tribu. Jolie Plume tendait l'oreille, à l'affût du moindre bruit suspect ; ils s'arrêtaient à chaque longueur de queue pour flairer l'air.

La truffe au sol, Griffe de Ronce traquait leurs traces, laissées à l'aller. Jolie Plume tenta de se souvenir des repères qu'ils avaient croisés, mais tout semblait différent dans les ténèbres grandissantes. Ils descendaient un talus pierreux lorsque Nuage Noir s'arrêta soudain, museau levé et gueule entrouverte. Puis il fit volte-face et poussa Jolie Plume derrière un rocher ; d'un battement affolé de la queue, il incita les autres à se cacher, eux aussi.

Jolie Plume repéra à son tour l'odeur de la Tribu. Elle jeta un coup d'œil prudent par-delà leur abri : une patrouille de chasse-proies, entourée par leur escorte de garde-cavernes, bondissait sur le sentier dans leur direction, la gueule pleine de gibier. La guerrière grise se crispa, certaine qu'ils allaient les découvrir et se jeter sur eux. Contre toute attente, ils passèrent sans s'arrêter et disparurent dans l'obscurité. Comme les chats des Clans l'avaient espéré, la boue avait dû masquer leur odeur.

Nuage Noir donna un coup de museau à Jolie Plume.

« C'est la deuxième fois que je te sauve », railla-t-il.

Elle plaqua sa truffe contre la sienne tout en ron-ronnant, amusée.

« Je sais. Je ne l'oublierai pas, n'aie crainte. »

Griffe de Ronce sortit des rochers qui bordaient l'autre côté du sentier et reprit la tête du groupe. Cette fois-ci, Pelage d'Or fermait la marche pour surveiller leurs arrières. La lune, halo blanc vapo-reux derrière les nuages, venait à peine de se lever au-dessus des plus hautes cimes lorsqu'ils parvin-rent à la rivière. Guettant toujours le moindre signe de la Tribu, ils suivirent la rive jusqu'à ce qu'ils entendent le grondement lointain de la cascade.

« Maintenant, plus un bruit, souffla Griffe de Ronce. Nous approchons. »

Ils continuèrent à pas menus jusqu'au sommet de la chute d'eau. Jolie Plume s'accroupit, suivant des yeux les eaux noires qui se déversaient du haut de la falaise. Puis un éclair déchira le ciel et, malgré le rugissement de la cascade, la guerrière entendit gronder le tonnerre.

« L'orage éclate enfin », murmura Nuage Noir à son oreille.

Une grosse goutte de pluie s'écrasa sur la tête de Jolie Plume. Le vacarme et la confusion créés par l'orage pourraient les aider... à moins que cela ne précipite davantage de chats à l'abri de la grotte. Pelage d'Orage était déjà lourdement gardé : les cinq compagnons ne pourraient affronter toute la Tribu à eux seuls.

« Allons-y », marmonna Nuage d'Écureuil, impatiente.

De nouveau, un éclair zébra la nuit, tandis que le tonnerre roulait au-dessus des félins à l'affût. Jolie Plume discernait à peine l'écume soulevée par la cataracte. Soudain, elle crut deviner un mouvement dans les ténèbres.

« C'est quoi, ça ? » siffla Nuage Noir, qui l'avait vu lui aussi.

Comme pour répondre à sa question, un autre éclair fendit le ciel. Jolie Plume entendit Pelage d'Or hoqueter d'horreur. Pendant un court instant qui lui sembla durer une éternité, la lumière blanche éclaira la silhouette d'un énorme félin couleur fauve qui avançait, furtif, le long du sentier ; la bête s'arrêta lorsque le tonnerre gronda, puis reprit sa route jusqu'à disparaître derrière la cascade.

Long Croc !

CHAPITRE 15

Un cri terrible retentit dans la caverne, déchirant le bruit de la pluie battante et même le grondement de la cascade. Jolie Plume bondit sur ses pattes. Son instinct lui criait de fuir aussi loin que possible de la grotte. L'image de son frère l'en empêcha.

« Allons-y ! » lança Griffe de Ronce d'une voix tendue.

Les autres le regardèrent, incrédules.

« Là, en bas ? s'étonna Nuage Noir. T'es une cervelle de souris ou quoi ?

— Réfléchis ! » Griffe de Ronce bondissait déjà vers l'entrée de la caverne ; il pivota soudain pour faire face à l'apprenti. « Puisque Long Croc est dans la grotte, personne ne nous remarquera. C'est peut-être notre seule chance de libérer Pelage d'Orage. »

Sans plus attendre, il bondit de rocher en rocher jusqu'au sentier.

« Il est fou ! » marmonna Nuage Noir, qui l'imita malgré tout.

En s'élançant à leur suite, Jolie Plume trébucha sur la roche glissante. Ses griffes crissèrent douloureusement sur la pierre, mais elle se rattrapa et courut le long de la corniche. Elle traversa si vite le rideau de la cascade qu'elle n'eut guère le temps d'avoir peur de tomber dans les eaux tumultueuses du bassin. Le cri se fit plus strident encore. Jolie Plume fut prise de terreur à l'idée de ce qu'ils allaient découvrir. Long Croc était peut-être en train d'égorger Pelage d'Orage, s'apprêtant à le dévorer.

Elle entra dans la grotte en dérapant sur le sol humide et s'arrêta juste derrière Griffe de Ronce. L'espace d'un instant, elle ne comprit guère ce qui se passait. L'obscurité était presque totale. L'énorme silhouette de Long Croc semblait être partout à la fois ; ses pattes massives martelaient le sol tandis que, la bave aux lèvres, il bondissait d'une paroi à l'autre, les flancs ensanglantés. C'était plus terrible encore que ce que la guerrière du Clan de la Rivière avait pu imaginer : Pelage d'Orage n'avait aucune chance de vaincre cette créature.

Les chats de la Tribu étaient en pleine déroute, s'extirpant à l'aveuglette de leurs nids garnis de plumes. Jolie Plume avisa Source, qui poussait un chaton vers le tunnel menant à la pouponnière tout en emportant un autre dans la gueule. Près de l'autre tunnel, un garde-caverne s'accrocha au cou de la bête, mais fut aussitôt projeté au loin – il percuta une paroi dans un bruit écœurant, puis glissa jusqu'au sol, inerte. Un filet de sang dégoulinait de sa gueule. Sous le regard horrifié de Jolie Plume, deux ou trois félins s'enfuirent avec des cris perçants.

« Par là ! » ordonna Griffe de Ronce.

Long Croc avait traversé la grotte en quelques sauts lourds et s'était perché sur la paroi du fond de la caverne. Il cherchait à atteindre un matou réfugié sur une corniche, hors de portée des griffes mortelles. Longeant les murs, se coulant dans les recoins les plus sombres, Griffe de Ronce se dirigea vers le tunnel menant à la Grotte aux Pointes Rocheuses. Jolie Plume et les autres le suivirent. Dans l'obscurité, ils percutaient des chats de la Tribu, certains blessés, d'autres terrorisés ; mais l'odeur de la peur et du sang était si prégnante que personne ne les reconnut.

À l'entrée du tunnel, deux gardes défendaient leur poste, malgré leur pelage ébouriffé et leurs yeux écarquillés d'effroi. Jolie Plume ne put qu'admirer leur courage, eux qui avaient tenu bon alors que tous leurs camarades s'étaient enfuis pour sauver leur peau.

« Maintenant ! »

Griffe de Ronce et Nuage Noir se jetèrent sur les gardes, les attaquant à coups de griffes et de crocs. Nuage d'Écureuil les suivait de près. Jolie Plume entendit l'un des gardes pousser un cri de surprise : c'était Pic. Griffe de Ronce le renversa sur le dos et planta ses crocs dans son cou, tandis que Nuage Noir griffait les oreilles de l'autre matou avant de l'éloigner de l'entrée du tunnel. Nuage d'Écureuil mordit la queue de Pic et tint bon.

Une fois le passage dégagé, Jolie Plume et Pelage d'Or enfilèrent le tunnel à toute allure. Avant d'atteindre la Grotte aux Pointes Rocheuses, elles croisèrent deux autres félins, à peine visibles dans la pénombre. Une vague de joie et de soulagement transporta Jolie Plume lorsqu'elle reconnut l'odeur de Pelage d'Orage. L'autre était celle de Conteur.

Elle croisa son regard brûlant lorsqu'il détala vers la caverne principale.

« Vite ! hurla le chef de la Tribu à Pelage d'Orage. Le temps d'agir est venu. Ô, Tribu de la Chasse Éternelle, aide-nous !

— Jolie Plume ! s'exclama Pelage d'Orage. Que se passe-t-il ? »

Pendant un bref moment, Jolie Plume se contenta de humer l'odeur de son frère et d'entortiller sa queue à la sienne.

« C'est pas le moment de se câliner ! feula Pelage d'Or. Dirigez-vous vers la sortie. Ne vous arrêtez surtout pas. »

Elle regagna le tunnel en un éclair, suivie de Jolie Plume et de Pelage d'Orage. Lorsqu'ils débouchèrent dans la salle principale, un hurlement déchira les ténèbres, plus retentissant que le tonnerre. Un éclair révéla Long Croc qui s'en allait : ses mâchoires tenaient fermement un membre de la Tribu. Avec un frisson d'horreur, Jolie Plume reconnut Étoile, la porteuse qui leur avait parlé à leur arrivée. Sa gueule s'entrouvrait sur une plainte désespérée, et ses griffes raclaient la terre tandis qu'elle tentait vainement de se libérer. Puis les ténèbres retombèrent. Jolie Plume distingua vaguement la silhouette du fauve qui se découpait sur le mur d'eau avant de disparaître.

L'espace d'un instant, un silence de mort se fit dans la caverne. Puis des lamentations retentirent de tous côtés. Jolie Plume sentit qu'on lui donnait un coup de museau insistant : Griffe de Ronce était près d'elle.

« On sort, tout de suite ! » feula-t-il.

Il bondit vers la sortie, Nuage d'Écureuil et Pelage d'Or sur les talons. Nuage Noir poussa Jolie Plume, mais elle refusa d'avancer avant d'être sûre que Pelage d'Orage suivait lui aussi. Personne n'essaya de les arrêter. La Tribu dans son ensemble était encore sous le choc, la fourrure ébouriffée et les yeux pleins d'effroi ; la plupart étaient tapis au sol, la tête tournée dans la direction prise par la bête.

Griffe de Ronce fit halte sur le seuil pour humer l'air, puis il guida les siens le long de la corniche. Jolie Plume repéra aussitôt l'odeur de Long Croc, brouillée par celle d'Étoile et la puanteur du sang, mais les traces se dissipaient rapidement. Le prédateur était parti, emportant sa proie avec lui ; il laissait dans son sillage bien des morts et des blessés.

Des trombes d'eau se mirent à tomber, mêlées aux rafales de vent, et le tonnerre gronda de plus belle. Oubliant sa fourrure trempée, Jolie Plume s'appliquait à suivre Griffe de Ronce dans les rochers, vers le sommet de la cascade et le chemin emprunté à l'aller. Les plaintes déchirantes de la Tribu moururent peu à peu, noyées par le martèlement de la pluie et le fracas incessant de la cascade.

CHAPITRE 16

❧

Uɴᴇ ꜰʀᴏɪᴅᴇ ɢᴏᴜᴛᴛᴇ ᴅᴇ ᴘʟᴜɪᴇ s'écrasa sur la fourrure de Nuage de Feuille. Agacée, elle la chassa
d'une secousse. Dans le ciel, des rafales de vent agi-
taient les arbres ; des feuilles pourpres et dorées
tombaient dans la clairière. À peine une lune les
séparait encore de la mauvaise saison, mais c'était
bien le cadet des soucis du Clan.

« Le lapin sentait mauvais, rapporta Museau Cendré à Étoile de Feu. Écorce de Chêne affirme que
ceux qui en mangent meurent. Je le crois. Ce lapin
ne souffrait d'aucune maladie que je connaisse. Les
Bipèdes y sont sûrement pour quelque chose. »

Couchée près de la réserve de gibier du camp du
Clan du Tonnerre, Nuage de Feuille écoutait son
mentor rapporter à Étoile de Feu ce qu'ils avaient
découvert, en route vers les Hautes Pierres.
L'apprentie eut le cœur serré devant l'air stupéfait
de son père.

« Alors, nous ne pouvons plus manger de lapins,
nous non plus, miaula-t-il. Par le Clan des Étoiles,
il ne manquait plus que ça. Nous allons tous mourir
de faim.

— Nous n'avons pour l'instant aucun décès à

231

déplorer au sein de notre Clan », lui fit remarquer Tempête de Sable. Elle était assise non loin, la queue enroulée sagement autour de ses pattes. Elle sursauta lorsqu'une feuille morte lui effleura l'oreille. « Le problème se limite peut-être au territoire du Clan du Vent, non ?

— Mais les lapins traversent les frontières en permanence, répondit Museau Cendré. On ne risquerait sans doute rien à manger un lapin venant de l'autre bout de notre territoire, près de la Scierie, pourtant je ne pense pas que le risque en vaille la peine.

— Tu as raison, soupira Étoile de Feu. Je vais l'annoncer au reste du Clan. Plus de lapin.

— Bon, il faut bien que nous mangions quelque chose, déclara Tempête de Sable en se levant. Je vais rassembler ma patrouille de chasse, en espérant que l'on trouve du gibier. »

Elle s'éloigna à pas menus et disparut entre les branches du gîte des guerriers.

« En attendant, nous ferions mieux de nous débarrasser du moindre lapin présent dans la réserve. »

Nuage de Feuille contempla le tas ridiculement petit. Il n'y avait qu'un lapin : sa chair dodue était plus qu'appétissante. L'apprentie en eut l'eau à la bouche. Elle n'avait pas mangé à sa faim depuis des jours. Puis son ventre se noua lorsqu'elle imagina ce que les Bipèdes avaient pu infliger à l'animal.

« Va l'enterrer hors du camp, ordonna Étoile de Feu.

— Attends. Ne le prends pas dans la gueule, ajouta Museau Cendré. Pousse-le du bout des pattes ; après, tu te les essuieras soigneusement dans l'herbe. »

Nuage de Feuille venait d'isoler le lapin lorsque Plume Cendrée, la doyenne du Clan, vint jeter un regard intéressé à la proie.

« J'espère que vous le gardez pour les anciens, grommela-t-elle. Mon ventre gargouille comme un crapaud amoureux.

— Hélas, non », répondit Museau Cendré.

Puis elle expliqua à la vieille chatte leur découverte sur le territoire du Clan du Vent.

« Quoi ? Je n'ai jamais entendu pareilles sornettes ! pesta Plume Cendrée. Sous prétexte que le Clan du Vent a quelques soucis, on ne peut plus manger de lapin ? Écorce de Chêne a pu vous mentir, pour affaiblir le Clan du Tonnerre. Son Clan a toujours été fier et trompeur. Tu as pensé à cela ? »

Nuage de Feuille échangea un regard avec son mentor. Elle savait qu'il serait inutile de tenter de convaincre Plume Cendrée. Elle voulait ce lapin, un point c'est tout.

« Ma décision est prise, intervint Étoile de Feu, catégorique. Nuage de Feuille, va l'enterrer.

— Jamais de la vie ! »

Outrée, Plume Cendrée se jeta sur le lapin et en arracha de grosses bouchées qu'elle avala goulûment.

« Non ! s'écria Museau Cendré. Arrête ! »

Étoile de Feu s'interposa entre l'ancienne et sa proie, puis il la repoussa gentiment.

« Plume Cendrée, je t'ordonne de ne pas le manger. C'est pour ton bien. »

La vieille chatte planta un regard noir, agressif, dans celui de son chef. En voyant le corps amaigri de Plume Cendrée, sa fourrure terne et pelée, Nuage de Feuille comprit son désespoir. Seule la famine l'avait poussée à une telle extrémité, elle qui était d'habitude la plus gentille des reines.

« Et tu te considères comme un chef ? feula-t-elle. Tout le Clan va mourir de faim, ce sera ta faute.

— Étoile de Feu a raison, insista Museau Cendré. Il est inutile de donner au Clan de la nourriture qui le tuera plus vite que la famine. »

Plume Cendrée se tourna vers la guérisseuse en crachant. Puis elle fit volte-face et partit à grands pas vers la tanière des anciens.

« Pourvu que ce lapin ne soit pas mauvais », murmura Nuage de Feuille tout en poussant les restes à moitié dévorés vers le tunnel d'ajoncs.

Une feuille racornie voleta sous les yeux de l'apprentie guérisseuse. Elle gravissait le ravin en compagnie de Museau Cendré. C'était le lendemain de leur visite aux Hautes Pierres et de la dispute avec Plume Cendrée au sujet du lapin. Son mentor voulait faire des réserves d'herbes pour la mauvaise saison : affaibli par la famine, le Clan serait plus vulnérable que jamais au mal vert et au mal noir mortels.

« Inutile d'aller trop près des monstres des Bipèdes, déclara Museau Cendré. Plus rien ne pousse après leur passage. Nous irons aux Rochers du Soleil voir ce que nous pourrons trouver. »

Un épais tapis de feuilles mortes recouvrait le sol, que les bourrasques venaient balayer. Lorsqu'elle était chaton, Nuage de Feuille adorait les jeter en l'air et les pourchasser. À présent, elle avait à peine l'énergie de continuer à mettre une patte devant l'autre.

Les Rochers du Soleil furent bientôt en vue. Museau Cendré repéra presque aussitôt une épaisse botte de mouron blanc et entreprit d'en couper délicatement les tiges. Nuage de Feuille se mit en quête d'une plante utile et son regard s'attarda longuement sur la berge de la rivière, là où les herbes poussaient en abondance, leurs racines bien abreuvées par le cours d'eau. Mais c'était le territoire du Clan de la Rivière. Elle avait déjà été punie pour sa leçon de pêche avec Papillon et n'avait aucune envie de franchir de nouveau la frontière.

Elle entendit un bruissement, tout près : derrière elle, un campagnol se faufilait au pied du rocher le plus proche. Le rongeur sentit sa présence et fila vers une crevasse – mais elle fut plus rapide que lui. Elle se jeta sur la bête et lui mordit la nuque d'un coup sec.

Son estomac lui hurlait d'avaler sa proie tout rond – elle fit la sourde oreille et partit à la recherche de son mentor. La guérisseuse n'avait pas bougé, toujours occupée à arranger les tiges de mouron blanc pour les rapporter au camp.

« Tiens », fit Nuage de Feuille en laissant tomber sa prise devant la chatte.

Celle-ci leva la tête vers son apprentie et la remercia d'un battement de paupières.

« Non, Nuage de Feuille. Tu l'as attrapé, il est à toi. »

Nuage de Feuille haussa les épaules et répondit d'un air détaché :

« J'en trouverai d'autres. » La patte folle de Museau Cendré était un handicap pour la chasse. « Vas-y, insista-t-elle, voyant que la chatte ne mangeait pas. Qu'arrivera-t-il au Clan du Tonnerre si sa guérisseuse tombe malade ? »

Museau Cendré laissa échapper un ronronnement et pressa sa truffe contre le museau de sa protégée.

« Très bien. Merci, Nuage de Feuille. »

Elle s'accroupit au-dessus du campagnol et n'en fit qu'une bouchée. La novice allait repartir en quête d'herbes médicinales lorsqu'elle entendit un appel : « Museau Cendré ! Museau Cendré ! »

La guérisseuse se leva d'un bond, les oreilles dressées.

« Je suis là ! » lança-t-elle.

Nuage d'Araignée, l'apprenti de Poil de Souris, surgit d'entre les arbres, courant si vite que ses longues pattes gris-noir étaient à peine visibles. Il grimpa jusqu'à la guérisseuse en moins de temps qu'il n'en faut pour le dire.

« Il faut que tu viennes ! haleta le jeune chat. C'est Plume Cendrée !

— Qu'est-ce qu'elle a ? demanda Museau Cendré, tandis que le cœur de Nuage de Feuille commençait à battre la chamade.

— Elle se plaint de nausées, répondit Nuage d'Araignée. Et de maux de ventre.

— C'est ce fichu lapin ! Je le savais ! Bon, j'arrive. Pars devant, et dis-leur que je ne vais pas tarder. »

Nuage d'Araignée détala ventre à terre. Museau Cendré se tourna vers Nuage de Feuille :

« Reste là. Il est inutile que nous rentrions toutes les deux au camp. Continue à ramasser des plantes. Quand tu auras terminé, rapporte également le mouron blanc. »

Clopin-clopant, elle s'éloigna aussi vite que possible. Nuage de Feuille attendit que son mentor ait disparu dans les fougères avant de reprendre sa recherche. Qu'avait donc dit Écorce de Chêne à propos du traitement des chats qui avaient goûté aux lapins empoisonnés ? Il leur avait prescrit de la mille-feuille, mais presque tous avaient succombé. Seuls les plus forts s'en étaient remis... Or, Plume Cendrée était âgée, et déjà affaiblie par la faim.

Oh, Clan des Étoiles, aidez-nous ! pria-t-elle. *Montrez-nous quoi faire, avant que les Bipèdes ne nous anéantissent tous.*

Elle venait de se remettre au travail lorsqu'elle entendit un miaulement aigu, venant de la rive. Elle hésita un instant à franchir la frontière, puis se décida lorsque la plainte retentit de nouveau : un congénère était en danger. Sans plus attendre, elle dévala la pente.

Gonflée par les pluies, la rivière semblait plus puissante que jamais. Le courant charriait des branchages qui tournoyaient dans les flots moutonneux. Nuage de Feuille scruta la surface, cherchant à localiser la provenance du cri. Puis elle aperçut une branche qui dérivait non loin du rivage, côté Clan de la Rivière. Entre les feuilles, l'apprentie devina la tête d'un petit chat noir, qui ouvrit grand la gueule pour pousser un nouveau cri de terreur tout en s'accrochant à la branche de toutes ses forces.

Nuage de Feuille banda ses muscles, prête à

plonger dans la rivière, même si son bon sens lui soufflait que cela serait inutile. Le courant était trop fort, et le chat en péril trop loin.

Juste avant de sauter, elle avisa sur la rive opposée un autre félin qui se faufila entre les roseaux et se jeta à l'eau, nageant de ses pattes puissantes vers la branche flottante. Elle reconnut aussitôt le pelage bleu-gris : Patte de Brume, le lieutenant du Clan de la Rivière.

Nerveuse, Nuage de Feuille rentrait et sortait les griffes tout en observant la progression de la chatte : la guerrière atteignit bientôt la branche et entreprit de la pousser vers la berge. Mais avant qu'elle y parvienne, la branche se retourna dans le courant, entraînant Patte de Brume sous la surface de l'eau noire. Nuage de Feuille poussa un cri d'effroi. Puis, dans un « splash », la guerrière refit surface près de la rive, où ses pattes trouvèrent une prise sur les graviers. L'apprentie poussa un soupir de soulagement en la regardant traîner l'autre chat par la peau du cou jusqu'à la terre ferme, et s'effondrer près de lui. La petite boule de poils gisait, inerte ; son pelage ruisselant formait une flaque sur le sol.

« Je peux faire quelque chose ? lança Nuage de Feuille.

— Oui ! Rejoins-nous vite ! »

Elle fila le long de la berge jusqu'au passage à gué. L'eau de la rivière en crue recouvrait les pierres, mais elle s'élança sans hésiter. Pour le petit chat noir, chaque instant gagné pourrait faire la différence entre la vie et la mort.

Elle sautait vers la troisième pierre lorsqu'elle dérapa et dut battre frénétiquement des pattes pour ne pas glisser sur la surface humide. La rivière gar-gouillait autour d'elle. Pendant un instant, elle crut qu'elle allait être emportée. Soudain, une pression contre son flanc la repoussa sur le rocher. Un doux parfum l'entoura, étrangement familier.

« Petite Feuille ? » chuchota-t-elle.

Elle ne vit rien, mais sentit une présence rassu-rante, pareille à celle de son rêve près de la Pierre de Lune. Comme si des ailes lui avaient poussé, elle bondit jusqu'à la rive opposée et fila ventre à terre vers Patte de Brume et celui qu'elle avait sauvé.

Deux chats émergèrent des roseaux : Plume de Faucon et Papillon vinrent se pencher sur le petit chat noir.

« Que s'est-il passé ? voulut savoir le guerrier.

— Nuage de Roseau est tombé dans la rivière. Nous avons besoin de Patte de Pierre, miaula Patte de Brume. Vous pouvez aller le chercher ? Vite !

— Il est parti cueillir des herbes, lui apprit Papil-lon. Je vais essayer de le retrouver. »

Elle s'élança sur le sentier qui remontait la rivière, mais son frère la rappela :

« Ce sera trop tard », gronda-t-il. Il inclina les oreilles vers le chat inerte. « À toi de l'examiner et de décider quoi faire. »

C'est alors qu'il vit Nuage de Feuille s'avancer vers eux. Il la dévisagea de son étrange regard bleu glacé. Nuage de Feuille sentit un frisson la traverser de part en part.

« Qu'est-ce qu'elle fiche ici, celle-là ?

— C'est moi qui l'ai appelée, expliqua Patte de Brume. Nuage de Roseau a besoin de toute l'aide possible. »

Plume de Faucon réprima un grognement. Nuage de Feuille l'ignora et vint se placer près du malade. Il était vraiment petit – sans doute un tout nouvel apprenti – et restait parfaitement immobile. Un filet d'eau s'échappait de ses mâchoires entrouvertes. Une plaie s'ouvrait sur son épaule : le sang coulait à flots et imprégnait sa fourrure déjà trempée.

« Il a dû tomber, déclara Patte de Brume, inquiète. Les apprentis jouent toujours trop près de la rivière. On dirait qu'il s'est blessé en heurtant la branche. »

Nuage de Feuille se pencha plus près du jeune chat. À son grand soulagement, elle détecta le faible mouvement de ses flancs. Il respirait encore, mais son souffle, déjà faible, semblait perdre en vigueur à chaque instant. Elle recula, puis jeta un coup d'œil à Papillon, attendant que son amie commence à soigner l'apprenti.

Les grands yeux ambrés de Papillon étaient rivés sur le corps inerte.

« Alors ? s'impatienta Plume de Faucon. Fais quelque chose ! »

Papillon leva la tête. Nuage de Feuille discerna une lueur de panique dans son regard.

« Je... je ne sais pas trop. Je n'ai pas apporté les bonnes herbes. Je vais devoir retourner au camp...

— Nuage de Roseau ne peut pas attendre ! » feula Patte de Brume.

Nuage de Feuille comprenait l'affolement de son amie. Elles n'étaient que des apprenties ; elles n'étaient pas prêtes à tenir entre leurs pattes la vie de leurs camarades. Où était donc Patte de Pierre ?

Puis une douce voix résonna sans sa tête.

Nuage de Feuille, tu peux le faire. Rappelle-toi ce que t'a appris Museau Cendré. Des toiles d'araignée pour l'hémorragie...

« Oui, oui, je m'en souviens, maintenant », miaula la novice à voix haute.

Plume de Faucon plissa les yeux.

« Tu sais quoi faire ? » s'enquit-il.

Elle hocha la tête.

« Bien. Alors fais-le. Toi... dégage. »

Le guerrier écarta sa sœur d'un coup d'épaule pour que Nuage de Feuille ait suffisamment de place près du blessé.

Papillon émit un petit cri de protestation. Ses yeux ambrés étaient toujours écarquillés et ses oreilles s'étaient rabattues en arrière.

« Va me chercher des toiles d'araignée, lui demanda Nuage de Feuille. Vite ! »

L'apprentie du Clan de la Rivière lui jeta un regard effrayé, puis se dépêcha de remonter la rive jusqu'aux buissons qui dominaient la pente.

Maintenant, il faut lui faire recracher l'eau, murmura Petite Feuille. La novice se pencha pour placer son épaule sous celle du petit chat, et le redressa jusqu'à ce qu'il vomisse de l'eau.

Bien, à présent, il respirera comme il faut ; tu peux donc t'occuper de sa fourrure trempée.

Nuage de Roseau se mit à tousser faiblement et poussa un cri de douleur.

« Reste tranquille, fit Patte de Brume, en lui donnant un petit coup de langue rassurant sur le museau. Ça va aller.

— C'est bien, continue à le lécher, dit Nuage de

Feuille. Fais-le à rebrousse poil : il séchera plus vite et se réchauffera. »

Aussitôt, Patte de Brume s'inclina au-dessus du blessé et se mit à lui donner de vigoureux coups de langue. Après un instant d'hésitation, Plume de Faucon l'imita de son côté. Nuage de Feuille nettoya la plaie de l'épaule, prenant soin d'éliminer les bouts d'écorce et de feuille – il fallait éviter tout risque d'infection.

Papillon les rejoignit, un paquet de toiles d'araignée dans la gueule.

« Voilà, haleta-t-elle. Ça suffira ?

— C'est parfait, Papillon. Pose-les à cet endroit, là. »

Elle avait presque l'impression d'être le mentor de son amie : elle vérifia que l'apprentie appliquait les toiles correctement, s'assura qu'elles recouvraient bien toute la plaie, puis les tapota du bout de la patte pour qu'elles restent en place.

« C'est parfait, répéta-t-elle. Nuage de Roseau, as-tu mal ailleurs ? »

Le jeune chat eut une nouvelle quinte de toux. Grâce aux coups de langue énergiques de Patte de Brume et de Plume de Faucon, il reprenait vie peu à peu.

« Non, gémit-il. Juste à l'épaule. »

Nuage de Feuille l'examina tout de même, guettant d'autres blessures, en vain.

« Si tu veux mon avis, tu as eu de la chance, miaula-t-elle.

— Il a surtout eu de la chance que tu sois là, grogna Plume de Faucon en jetant un regard hostile à sa sœur. Papillon, c'est quoi, ton problème ? Tu es censée être guérisseuse ! »

Celle-ci se recroquevilla, tête basse.

« Nuage de Roseau, peux-tu te lever ? » demanda Nuage de Feuille, assez diplomate pour ne pas réagir devant l'embarras de son amie.

En guise de réponse, le blessé se mit péniblement sur ses pattes. Patte de Brume se colla à lui pour qu'il puisse caler contre elle son épaule indemne.

« Tu crois que tu pourras marcher jusqu'au camp ? s'enquit Plume de Faucon d'un ton rude.

— Oui, merci... » répondit Nuage de Roseau en hochant la tête. Il regarda Nuage de Feuille et, les yeux écarquillés, il s'exclama : « Ton odeur est celle du Clan du Tonnerre !

— En effet. Je m'appelle Nuage de Feuille. Je suis l'apprentie de Museau Cendré. Ramenez-le vite au camp, ajouta-t-elle à l'intention de Patte de Brume. Si Patte de Pierre est là, il vaut mieux qu'il l'examine. Sinon, tu peux lui donner des feuilles de thym à mâcher pour l'aider à se remettre du choc.

— Et des graines de pavot contre la douleur, ajouta Papillon, qui essayait d'avoir l'air sûr d'elle.

— Euh... non, il vaudrait mieux éviter », intervint Nuage de Feuille, désolée de devoir contredire son amie. « C'est mieux s'il s'endort de lui-même. De toute façon, le choc de l'accident l'aura épuisé. »

De nouveau, Papillon baissa les yeux sous le regard méprisant de Plume de Faucon. Le guerrier se détourna et partit le long de la rive, droit vers le camp. Patte de Brume le suivit, soutenant Nuage de Roseau, qui tremblait encore.

Avec une pointe d'envie, Nuage de Feuille n'avait pu que noter leur pelage brillant et leurs muscles saillants. Même Nuage de Roseau, dont la fourrure séchait rapidement dans le vent froid, semblait en pleine santé et bien nourri. Le Clan de la Rivière était le seul à ne pas manquer de gibier, le seul à ne pas souffrir de la dévastation de la forêt par les Bipèdes.

Nuage de Feuille s'ébroua et reporta son attention sur Papillon, qui n'avait pas bougé d'un poil.

« Il ne faut pas t'en vouloir, miaula-t-elle. C'est fini, maintenant, et pour le mieux. Nuage de Roseau ne craint plus rien.

— Non, c'est loin d'être fini ! »

Papillon fit volte-face, sa voix partant dans les aigus.

« J'ai tout gâché… Ma première chance de prouver que j'étais capable d'être guérisseuse… et j'ai tout fichu en l'air.

— Tout le monde fait des erreurs, répondit Nuage de Feuille pour la rassurer.

— Tu n'en as pas fait, toi. »

Mais on m'a aidée, pensa Nuage de Feuille. Elle aurait voulu pouvoir parler de Petite Feuille à son amie, mais elle savait bien qu'elle ne pouvait partager un tel secret avec un membre d'un autre Clan.

« Moi aussi, j'aurais pu aider Nuage de Roseau, poursuivit Papillon, amère. Je connaissais parfaitement les soins que tu as prodigués. Je vous ai donné, à toi et ta camarade, des feuilles de thym, la fois où le Clan du Vent vous a chassées. Mais aujourd'hui… bizarrement, je n'arrivais pas à réfléchir. J'ai juste paniqué, et je ne me rappelais plus rien.

— Ça ira mieux la prochaine fois.

— S'il y a une prochaine fois. » Papillon labourait le sol à grands coups de griffes. « Plume de Faucon racontera à tout le monde à quel point j'ai été minable, et Patte de Pierre regrettera de m'avoir choisie comme apprentie. Maintenant, plus jamais le Clan ne me respectera !

— Bien sûr que si. » Nuage de Feuille s'approcha de son amie pour enfouir son museau dans son magnifique pelage doré. « Bientôt, toute cette histoire ne sera plus que du passé. »

Elle était choquée. Plume de Faucon était-il capable de trahir sa sœur et de répandre la nouvelle de son échec ?

« Je sais ce que tu penses, miaula Papillon d'un ton qui fit sursauter Nuage de Feuille. Plume de Faucon est loyal envers le Clan, pas envers moi ni quiconque. Il lui importe avant tout de devenir un grand guerrier. »

Comme Étoile du Tigre, songea Nuage de Feuille en réprimant un frisson.

« Tu as tellement de chance, Nuage de Feuille. » Le désespoir perçait dans sa voix. « Tu es née dans un Clan, et ton père en est le chef. Moi, ma mère est une chatte errante, et ça, personne ne l'oubliera jamais. »

Elle se détourna, la tête basse et la queue traînant au sol. Puis elle s'éloigna en direction de son camp, accablée.

« À bientôt ! » lança Nuage de Feuille, mais son amie ne répondit pas.

L'apprentie du Clan du Tonnerre ne pouvait rien

faire de plus. La mine triste, elle regagna le passage à gué, qu'elle franchit cette fois avec prudence.

Lorsqu'elle arriva à la frontière, elle commençait à se sentir mieux. Avec la venue de la mauvaise saison, Papillon aurait bien d'autres occasions de tester ses talents de guérisseuse, et son Clan oublierait vite son insuccès. De plus, Nuage de Feuille ne pouvait s'empêcher de se sentir fière de sa propre réussite. Elle avait sauvé la vie d'un chat : c'était la première fois, mais pas la dernière, espérait-elle.

« Merci, Petite Feuille », murmura-t-elle.

Plus optimiste qu'elle ne l'avait été depuis des lunes, elle ramassa le mouron blanc de Museau Cendré et se hâta de rejoindre le camp. Au sommet du ravin, elle fit halte. Sa bonne humeur s'évanouit aussitôt, tandis que des griffes de glace lui enserraient le cœur : des plaintes aiguës et des lamentations s'élevaient de la clairière en contrebas. Soudain, Poil de Souris et Perle de Pluie jaillirent du tunnel d'ajoncs ; ils grimpèrent jusqu'au bord du ravin et filèrent dans les bois sans même remarquer Nuage de Feuille.

Affolée, l'apprentie dévala la pente et s'engouffra dans le tunnel. Qu'allait-elle découvrir ? Les Bipèdes étaient-ils déjà arrivés si loin ? Étoile de Feu se tenait au pied du Promontoire, flanqué de Plume Grise, Tempête de Sable et Poil de Fougère. Allongée devant la tanière des apprentis, Nuage Ailé pleurait comme un chaton. Nuage de Musaraigne et Nuage d'Araignée tentaient de la réconforter.

Nuage de Feuille stoppa net, stupéfaite. Pourquoi tout le monde semblait-il bouleversé ? Elle ne flaira aucune odeur étrangère dans le camp, ne constata aucun dégât. Elle aperçut Museau Cendré, qui traversait en boitant le tunnel de fougères débouchant sur la petite clairière qui abritait son antre.

Nuage de Feuille courut pour la rejoindre.

« Que se passe-t-il ? » s'enquit-elle en laissant tomber le mouron.

Museau Cendré se tourna vers elle, ses yeux emplis de tristesse.

« Plume Cendrée est morte », dit-elle d'un ton neutre. Cette absence d'émotion effraya Nuage de Feuille plus que tout. « Ensuite, Flocon de Neige et Cœur Blanc ont disparu. »

CHAPITRE 17

❧

Pelage d'Orage avait mal aux pattes. Déséquilibré par le poids de sa fourrure imbibée de pluie, il dérapait sans cesse sur les pierres. Il lui semblait qu'il fuyait depuis des lunes dans les ténèbres. Le monde autour de lui ne se résumait plus qu'à un amalgame de pierre, de vent et de pluie.

Tout en escaladant un rocher, il se rendit compte que l'ondée faiblissait. Elle ne fut bientôt plus qu'un léger crachin porté par le vent. Le ciel s'éclaircit, et la lune apparut enfin entre les nuages.

Griffe de Ronce marqua une pause ; ses compagnons s'arrêtèrent autour de lui. Ils se tenaient au pied d'un éboulis, sur une large corniche qui dominait un précipice sans fond.

« Je ne sais pas du tout où nous sommes, admit Griffe de Ronce. Je suis désolé, je pensais reprendre l'itinéraire que les garde-cavernes nous avaient fait suivre, mais je n'ai jamais vu cet endroit.

— Ce n'est pas ta faute, miaula Nuage d'Écureuil, avec un regard hostile à Nuage Noir pour l'empêcher de faire une remarque désagréable. La pluie a effacé notre odeur, et il fait trop sombre pour y voir quoi que ce soit.

— Peu importe, observa Pelage d'Or. La question est de savoir ce qu'on va faire. Si l'on n'y prend pas garde, la Tribu nous rattrapera.

— Ou bien Long Croc », ajouta Jolie Plume en frissonnant.

Pelage d'Orage s'éclaircit la gorge.

« Je crois que je peux retrouver le chemin, hasarda-t-il. J'ai chassé avec la Tribu bien plus souvent que vous, et j'ai appris certaines techniques…

— Alors passe en tête, répondit aussitôt Griffe de Ronce. Arrange-toi pour nous faire sortir de ces montagnes. »

La confiance que lui accordait le guerrier du Clan du Tonnerre lui réchauffa le cœur. Pelage d'Orage n'aurait pas été étonné d'avoir perdu le respect de Griffe de Ronce, vu la facilité avec laquelle il s'était adapté à la Tribu. Il comprenait maintenant à quel point l'amitié du matou tacheté comptait pour lui.

« Il nous faudra plusieurs jours pour franchir les montagnes », expliqua-t-il. Il se souvenait parfaitement de la fois où Source l'avait emmené jusqu'à un sommet pour lui montrer les plis rocheux qui s'étendaient à l'infini devant eux. Au moins, au lever du jour, le soleil les guiderait. « Mais je peux au moins nous guider hors du territoire de la Tribu.

— Le plus tôt sera le mieux », marmonna Nuage Noir.

L'apprenti se tenait si près de Jolie Plume que leurs fourrures se touchaient. Un lien invisible semblait les unir, au point que Pelage d'Orage se demanda ce qui s'était passé entre eux pendant sa détention.

Le guerrier gris s'engagea le premier sur la corniche, puis vira en diagonale pour grimper l'éboulis, ses pattes glissant sur les pierres. Une fois au sommet, il observa la mousse sur les rochers et le tronc d'un arbre noueux pour déterminer la direction à prendre. Une vague de sentiments contradictoires l'envahit.

« Que se passe-t-il ? » demanda doucement Jolie Plume en le rejoignant.

Elle se frotta à lui, cherchant à le réconforter.

« Je leur faisais confiance, hoqueta Pelage d'Orage. À Source, Pic et les autres. Jamais je n'aurais pensé... Ils m'ont fait prisonnier, et vous, vous avez risqué vos vies pour me libérer...

— Pas le temps pour les bavardages ! les coupa Nuage Noir d'un ton rude lorsqu'il les rejoignit sur la crête. Déguerpissons !

— Ils avaient forcément tort », poursuivit Pelage d'Orage en ignorant l'apprenti. Il soutenait le regard de Jolie Plume, essayant de se convaincre lui-même tout autant qu'elle. « Je ne peux pas être leur sauveur, pas vrai ? Ça n'a pas de sens.

— Évidemment, miaula Jolie Plume. Tu n'as rien à te reprocher, Pelage d'Orage. Aucun d'entre nous ne savait ce qui se tramait. Quant aux membres de la Tribu, ils ne sont pas méchants... juste désespérés. »

Le guerrier gris espérait que sa sœur ne devinait pas l'étau de culpabilité qui lui serrait le ventre. Et si la prophétie disait vrai, et que la Tribu de la

251

Chasse Éternelle l'avait choisi pour leur venir en aide ?

Et lui, il avait tourné le dos à la Tribu au moment où elle avait le plus besoin de lui. Il se souvenait du fauve quittant la grotte, ses mâchoires féroces refermées sur Étoile, qui appelait vainement à l'aide. Et si Pic était le prochain sur la liste ? Pis encore, et si c'était *Source* ? Pelage d'Orage eut malgré lui une vision de la jolie chatte prisonnière de ces crocs acérés ; il tenta désespérément de la chasser de son esprit.

Il frémit, à peine conscient que ses amis l'attendaient.

« Il y a un problème ? demanda Griffe de Ronce.

— Non, répondit Pelage d'Orage en s'ébrouant. C'est par là. »

De l'autre côté de la crête, le sol s'affaissait en une série de crevasses peu profondes qui permettaient aux chats de sauter d'un niveau à l'autre. Tapi au bord d'une de ces anfractuosités, Pelage d'Orage avisa un rapace perché un peu plus bas. Il fit signe aux autres de garder le silence.

« Je m'en occupe, murmura-t-il. Restez là. »

L'oiseau était posé sur une étroite corniche : il ne pouvait lui sauter dessus sans risquer une mauvaise chute. Dans la forêt, les chats n'hésitaient pas à bondir des arbres, mais ils atterrissaient alors sur de la terre meuble, non sur des rochers pointus qui tranchaient les pattes et brisaient les os.

Au lieu de quoi, il rampa prudemment sur quelques longueurs de souris et prit le vautour à revers, en s'abritant derrière des éclats de roche. Dès qu'il fut assez près, il bondit, cloua l'oiseau à la paroi rocheuse, où il battit des ailes un instant avant que le guerrier ne l'achève.

« C'était génial ! s'exclama Nuage d'Écureuil, qui ondula de la queue, admirative. Tu es digne d'un vrai chat des montagnes, Pelage d'Orage.

— J'espère pas », miaula ce dernier.

Les six compagnons se serrèrent les uns contre les autres pour manger leur part. Le temps qu'ils finissent, une pluie fine s'était remise à tomber et des nuages s'amoncelaient de nouveau dans le ciel, masquant la lune.

« C'est sans espoir, grinça Griffe de Ronce en se léchant les babines. À mon avis, on ferait mieux de se chercher un abri pour la nuit.

— À condition que la Tribu ne nous pourchasse pas », fit remarquer Pelage d'Or.

Pelage d'Orage nota que l'épaule de la guerrière ne la gênait plus. Les herbes de Conteur avaient fait merveille. Ils pouvaient au moins remercier la Tribu pour cela.

« Je pense que nous sommes suffisamment loin, maintenant, dit le guerrier du Clan de la Rivière. Griffe de Ronce a raison. Nous ne pouvons continuer sous la pluie. Essayons plutôt de trouver une grotte. »

Il prit de nouveau la tête du groupe, en quête d'un refuge. Il découvrit rapidement une cavité qui s'ouvrait au pied d'un roc vers le cœur de la montagne, surplombée par quelques buissons rabougris.

Il s'approcha, prudent, et flaira l'entrée.

« Une vieille trace de lapin, déclara-t-il. C'était sûrement un terrier, dans le temps.

— Dommage, miaula Nuage d'Écureuil. J'en aurais bien fait mon dîner.

— On sent aussi l'odeur de la Tribu, ajouta Nuage Noir, près de Pelage d'Orage. Et elle est plutôt fraîche. Je refuse d'entrer là-dedans.

— Alors reste dehors et prends-toi la pluie ! rétorqua Nuage d'Écureuil en s'avançant d'un pas.

— Attends, la retint Pelage d'Or. Laisse-moi jeter un œil. »

Elle se faufila à l'intérieur du trou, sous le regard indigné de l'apprentie. Pour la première fois cette nuit-là, Pelage d'Orage se sentit presque de bonne humeur, ragaillardi par le courage de la jeune chatte. Elle ne supportait toujours pas de laisser les guerriers aguerris accomplir les tâches périlleuses.

La voix de Pelage d'Or résonna bientôt, comme si elle leur parlait du fond d'un souterrain.

« Rien à signaler. Vous pouvez venir. »

Pelage d'Orage entra le premier dans l'étroit passage, sa fourrure frottant les parois des deux côtés. L'ouverture rétrécit au point qu'il dut retenir sa respiration, craignant de rester coincé, puis le tunnel s'élargit de nouveau. Malgré l'obscurité absolue, l'écho de ses pas sur le sol lui apprenait qu'il se trouvait dans une grotte colossale.

« Incroyable ! » La voix de Nuage d'Écureuil s'éleva derrière lui. Il la sentit s'ébrouer pour se débarrasser des gouttes de pluie, puis elle ajouta : « Il ne manque plus qu'un tas de gibier bien garni. »

Pelage d'Orage huma l'air pour s'assurer que tout le monde était là. Même Nuage Noir était entré. Le guerrier gris commençait à peine à se détendre, lorsqu'une autre odeur lui parvint. Il se figea, frappé d'horreur : c'était celle d'un membre de la Tribu, mais méconnaissable. Au même instant, une voix retentit dans les ténèbres :

« On peut savoir qui vous êtes ? »

CHAPITRE 18

TOUTE LA NUIT, le Clan avait veillé Plume Cendrée. Maintenant que l'aube pointait, les anciens
emportaient son corps pour l'enterrer hors du camp.
Un linceul de brume voilait la clairière et des larmes
de pluie s'égouttaient des branches dénudées des
arbres. Nuage de Feuille observa la scène en silence.
La vieille chatte avait fait partie de sa vie et, avec
sa mort, il lui semblait que son petit monde allait
s'écrouler.

Tandis que les anciens s'engageaient dans le tunnel d'ajoncs, les autres membres du Clan se réuni-
rent en petits groupes, échangeant des miaulements
alarmés et des regards anxieux. Nuage de Feuille
n'entendait pas leurs paroles, mais elle savait qu'ils
évoquaient la disparition de Flocon de Neige et de
Cœur Blanc. Cela portait à quatre le nombre de
disparus. Nuage de Feuille avait du mal à croire que
le Clan des Étoiles les ait envoyés au loin, eux
aussi... à moins que les autres n'aient déjà échoué,
et ne reviennent jamais. *Si vous ne pouvez nous venir
en aide, Clan des Étoiles,* pensa-t-elle dans un
moment de désespoir, *pourquoi nous enlever nos camarades ?*

Museau Cendré la tira de ses pensées : elle enfouit sa truffe dans la fourrure de son apprentie en un geste de réconfort silencieux. Puis elle s'éloigna de sa démarche claudicante pour rejoindre Étoile de Feu et Plume Grise. Nuage de Feuille avisa Poil de Souris, qui traversait la clairière au galop pour les suivre, accompagnée de Cœur d'Épines et de Pelage de Granit.

« Je pars avec la patrouille de l'aube, annonça Poil de Souris à son chef. Tu souhaites toujours que nous cherchions Flocon de Neige et Cœur Blanc ?

— Ce qui ne servira à rien s'ils sont partis de leur plein gré », ajouta Pelage de Granit, la mine sombre.

Le cœur de Nuage de Feuille se serra en repensant aux efforts déployés la veille pour retrouver les deux disparus. Des patrouilles avaient sillonné tout le territoire, relevant une piste qui menait à la zone ravagée par les Bipèdes. Leur trace s'était interrompue abruptement, près de l'un des énormes monstres coupeurs d'arbres. Malgré tous leurs efforts, ils n'avaient rien trouvé d'autre.

« Soyez vigilants, répondit Étoile de Feu. C'est tout ce que vous pouvez faire.

— Ça ne me surprendrait pas si Flocon de Neige était retourné chez les Bipèdes, feula Poil de Souris. Avec si peu de gibier dans la forêt, même la nourriture des Bipèdes doit sembler alléchante.

— Et il y a goûté plus souvent qu'à son tour, lorsqu'il était apprenti, ajouta Pelage de Granit.

— C'est vrai. Vous vous rappelez la fois où il a quitté le Clan ? miaula Poil de Souris. Nos camarades ont dû prendre des risques pour le sauver des Bipèdes.

— Ça suffit ! siffla Plume Grise.

— Non, elle a raison », soupira Étoile de Feu. Nuage de Feuille n'en croyait pas ses yeux tant son père semblait fatigué. « Flocon de Neige a toujours gardé une patte dans le monde des Bipèdes. Mais je pensais qu'il était devenu loyal envers son Clan.

— Bien sûr qu'il est loyal, intervint Museau Cendré d'un ton sec. Tu es injuste avec lui. Il y a bien longtemps que Flocon de Neige n'a pas mangé de pâtée pour chat domestique. Il était jeune et bête, à l'époque.

— De plus, Cœur Blanc ne ferait jamais une chose pareille. » Plume Grise défendait ses camarades avec une lueur farouche dans son regard ambré. « Et Flocon de Neige ne partirait pas sans elle. Nous devons découvrir pourquoi ils ont tous deux disparu.

— Et pourquoi ils ont laissé Nuage Ailé derrière eux, miaula Cœur d'Épines. Elle est leur seul petit.

— C'est vrai, grommela Poil de Souris. Je me demande s'ils ont gagné le territoire du Clan de la Rivière… pour voler du poisson.

— Ça, oui, ça serait du Flocon de Neige tout craché », convint Museau Cendré, presque amusée.

Plume Grise y réfléchit un instant, avant de secouer la tête.

« Non. Si le Clan de la Rivière les avait surpris, nos camarades auraient été chassés, simplement. Ils ne se seraient pas volatilisés. »

Sauf s'ils sont tombés dans la rivière, pensa Nuage de Feuille, sans oser formuler son idée à voix haute.

Elle revoyait sans cesse le cours d'eau en crue, qui avait failli l'emporter lorsqu'elle avait traversé le passage à gué.

« Leur piste ne menait pas vers le Clan de la Rivière, fit remarquer Étoile de Feu. D'ailleurs, il est étrange qu'elle s'arrête si près des monstres des Bipèdes. Et si... »

Il laissa sa phrase en suspens mais, à son air anxieux, Nuage de Feuille devinait aisément ses pensées. Elle avait été témoin de la première incursion violente des monstres dans la forêt. Si un chat se trouvait sur le passage de l'un d'eux, il serait broyé par ses puissantes mâchoires sans même que le monstre s'en rende compte. Elle frissonna. Son regard croisa celui de son père. Ils adoraient tous deux Flocon de Neige – neveu d'Étoile de Feu et cousin de Nuage de Feuille. L'apprentie éprouvait également beaucoup d'affection pour Cœur Blanc, dont elle admirait la réaction courageuse face aux terribles blessures que la meute de chiens lui avait infligées. La disparition du couple était une lourde perte pour le Clan.

« Patrouille comme d'habitude, trancha Étoile de Feu. Et viens m'avertir si tu repères quelque chose de louche.

— C'est ce que je fais toujours. »

Poil de Souris détala ventre à terre, suivie de près par les deux jeunes guerriers.

Étoile de Feu s'ébroua, comme pour écarter des pensées inutiles.

« Museau Cendré, le Clan des Étoiles t'a-t-il parlé de Flocon de Neige et Cœur Blanc ?

— Non, répondit Museau Cendré. Rien du tout.

— T'ont-ils envoyé le moindre signe concernant les autres guerriers disparus dans la forêt ? Ce… cela ne fait pas si longtemps que Griffe de Ronce et Nuage d'Écureuil nous ont quittés. »

Il cracha ces mots comme des os à moitié rongés.

De nouveau, Museau Cendré secoua la tête.

« Le Clan des Étoiles est silencieux. Je suis désolée. »

Une fois encore, Nuage de Feuille fut tentée d'avouer à son père et à son mentor ce qu'elle savait. Mais elle n'était plus sûre de rien. Dès qu'elle essayait de contacter sa sœur, elle ne recevait que des impressions confuses et terrifiantes d'eau bouillonnante, de ténèbres et de griffes assassines – du sang, de la pierre et de l'eau mêlés. Elle ne pouvait plus affirmer à son père avec certitude que Nuage d'Écureuil allait bien, ni donner à Plume Grise des nouvelles de ses enfants disparus du Clan de la Rivière.

« Je devrais peut-être me rendre aux Hautes Pierres, miaula Étoile de Feu. Le Clan des Étoiles pourrait me parler, si… »

Il s'interrompit lorsque Poil de Fougère arriva, suivi de son apprentie, Nuage Ailé. Nuage de Feuille eut pitié d'elle. Tête baissée, la jeune chatte laissait sa queue traîner dans la poussière.

« Étoile de Feu, il faudrait que tu parles à Nuage Ailé, miaula Poil de Fougère, l'air préoccupé.

— Que se passe-t-il ? s'enquit le rouquin, les oreilles dressées.

— Je veux être dispensée d'entraînement, l'implora l'apprentie, les yeux brûlants. Je veux partir à la recherche de mes parents.

— Je lui ai dit qu'elle ne pouvait pas s'aventurer toute seule dans la forêt, poursuivit Poil de Fougère. Mais elle...

— Je t'en supplie, le coupa Nuage Ailé. Je ne suis qu'une apprentie, le Clan peut se passer de moi. Je dois à tout prix les retrouver.

— Je suis désolé, c'est impossible, répondit Étoile de Feu en secouant la tête. Les apprentis sont importants pour le Clan, tout autant que les autres. De plus, Poil de Fougère a raison. Tu ne peux pas vagabonder seule, surtout en ce moment, alors que nous ignorons d'où vient le danger. D'ailleurs, personne ne devrait quitter le camp non accompagné.

— Nous avons déjà fouillé partout, ajouta Plume Grise. Nous avons fait tout ce qui était en notre pouvoir.

— Mais ce n'est pas assez ! » gémit l'apprentie.

Nuage de Feuille savait que jamais Nuage Ailé n'aurait parlé sur ce ton au lieutenant du Clan si elle n'avait pas été folle d'inquiétude.

« Le Clan des Étoiles les protégera où qu'ils soient, murmura la guérisseuse pour la réconforter, tout en cachant son museau dans la fourrure de la novice.

— Poil de Fougère, rassemble une équipe de chasseurs, ordonna Étoile de Feu. Le Clan des Étoiles sait qu'un peu de gibier ne serait pas de trop. Nuage Ailé, accompagne-les. Tu pourras en profiter pour pister tes parents. Mais interdiction de t'éloigner de ton mentor, c'est clair ? »

L'apprentie hocha la tête, une lueur d'espoir dans les yeux.

« J'irai avec toi, proposa Plume Grise. Et je vais

demander à Tempête de Sable de se joindre à nous. Si quelqu'un peut les retrouver, c'est elle. »

Sur ces mots, il fila vers le gîte des guerriers.

« Merci, Étoile de Feu », miaula Nuage Ailé. Elle inclina respectueusement la tête, avant de suivre Poil de Fougère vers la sortie du camp.

Plume Grise et Tempête de Sable les rejoignirent bientôt, puis les quatre félins se faufilèrent dans le tunnel d'ajoncs.

« Nous ne sommes plus en sécurité sur notre propre territoire, murmura Étoile de Feu. Quand même, *quatre* chats ne peuvent pas disparaître sans que... »

Une plainte grave l'interrompit, en provenance de la pouponnière. Pelage de Poussière en sortit. Il tituba sur quelques longueurs de queue avant de s'effondrer au sol comme si ses pattes refusaient soudain de le porter.

Nuage de Feuille se rua vers le guerrier à terre, des visions de cauchemar défilant dans sa tête. Étoile de Feu et Museau Cendré se précipitèrent à leur tour.

« Tu es blessé ? » demanda Étoile de Feu.

Pelage de Poussière leva la tête vers son chef, le regard éteint.

« Ce n'est pas sa faute, souffla-t-il. Fleur de Bruyère a fait de son mieux. Mais elle n'a pas eu suffisamment à manger pour se maintenir en vie, tout en nourrissant les trois petits. »

Nuage de Feuille entendit de nouveau la plainte sourde, si déchirante qu'elle semblait pleurer la mort de tout un Clan.

« Qu'est-ce qui se passe ? » s'écria-t-elle.

Accablé, Pelage de Poussière la contempla, égaré, avant de répondre :

« Petit Sapin est mort. »

Museau Cendré fila aussitôt ventre à terre vers la pouponnière, pour soutenir Fleur de Bruyère. Étoile de Feu posa le bout de sa queue sur l'épaule du guerrier endeuillé, dans une vaine tentative de réconfort. Pelage de Poussière enfouit un instant sa truffe dans la fourrure fauve de son chef. Nuage de Feuille eut la gorge nouée en voyant ces deux félins, qui n'avaient jamais été amis, partager la même douleur.

« Cela ne s'arrêtera donc jamais ? gémit Étoile de Feu, la tête dressée vers le ciel gris. Clan des Étoiles, quel nouveau malheur allez-vous envoyer au Clan du Tonnerre ? »

CHAPITRE 19

QUE SE PASSE-T-IL ? se demanda Pelage d'Orage, la fourrure hérissée. Ses amis et lui étaient pris au piège dans ce trou noir. L'inconnu qui venait de parler bloquait la seule sortie. Le guerrier gris huma l'air et perçut la présence de plusieurs chats : leur odeur rappelait celle de la Tribu, sans être tout à fait la même.

« Qui êtes-vous ? » demanda-t-il.

Pour toute réponse, le nouveau venu pénétra dans la grotte en le repoussant d'un coup d'épaule. De légers bruits de pas résonnèrent lorsque ses compagnons le suivirent.

Soudain, la voix de Griffe de Ronce retentit, tendue, mais calme.

« Nous voyageons vers notre territoire, bien loin d'ici, et nous pensions nous abriter dans cette caverne pour la nuit. Nous ne vous cherchons pas querelle. »

L'inconnu parla de nouveau :

« Vous êtes chez nous.

— Dans ce cas nous partons », répondit Pelage d'Or.

Elle se dirigea vers l'entrée, bientôt imitée par ses camarades.

Pelage d'Orage sentit sa fourrure retomber en place. Avec un peu de chance, ils arriveraient à se sortir de ce mauvais pas sans combattre. Ces matous ne pouvaient pas venir de la Tribu, sinon ils les auraient reconnus. Pourtant, leur odeur était bien celle des chats des montagnes. Pelage d'Orage était perplexe, mais il renoncerait avec joie à élucider le mystère s'ils pouvaient filer sans encombre.

« Pas si vite, feula l'inconnu. Comment savoir que vous dites la vérité ? Votre odeur m'est étrangère.

— On devrait les faire prisonniers, Serre, siffla l'un des autres félins. On pourrait peut-être s'en servir pour appâter Long Croc.

— Vous connaissez Long Croc ? s'exclama Pelage d'Orage.

— Évidemment, grommela le dénommé Serre. Tous les chats de ces montagnes connaissent Long Croc. »

Pelage d'Orage remarqua alors que l'obscurité n'était plus totale. Peu à peu, les silhouettes des inconnus se découpèrent dans la faible lumière grisâtre de l'aube qui filtrait par le tunnel. À leur vue, le guerrier du Clan de la Rivière fut saisi d'effroi.

Le premier d'entre eux, Serre, était l'un des plus gros chats qu'il ait jamais vus ; un matou large d'épaules, au pelage sombre et tigré, aux pattes énormes. Sa fourrure miteuse et hérissée témoignait de son agressivité ; une profonde cicatrice courait sur un côté de son visage et lui soulevait la lèvre en une grimace figée. Ses yeux ambrés étaient plissés ;

son regard méfiant papillonnait de l'un à l'autre des chats des Clans.

Derrière lui se tenaient deux autres félins : un mâle noir, maigre à faire peur, dont la queue n'était plus qu'un moignon ébouriffé, et une chatte au pelage gris-brun. Tous deux faisaient sortir leurs griffes, comme impatients de les plonger dans le pelage des visiteurs.

Les six compagnons avaient beau être plus nombreux, aucun d'eux ne voulait risquer un combat. Ils ne s'en tireraient pas sans blessures sérieuses. Même Nuage Noir le belliqueux gardait le silence, le regard rivé sur les inconnus.

« Nous avons vu Long Croc, et ce dont il est capable, déclara Griffe de Ronce d'un ton posé. Mais une mission urgente nous force à partir.

— Vous partirez quand je vous en donnerai l'autorisation, feula Serre.

— Vous ne pouvez pas nous retenir ici ! »

Pelage d'Orage grimaça en entendant Nuage d'Écureuil, ses yeux verts lançant des éclairs. Son courage était admirable, mais parfois elle n'avait pas plus de jugeote qu'un moucheron.

« Nous nous sommes déjà échappés des griffes de la Tribu de l'Eau Vive », ajouta-t-elle.

Nuage Noir lui cracha dessus, et pour une fois le guerrier gris partageait son exaspération. L'apprentie aurait dû se montrer bien plus prudente, au lieu de révéler tant d'informations à des inconnus menaçants.

Mais à la grande surprise de Pelage d'Orage, la méfiance de Serre sembla fondre comme neige au soleil.

« Vous venez de la Tribu ?

— C'est exact, reconnut Griffe de Ronce. Vous les connaissez ?

— Trop bien, même, répondit Serre.

— Nous appartenions à la Tribu, jadis », précisa la chatte gris-brun.

Stupéfait, Pelage d'Orage la dévisagea. Ces trois inconnus n'étaient donc pas des chats errants ? Qu'ils aient fait partie de la Tribu expliquait l'étrange odeur. Mais pourquoi avaient-ils quitté la caverne ?

« La Tribu vous a-t-elle chassés ? s'enquit-il.

— C'est tout comme », grogna Serre. Peu à peu, ses poils dressés retombèrent en place. D'un vif mouvement de la queue, il fit signe à ses deux compagnons, qui allèrent se poster de chaque côté de la sortie. « Asseyez-vous, ordonna le matou. Asseyez-vous, et nous parlerons. Mais n'essayez pas de partir, sauf si vous ne tenez pas à vos oreilles. »

Pelage d'Orage était convaincu qu'il mettrait sa menace à exécution. Il s'assit, circonspect. Ses amis l'imitèrent, s'installant comme ils purent sur le sol sablonneux. Dans la lumière croissante, le guerrier du Clan de la Rivière put mieux distinguer leur environnement. Des racines s'entremêlaient à la terre pour former le plafond et les parois du terrier, où saillaient des pierres ici et là. Il ne voyait ni litière, ni réserve de gibier, ni aucun autre signe permettant de conclure que ces trois-là vivaient ici de façon permanente. Pourtant, Serre avait affirmé qu'ils venaient souvent s'y réfugier. Leur vie ne devait pas être facile tous les jours.

« Je m'appelle Serre de l'Aigle Tournoyant, déclara l'énorme matou tigré en levant la patte vers sa cicatrice. La serre d'un aigle m'a défiguré lorsque je n'étais encore qu'un chaton. J'y ai gagné mon nom, ainsi qu'un méchant souvenir. Voici Roc où Poudre la Neige et Mésange Portée par le Vent. »

Il désigna tour à tour le mâle noir et la chatte gris-brun.

La peur de Pelage d'Orage se dissipa peu à peu. Bizarrement, maintenant qu'il connaissait leurs noms, il les considérait moins comme des ennemis.

« Il y a bien des saisons, poursuivit Serre, la Tribu de la Chasse Éternelle a envoyé un signe à Conteur. Six chats avaient été choisis pour quitter l'abri des grottes, gagner la montagne et affronter Long Croc. Nous sommes les trois survivants.

— Qu'est-il arrivé aux autres ? s'enquit Nuage Noir.

— D'après toi ? feula Roc. Long Croc a failli m'avoir, moi aussi. À ton avis, comment j'ai perdu ma queue ?

— Attendez, les coupa Pelage d'Or. La Tribu vous a envoyés tuer Long Croc ? »

Serre baissa la tête avant de répondre :

« Conteur nous a ordonné de ne pas revenir sans la fourrure de la bête.

— Mais il faut être une cervelle de souris pour avoir une idée pareille ! s'écria Nuage d'Écureuil. Comment six d'entre vous auraient-ils pu tuer Long Croc, alors que la Tribu entière n'y était jamais arrivée ? »

Le matou tigré releva la tête. L'amertume qui noyait son regard fit frémir Pelage d'Orage.

« Je ne sais pas, répondit Serre. Tu crois qu'on ne s'est jamais posé la question ? J'aurais pourtant donné la fourrure qui me couvre le dos pour sauver ma Tribu... »

D'un ton qu'elle voulait rassurant, Jolie Plume suggéra :

« Pourquoi ne pas retourner voir Conteur et lui dire que vous avez fait de votre mieux ? Il accepterait peut-être que vous reveniez.

— Jamais ! » rugit Serre, le regard flamboyant. « Je refuse de ramper devant lui. Et puis, à quoi bon ? Nous suivons tous la volonté de la Tribu de la Chasse Éternelle. »

Pelage d'Orage cligna des yeux. Par le passé, les ordres des guerriers de jadis lui avaient parfois semblé durs, ou incompréhensibles, mais il ne se rappelait pas que le Clan des Étoiles ait un jour condamné des chats à une existence solitaire et à une mort certaine. *Aurais-je le courage d'obéir si cela arrivait ?* se demanda-t-il.

« Je suis surpris que personne ne nous ait parlé de vous, miaula Griffe de Ronce. On nous a mis en garde contre Long Croc, mais c'est tout. »

Serre renifla avec bruit avant de répondre :

« Ils nous ont sans doute oubliés.

— Ou alors ils ont honte, intervint Mésange, la mine sombre.

— Vous venez de quitter la Tribu ? » demanda Serre. Lorsque Griffe de Ronce acquiesça, il reprit d'une voix pleine de regrets : « Il y avait une chatte... qui s'appelait Source aux Petits Poissons. Vous l'avez vue, là-bas ? »

Pelage d'Orage dressa les oreilles. L'espace d'un instant, une jalousie sans bornes l'aveugla : l'affection du chat errant miteux pour la chasse-proie était manifeste.

« Oui, nous l'avons rencontrée, confirma Jolie Plume.

— Elle va bien ? Elle semble heureuse ?

— Elle est en bonne santé, répondit Pelage d'Or. Et aussi heureuse que n'importe quel membre de la Tribu peut l'être avec la menace de Long Croc qui pèse sur eux.

— Parce que nous avons échoué... » Toute l'amertume de Serre était résumée dans ces paroles. « Source est ma sœur, expliqua-t-il, mi-amusé, mi-gêné. On ne croirait pas qu'une aussi jolie chatte puisse être de ma famille, pas vrai ? Elle vient d'une portée plus récente. Lorsque Long Croc a emporté notre mère, je me suis juré de toujours être là pour veiller sur Source. »

Pelage d'Orage se détendit. *Qu'est-ce qui m'arrive ?* songea-t-il aussitôt.

« Elle voulait venir avec moi, continua Serre. Mais ce n'était pas la volonté de la Tribu de la Chasse Éternelle. Tant mieux. Ce n'est pas une vie... »

Il avait raison, Pelage d'Orage le savait bien. Il se raidit en pensant aux dégâts infligés par Long Croc : la Tribu décimée, des chats séparés de leurs proches, exilés...

Et s'il était vraiment le sauveur, voué à débarrasser la Tribu de ce prédateur ? Avait-il le droit de refuser son destin ? Il imagina un instant retourner à la caverne, mais cette idée le terrifiait tant qu'il la repoussa de toutes ses forces. Ses amis et lui avaient une mission, et rien ne devait se mettre en travers de leur route.

La lumière qui filtrait dans le terrier prit une teinte dorée : la pluie avait laissé place au soleil. Pelage d'Orage se mit sur ses pattes, certain qu'il ne tiendrait pas un instant de plus piégé sous terre.

« Vous voulez bien nous laisser sortir pour chasser ? Nous avons besoin de manger quelque chose. »

Serre consulta ses compagnons du regard.

« Nous n'irons nulle part, lui assura Griffe de Ronce. Nous sommes tous épuisés, nous devons prendre du repos. »

Après une nouvelle hésitation, Serre haussa les épaules.

« Faites ce que vous voulez. Cela ne nous concerne pas. Nous ne vous donnerons pas en pâture à Long Croc, quoique Roc puisse en dire. »

Pelage d'Orage se faufila dans l'étroit tunnel et sortit à l'air libre. Le soleil, suspendu au-dessus de la crête, leur montrait la voie : ils devaient suivre le levant jusqu'à leur forêt natale.

Nuage d'Écureuil le rejoignit dehors. Pleine d'entrain, elle scruta les alentours avec impatience, comme si elle n'avait pas passé la nuit à crapahuter dans la montagne, sous une pluie battante.

« Bon, miaula-t-elle. Où se cache le gibier ? »

À leur arrivée, l'averse et l'obscurité avaient empêché Pelage d'Orage de repérer les environs. Il constatait maintenant que, au pied du terrier, les pierres étaient fendues. De la terre s'était logée dans les crevasses, où de l'herbe et quelques buissons poussaient. Un filet d'eau ruisselait entre les roches.

« Descendons », suggéra-t-il.

Nuage d'Écureuil balança sa queue vers l'entrée du terrier.

« Les autres veulent dormir, comme des hérissons pendant la mauvaise saison, miaula-t-elle. Allons chasser ! Ils auront une surprise en se réveillant.

— Entendu. »

Pelage d'Orage se réjouissait de chasser avec l'apprentie obstinément joyeuse, loin du guerrier du Clan du Tonnerre qui monopolisait d'habitude son attention. Il commençait à comprendre que ses sentiments pour Source étaient bien différents de ceux qu'il éprouvait envers Nuage d'Écureuil.

Il avait réprimé son affection pour la jeune apprentie parce qu'ils n'étaient pas du même Clan. Mais son attirance pour Source était si forte qu'il ne pouvait l'ignorer si facilement. Était-ce ce que Nuage Noir et Jolie Plume ressentaient l'un pour l'autre ? se demanda-t-il soudain, éprouvant pour eux une sympathie inédite. Serait-il prêt comme eux à braver des interdits pour être avec Source ?

Pelage d'Orage repoussa cette idée. Il essaya de se concentrer sur le matin ensoleillé et le plaisir de chasser avec une partenaire habile.

« Viens vite ! » L'apprentie avait déjà bondi jusqu'aux buissons en contrebas. « Je veux que tu m'apprennes tes nouvelles techniques. »

Tandis que le soleil s'élevait dans le ciel, ils chassèrent au milieu de la végétation clairsemée de la montagne, déposant au fur et à mesure leurs proies en tas à l'entrée du terrier. Nuage d'Écureuil retint très vite les enseignements de son camarade et, dès qu'elle eut attrapé son premier faucon, elle ne put s'empêcher de sauter partout comme un chaton.

« Une fois de retour chez nous, il faudra qu'on apprenne ça à nos Clans, miaula-t-elle en dégageant du bout de la patte une plume collée à sa truffe. On chasse tout le temps dans les fourrés, mais maintenant, on pourra aussi chasser en terrain découvert. »

De lugubres pensées concernant l'avenir de la forêt traversèrent l'esprit du guerrier. Nuage d'Écureuil devina aussitôt à quoi il songeait, car son expression triomphale disparut.

« On risque d'en avoir grand besoin », ajouta-t-elle.

Lorsqu'ils revinrent au terrier avec leurs dernières prises, Pelage d'Orage vit Serre couché sur la corniche, les yeux mi-clos, profitant du soleil qui réchauffait sa fourrure crasseuse.

Il leva la tête en entendant les deux chats des Clans approcher.

« Vous avez bien chassé, constata-t-il.

— Sers-toi, offrit Pelage d'Orage.

— Merci. »

Il s'approcha de la réserve et y prit un lapin.

Nuage d'Écureuil replongea dans le terrier.

« Je vais chercher les paresseux », annonça-t-elle.

Le guerrier gris remarqua que Serre s'était arrêté de manger après la première bouchée et l'observait, dans l'expectative. Presque sans y penser, il choisit alors un faucon sur le tas de gibier, y mordit une fois et le poussa vers Serre. Le chat de la Tribu hocha la tête et fit rouler sa propre proie vers l'étranger.

« Je vois que ta Tribu connaît elle aussi le partage », dit-il simplement.

Soudain mal à l'aise, Pelage d'Orage baissa la tête.

Pendant quelques instants, ils mangèrent en silence. Pelage d'Orage regrettait de ne pas savoir comment venir en aide aux exilés.

« J'imagine que tu t'inquiètes pour la Tribu, lança-t-il, un peu gêné, tout en avalant une bouchée de lapin.

— Bien sûr. » Serre le fixa de son regard bleu pénétrant. « Tout comme toi, d'ailleurs, même si tu n'es pas l'un des nôtres. »

Le guerrier du Clan de la Rivière acquiesça, l'air grave.

« Chaque jour, ils vivent dans la peur, poursuivit Serre. Chaque pas à l'extérieur de la grotte est synonyme de terreur, puisque chaque rocher peut dissimuler Long Croc. »

Pelage d'Orage hocha la tête, repensant aux garde-cavernes qui accompagnaient les groupes de chasse-proies. Il essaya d'imaginer ce que l'on ressentait lorsqu'on ne pouvait pas même courir librement sur son propre territoire, lorsque toujours menaçaient griffes et crocs.

« Si seulement je savais quoi faire, miaula-t-il. Nous avons entrepris ce voyage à cause d'une prophétie du Clan des Étoiles…

— Le "Clan des Étoiles" ? répéta Serre.

— Les esprits de nos ancêtres, les guerriers de jadis, expliqua Pelage d'Orage. Comme votre Tribu de la Chasse Éternelle. »

Il lui raconta tout : leur périple, la menace pesant sur la forêt…

« Je n'étais pas l'un des élus, conclut-il. Mais je suis quand même parti pour accompagner ma sœur.

— Et maintenant, vous rentrez chez vous.

— Oui, mais nous ignorons si nous arriverons à temps. »

Ce disant, Pelage d'Orage songea que, au moins, lui et ses amis avaient la possibilité de rentrer chez eux. Alors que le matou tigré et ses camarades ne le pourraient plus jamais.

« Ton amie disait que vous vous étiez échappés de la Tribu de l'Eau Vive, reprit Serre, l'air étonné. Ils vous retenaient prisonniers ? Ce n'est pas digne de la Tribu telle que je l'ai connue.

— Ce n'est pas si simple », marmonna-t-il tout en continuant à manger. S'il voulait gagner sa confiance, il ne devait rien lui cacher. Mais il redoutait la réaction de Serre. Peut-être le matou tigré tenterait-il de le ramener à la Tribu pour gagner le droit de réintégrer son foyer. « Il y a eu un autre présage, reconnut-il. Conteur a reçu un autre signe de la Tribu de la Chasse Éternelle… »

Serre écouta son récit sans sourciller.

« Un chat au pelage d'argent ? fit-il à la fin de l'histoire. Tu crois que c'est toi ? »

Pelage d'Orage voulut le nier, mais s'en trouva incapable.

« Je n'en sais rien, répondit-il en toute honnêteté. Au début, je ne voyais pas comment ça pouvait être moi, mais maintenant… La première prophétie, celle du Clan des Étoiles, compte plus que tout pour moi. Mais je ne fais pas partie des élus. Je ne peux m'empêcher de me demander si mon destin n'est pas justement d'accomplir celle de votre Tribu. » Il soupira. « Pourtant, je ne peux suivre les deux oracles à la fois. Lequel est le bon ? »

Serre resta un instant silencieux. Puis il déclara : « Il n'y a pas de bonne ou de mauvaise prophétie. » Il poussa un petit grognement caverneux. « Les prophéties sont de bien étranges choses. Leur signification n'est jamais claire. »

Pelage d'Orage acquiesça, se rappelant que ses amis et lui avaient d'abord pensé que « minuit » ne désignait rien d'autre que le cœur de la nuit, jusqu'à ce qu'ils découvrent que c'était le nom du blaireau plein de sagesse.

« Tout dépend de la façon dont on interprète l'oracle, poursuivit Serre. De plus, il ne sera accompli que si l'on prend les bonnes décisions. Au fond de toi, que crois-tu devoir faire ? le relança Serre.

— Je n'en sais rien.

— Ça va venir. » Le matou tigré se mit sur ses pattes. « Ta foi et ton courage te guideront. » Une lueur amusée éclairait ses yeux ambrés. « Mais ne perds pas de temps », ajouta-t-il, et il se faufila dans le tunnel du terrier.

Pelage d'Orage soupira, découragé. Ces mystères le dépassaient. Il n'était qu'un guerrier, et ne demandait rien d'autre que de suivre le code de conduite qui régissait la vie de tous. Mais que faire, lorsque le code ne mettait pas sur la voie ?

Les rayons du soleil réchauffaient peu à peu sa fourrure. Comme il n'avait pas dormi depuis longtemps et que son ventre était bien rempli, il bâilla et ses yeux se fermèrent aussitôt.

Il se retrouva allongé dans une clairière, au milieu d'une forêt. L'herbe sentait bon, un ruisseau gazouillait non loin. La lune brillait à travers le feuillage au-dessus de lui.

Il dressa la tête, perplexe. Cette forêt était luxuriante comme en pleine saison des feuilles vertes, alors que la mauvaise saison ne devait plus tarder. Une autre odeur vint chatouiller ses narines – fragrance douce et rassurante, douloureusement familière, même s'il ne l'avait jamais sentie auparavant. Une voix murmura dans son dos :

« Pelage d'Orage. »

Il se tourna et, l'espace d'un instant, il crut que Jolie Plume se tenait devant lui. Mais non, cette chatte au pelage gris argenté presque semblable à celui de sa sœur lui était inconnue.

« Qui es-tu ? » demanda-t-il en se levant.

Sans répondre, elle s'avança vers lui et lui toucha la truffe du bout du museau. Il remarqua alors l'éclat de la poussière d'étoile sur les pattes de la nouvelle venue. Il frissonna, comprenant qu'il rêvait et qu'une guerrière du Clan des Étoiles s'adressait à lui.

« Cher Pelage d'Orage, je suis si fière de toi et de Jolie Plume ! lança-t-elle. Vous avez traversé bien des épreuves, et votre courage et votre foi ne sont plus à démontrer. Vous avez obéi en toute chose au Clan des Étoiles, et nous sommes tous fiers de vous.

— Oh... merci, bafouilla le guerrier du Clan de la Rivière.

— Les membres de la Tribu ne manquent eux non plus ni de courage ni de foi, même s'ils suivent d'autres guerriers de jadis. Tu devrais les honorer, eux et la Tribu de la Chasse Éternelle.

— Je sais », miaula-t-il avec entrain. » Qui que

278

soit ce membre du Clan des Étoiles, elle semblait comprendre ce qu'il ressentait. « S'il te plaît, dis-moi ce que je dois faire... et dis-moi qui tu es. »

La chatte se pencha vers lui ; son doux parfum enveloppa le guerrier.

« Ne le sais-tu pas ? murmura-t-elle. Je suis ta mère, Rivière d'Argent. Quant à savoir ce que tu dois faire... Pelage d'Orage, n'oublie pas qu'une question peut avoir plusieurs réponses... »

Le halo de lumière qui nimbait sa fourrure faiblit peu à peu. Pelage d'Orage se retrouva bientôt seul dans la clairière.

« Ne pars pas ! » implora-t-il.

Il fit volte-face, la cherchant du regard. Ses yeux s'écarquillèrent : il était de nouveau allongé devant le terrier. Non loin de là, ses amis étaient en train de se partager les proies restantes.

Il se leva, étourdi. Le Clan des Étoiles lui avait envoyé un rêve ! Pour la première fois, il avait vu sa propre mère, morte en lui donnant la vie. Et il savait désormais ce qu'il devait faire, même s'il ignorait comment il allait s'y prendre.

Intriguée, Jolie Plume le dévisageait.

« Que se passe-t-il ?

— Je... je dois y retourner, balbutia-t-il. Je dois accomplir la prophétie de la Tribu.

— Quoi ? » fit Pelage d'Or. Elle abandonna la souris qu'elle mangeait pour s'approcher de lui. « Des abeilles te bourdonnent dans le crâne ? »

Pelage d'Orage secoua la tête.

« J'ai parlé à Rivière d'Argent. Notre mère, ajouta-t-il en regardant Jolie Plume. Elle est venue à moi en rêve.

« — Et elle t'a dit d'y retourner ? s'enquit Jolie Plume, les yeux ronds.

— Pas exactement. Mais elle m'a appris qu'une question pouvait avoir de nombreuses réponses. Je crois connaître l'une d'entre elles : je dois regagner la caverne et accepter le destin que la Tribu de la Chasse Éternelle me réserve.

— Mais… » Griffe de Ronce semblait perplexe. « Pelage d'Orage, tu oublies ton devoir envers le Clan des Étoiles ? Et notre prophétie, dans tout ça ?

— Je ne fais pas partie des quatre élus, et Rivière d'Argent m'a assuré que l'on devait également honorer la Tribu de la Chasse Éternelle. Ses membres sont eux aussi des guerriers de jadis, même s'ils ne sont pas nos ancêtres. »

Il devinait que Griffe de Ronce n'approuvait guère son choix. Il espérait toutefois que le guerrier du Clan du Tonnerre n'allait pas lui ordonner de poursuivre le voyage. Il respectait Griffe de Ronce, et avait été heureux de le suivre comme un chef, mais à présent qu'il savait avoir trouvé le bon chemin, rien ne l'en détournerait, pas même l'amitié qui avait germé entre eux.

« Qu'en pensez-vous ? » demanda Griffe de Ronce à la cantonade.

Les chats de la forêt se consultèrent du regard, indécis. Tandis qu'un lourd silence s'installait, Pelage d'Orage remarqua Serre, assis non loin en compagnie de Roc et de Mésange. Pour la première fois, Pelage d'Orage crut discerner une lueur d'espoir dans les yeux ambrés de l'énorme matou tigré ; mais lorsque leurs regards se croisèrent, Serre se détourna, comme s'il refusait de donner son avis sur la question.

« Eh bien, pour moi, c'est une idée digne d'une cervelle de souris ! grommela Pelage d'Or, dont la queue se balançait violemment. Je reste avec Griffe de Ronce, pour regagner la forêt. Tu as peut-être oublié ce qu'il s'y passe, mais pas moi.

— Je n'ai demandé à personne de m'accompagner, se hâta de rectifier Pelage d'Orage. Je me dois d'y retourner, mais vous, vous pouvez poursuivre la mission. »

Jolie Plume vint enfouir son museau dans la fourrure de son frère.

« Stupide boule de poils, miaula-t-elle. Tu ne crois quand même pas que je vais te laisser repartir seul ?

— Alors je viens aussi. » Pelage d'Orage ne fut guère surpris de la décision de Nuage Noir. Néanmoins, il fut stupéfait lorsque ce dernier poursuivit : « En fait, je suis d'accord avec toi. Depuis qu'on t'a sauvé, tu as l'air aussi malheureux qu'un lapin sans sa queue. J'en ai mal à la fourrure, rien qu'à te regarder. À l'évidence, tu ne seras bon à rien tant que tu n'auras pas fait ton possible pour aider la Tribu. »

D'un hochement de tête, le guerrier gris le remercia de son soutien. Le ton mordant de Nuage Noir n'enlevait rien à sa proposition généreuse. Personne ne pouvait jurer qu'ils seraient de nouveau les bienvenus dans la Tribu, sans même parler de Long Croc qui rôdait dans les parages.

« Moi aussi, je veux venir ! » s'écria Nuage d'Écureuil en se levant d'un bond, les yeux flamboyants, si excitée que sa queue s'était enroulée sur elle-même. Elle se tourna vers Griffe de Ronce pour l'implorer : « Et si on y allait tous ? Nous ne pouvons quand même pas laisser Pelage d'Orage affronter Long Croc tout seul ?

— Il n'est pas seul », miaula sèchement Griffe de Ronce. Avec un regard désabusé à Pelage d'Orage, il ajouta : « Nous sommes en infériorité numérique. Si l'un de nous y va, tout le monde y va. Je n'ai pas oublié notre forêt... mais nous devons aussi nous rappeler le code du guerrier. »

Nuage d'Écureuil poussa un cri de joie.

La queue de Pelage d'Or battit l'air une fois.

« Si vous voulez mon avis, vous êtes tous aussi fous que des lièvres à la saison des feuilles nouvelles, grogna-t-elle. Mais j'ai dit que je resterai avec toi, Griffe de Ronce, et je tiendrai parole. »

Pelage d'Orage contempla ses cinq compagnons, réchauffé jusqu'à la racine des poils par leur loyauté. À l'exception de sa sœur, aucun d'entre eux n'avait de raisons de le soutenir. Pourtant, grâce aux liens qui s'étaient forgés entre eux au cours de leur péri-ple, ils s'y engageaient. Minuit avait dit vrai en affir-mant que les quatre Clans n'étaient plus qu'un. Pelage d'Orage ne voyait que des avantages dans cet effacement progressif des limites claniques. Il se demandait si, dans la forêt également, les Clans apprenaient à s'entraider face à la menace des Bipèdes. Dans ce cas, la douleur laissée par son héri-tage de clan-mêlé pourrait s'apaiser ; peut-être même qu'il finirait par se sentir à sa place.

« Merci, dit-il d'un ton solennel.

— La Tribu de la Chasse Éternelle honorera

votre courage, déclara Serre. Mais que comptez-vous faire, au juste ?

— J'ai une idée ! » s'écria Nuage d'Écureuil, pleine d'entrain.

Dans un même mouvement, tous se tournèrent vers elle. Serre poussa un sifflement incrédule.

« On t'écoute, la pressa Griffe de Ronce.

— J'ai repensé aux paroles de Rivière d'Argent, lança Nuage d'Écureuil. "Chaque question possède plusieurs réponses." Eh bien, des tas de chats ont essayé de tuer Long Croc, en vain. Même des combattants comme Serre ont échoué. Il faut trouver un autre moyen, et je crois le connaître.

— Tu vas lui demander gentiment de s'en aller ? railla Nuage Noir.

— Cervelle de souris ! répondit l'apprentie. Non, si nous ne pouvons pas tuer Long Croc nous-mêmes, nous devons découvrir quelque chose qui le fera à notre place. »

CHAPITRE 20

❧

LA QUEUE DE LA SOURIS glissa entre les pattes tendues de Nuage de Feuille ; frustrée, elle ne put que foudroyer du regard la crevasse où le petit rongeur avait disparu. Elle avait quitté le camp afin de récolter d'autres herbes pour Museau Cendré. Poil de Châtaigne l'accompagnait, car Étoile de Feu avait interdit les sorties solitaires.

« Pas de chance, miaula celle-ci. De toute façon, elle n'était pas bien grosse.

— C'était toujours du gibier, rétorqua Nuage de Feuille. Je l'aurais attrapée si la faim ne me brouillait pas la vue. »

Elle entreprit de sortir à reculons du buisson où elle s'était tapie. Soudain, elle reconnut les feuilles vert sombre et les baies rouges qui ornaient les branches et parsemaient le sol.

« Crotte de souris ! siffla-t-elle. J'en ai plein les pattes !

— Qu'est-ce qui se passe ? »

Nuage de Feuille s'extirpa des branchages et pointa le bout de la queue vers les petits fruits écarlates.

« Des baies empoisonnées, miaula-t-elle. J'étais si concentrée sur cette souris que je ne les ai même pas vues. »

Poil de Châtaigne frissonna.

« Allons chercher un point d'eau où tu pourras te débarrasser de ce truc dégoûtant. »

Nuage de Feuille fut étonnée par la réaction de son amie. Les oreilles rabattues sur son crâne, le pelage hérissé : elle semblait terrifiée à la simple vue des baies. Or, celles-ci n'étaient dangereuses que si on les mangeait.

« Tout va bien ? demanda Nuage de Feuille, tandis qu'elles reprenaient leur chemin dans la forêt, guettant la moindre flaque où plonger ses coussinets.

— Ça va, répondit Poil de Châtaigne en clignant des yeux. Tu savais qu'un jour j'ai failli mourir à cause des baies empoisonnées ?

— Pas possible ! » Stupéfaite, l'apprentie s'arrêta net. « Comment c'est arrivé ?

— J'étais encore un chaton, et toi, tu n'étais même pas née. J'avais suivi Éclair Noir dans la forêt – son nom ne te dit sans doute rien, c'était le meilleur allié d'Étoile du Tigre au sein du Clan du Tonnerre. Comme je l'avais surpris en train de discuter sur notre territoire avec Étoile de Jais – qui s'appelait encore Patte Noire à l'époque, le lieutenant d'Étoile du Tigre –, il m'a fait manger des baies empoisonnées pour m'empêcher de parler.

— Quelle horreur ! gémit Nuage de Feuille en fourrant son museau dans le flanc de son amie.

— Si j'ai survécu, c'est grâce à Museau Cendré. Enfin… toute cette histoire appartient au passé.

Malgré ce que les Bipèdes peuvent nous infliger, au moins, on n'a plus à s'inquiéter d'Étoile du Tigre. » Elle pivota, la queue bien haute. « Viens vite te laver les pattes. Un empoisonnement, c'est bien la dernière chose dont le Clan ait besoin. »

De noires pensées surgirent dans l'esprit de Nuage de Feuille tandis qu'elle suivait son amie au cœur des sous-bois. Si Étoile du Tigre était bel et bien le père de Plume de Faucon et de Papillon, alors ce passé risquait de ressurgir.

Le rugissement des monstres s'amplifia lorsqu'elles s'approchèrent du Chemin du Tonnerre. Elles trouvèrent enfin une petite mare dans une combe, où l'apprentie put tremper ses pattes plusieurs fois et les frotter sur l'herbe jusqu'à ce qu'elle soit sûre de s'être débarrassé du poison. Malgré tout, elle savait qu'elle aurait du mal à se lécher les pattes dans les jours à venir.

« Voilà », miaula-t-elle. Elle dut élever la voix pour se faire entendre malgré le grondement d'un monstre particulièrement bruyant. « Ça devrait aller. Et regarde, il y a une grosse botte de cerfeuil. Museau Cendré sera... »

Elle s'interrompit pour pousser un cri terrifié : un mugissement retentit plus fort que jamais, comme si le tonnerre avait fracassé le ciel. Une énorme forme brillante traversa les sous-bois, écrasant le cerfeuil qu'elle venait d'apercevoir. Poil de Châtaigne gémit d'effroi et fila vers l'arbre le plus proche. Elle grimpa sans mal en plantant ses griffes dans l'écorce et se réfugia sur la première branche, la fourrure si gonflée qu'elle semblait avoir doublé de volume.

Nuage de Feuille se tapit dans un creux. Pétrifiée, elle regarda le monstre s'emparer d'un jeune bouleau et l'arracher du sol, sans plus d'effort qu'il n'en aurait fallu à l'apprentie pour déterrer une racine de glouteron. Il souleva l'arbre haut dans le ciel et lui arracha ses branches. Des bouts de bois se mirent à dégringoler tout autour de la chatte comme de la grêle.

« Nuage de Feuille ! »

Le cri de Poil de Châtaigne la tira de sa stupeur. Son amie venait de sauter de l'arbre, sans doute consciente qu'elle n'y était plus en sécurité. Aussi vive que l'éclair, elle traversa le terrain à découvert et donna un coup de museau à Nuage de Feuille pour la forcer à se lever.

« Cours ! » lança-t-elle.

L'apprentie jeta un ultime regard terrifié au monstre : la chose débitait le tronc d'arbre en tronçons. L'instant d'après, le jeune chatte détalait à travers la forêt sur les traces de Poil de Châtaigne, fonçant droit dans les ronces et les flaques de boue dans leur fuite éperdue.

Quand le grondement ne fut plus qu'un bruit sourd dans le lointain, les deux amies s'arrêtèrent, haletantes.

« Ils s'approprient de plus en plus de terrain, ahana Poil de Châtaigne. Bientôt, il ne nous restera plus rien. »

Nuage de Feuille tremblait de tous ses membres. Elle jeta un coup d'œil derrière elle, s'attendant presque à voir le monstre les poursuivre entre les arbres.

« Je les déteste ! cracha-t-elle. Ils n'ont pas le droit de venir ici. Que leur avons-nous fait ?

— Rien. Les Bipèdes sont comme ça », répondit Poil de Châtaigne. Elle commençait à se reprendre : sa fourrure retombait peu à peu en place sur ses épaules. Au bout d'un moment, elle effleura l'oreille de son amie du bout de la queue. « Allez, on va chercher des herbes près de la frontière du Clan de la Rivière. Histoire de s'éloigner autant que possible de ces horreurs. »

Nuage de Feuille acquiesça et suivit la guerrière à travers la forêt, la gorge nouée en pensant à tous les coins paisibles qui ne le seraient jamais plus, à tous les arbres qui ne reverdiraient plus à la saison des feuilles nouvelles. Le Clan des Étoiles devait lui aussi se lamenter, comprit-elle. Surtout s'il ne pouvait arrêter le carnage.

« Quelle misère ! s'exclama soudain Poil de Châtaigne. Je ne me rappelle même pas mon dernier repas digne de ce nom... C'est pareil pour tout le monde. Regarde Fleur de Bruyère. Elle se sent coupable de la mort de Petit Sapin, pourtant ce n'est pas sa faute... »

L'apprentie revit Fleur de Bruyère pleurant la mort de son chaton, Pelage de Poussière essayant de la réconforter malgré son propre désespoir. Elle revit Plume Cendrée, que la faim avait poussée à manger le lapin empoisonné. Pelage de Givre, trop faible pour quitter la tanière des anciens, commençait à tousser. Museau Cendré s'attendait chaque jour à ce que le mal vert fasse son apparition, qui pouvait si facilement se transformer en mal noir... et emporter bien des leurs.

« Parfois, j'ai l'impression que les Bipèdes ne s'arrêteront pas avant de nous avoir tués jusqu'au dernier, miaula Nuage de Feuille.

— Oui, c'est comme si le Clan des Étoiles nous avait abandonnés. Pourquoi ne pas nous avoir prévenus ? Nos ancêtres ne se préoccupent-ils plus de nous ? »

Nuage de Feuille ferma les yeux. Elle aurait tant voulu dire à son amie que le Clan des Étoiles avait prédit tout cela, même s'il n'avait averti ni les guérisseurs ni leurs apprentis. Mais elle avait promis de garder le secret des élus ; dût-elle briser cette promesse, elle aurait parlé à Étoile de Feu ou à Museau Cendré avant quiconque.

De plus, elle commençait à croire que les élus du Clan des Étoiles ne reviendraient pas. Il y avait maintenant des jours qu'elle n'avait été capable de contacter l'esprit de Nuage d'Écureuil. Son cœur se serrait à l'idée qu'elle ne reverrait peut-être jamais ni sa sœur ni Griffe de Ronce. Il était inutile de faire miroiter un espoir qui risquait de se révéler illusoire.

En approchant de la frontière du Clan de la Rivière, où le sol s'inclinait vers le cours d'eau et le pont des Bipèdes, Nuage de Feuille commença à se détendre. Le bruit des monstres ne parvenait pas jusqu'à cette partie de leur territoire ; tout était si calme qu'elle pouvait presque imaginer que la forêt était indemne.

Elle flaira aussitôt un lapin et vit l'animal sautiller d'une touffe de fougère à l'autre. Ses pattes la démangeaient de le poursuivre, mais elle se rappelait les ordres d'Étoile de Feu et la mort terrible de Plume Cendrée.

« C'est rageant, pas vrai ? marmonna Poil de Châtaigne avec un battement de queue nerveux. Je jurerais que ces stupides bestioles se fichent de nous. »

Nuage de Feuille hocha la tête. L'odeur du gibier lui faisait monter l'eau à la bouche. Elle se demanda combien de temps ils résisteraient avant que le désespoir les pousse, comme Plume Cendrée, à manger du lapin.

Devant elle, Poil de Châtaigne se tapit dans la position du chasseur. Prudemment, pour ne pas briser la concentration de son amie, l'apprentie s'approcha à petits pas pour voir la proie que la guerrière avait repérée : un écureuil traversait une bande de terrain à découvert. *Oui !* pensa Nuage de Feuille. Du gibier comestible, qu'elles pourraient rapporter au camp pour Fleur de Bruyère et Pelage de Givre...

Poil de Châtaigne bondit. Elle n'avait pas fait le moindre bruit, pourtant l'écureuil réussit à s'échapper. La chatte poussa un cri de frustration et se lança à sa poursuite tandis qu'il filait vers l'arbre le plus proche.

« Poil de Châtaigne, non ! » s'écria Nuage de Feuille en la voyant franchir la frontière.

Mais la faim qui tenaillait le ventre de la guerrière la rendit sourde. Lorsque le rongeur grimpa sur le tronc, elle sauta et parvint à planter les griffes dans sa queue, mais l'écureuil se libéra d'une secousse. Poil de Châtaigne retomba au sol, crachant de fureur.

291

« Reviens ! hurla l'apprentie. Tu es sur le territoire du Clan de la Rivière ! »

Poil de Châtaigne se leva péniblement, des brins d'herbe collés à la fourrure.

« Crotte de renard ! feula-t-elle. Je l'avais presque. »

Nuage de Feuille n'eut pas le temps de l'appeler de nouveau : une odeur familière lui parvint. Une silhouette tachetée surgit derrière l'arbre. Au moment où Poil de Châtaigne se retournait, une énorme patte la renversa sur le sol et l'y maintint fermement.

« Tiens donc, grogna Plume de Faucon. Des membres du Clan du Tonnerre sur notre territoire ? »

CHAPITRE 21

🍀

POIL DE CHÂTAIGNE LEVA LA TÊTE pour regarder Plume de Faucon d'un air courroucé. Elle tenta de se dégager de son emprise, mais des jours de famine l'avaient privée de son énergie habituelle. Sans broncher, le matou lui assena un coup de patte sur l'oreille.

« Tu m'accompagnes ; on va voir Étoile du Léopard, feula-t-il. Elle décidera de ton sort.

— Laisse-la partir ! implora Nuage de Feuille. Elle n'est qu'à quelques longueurs de queue de la frontière. »

Plume de Faucon la toisa froidement.

« Oh, c'est encore toi.

— Oui, encore moi. » Nuage de Feuille se redressa et, rassemblant son courage, elle soutint le regard bleu glacé de Plume de Faucon. « Tu étais bien content que je sois là lorsque Nuage de Roseau a eu son accident. » Elle ajouta avec assurance : « Tu as une dette envers le Clan du Tonnerre. Laisse-la partir. »

Plume de Faucon montra les crocs.

« Les dettes n'existent pas entre les Clans. Par contre, le code du guerrier enseigne que nous devons respecter les frontières, ce qu'elle ne fait manifestement pas », gronda-t-il, avec un regard méprisant pour sa prisonnière.

Nuage de Feuille sentit sa fourrure se hérisser et ses muscles se tendre, prêts au combat. Ensemble, Poil de Châtaigne et elle avaient une chance de vaincre le guerrier... Mais elle se força à garder son sang-froid et à rester où elle était, du bon côté de la frontière. Elle imaginait trop bien la réaction d'Étoile de Feu s'il devait découvrir qu'elle avait attaqué un chat d'un autre Clan sur son propre territoire...

Il lui coûtait de supplier un matou aussi odieux, mais elle prit sur elle et fit une ultime tentative :

« Je t'en prie, lâche-la.

— Elle était en train de nous voler notre gibier ! rugit-il.

— C'est faux ! protesta l'apprentie. Cet écureuil venait du Clan du Tonnerre. »

Poil de Châtaigne, jusque-là restée inerte, se releva soudain. Le guerrier poussa un cri de douleur lorsqu'elle lui mordit la patte. Ils luttèrent au sol mais, malgré tout son courage, Poil de Châtaigne n'était pas de taille face à la force de Plume de Faucon. Elle fut bientôt de nouveau piégée, écrasée sous son poids, le souffle court.

« D'accord, emmène-moi à Étoile du Léopard, cracha-t-elle. Mais je me débattrai tout le long du chemin.

— Si ça t'amuse », jeta-t-il, hautain.

Désespérée, Nuage de Feuille fouilla les environs du regard ; personne, aucune patrouille ne venait à leur secours... En revanche, elle aperçut un éclair doré dans les roseaux de l'autre côté de la rivière. L'instant d'après, Papillon traversait le pont des Bipèdes à vive allure ; elle grimpa la pente en quelques bonds pour rejoindre son frère.

« Que se passe-t-il ?

— Tu le vois bien. » Plume de Faucon tapota Poil de Châtaigne du bout de la queue. « J'ai attrapé une intruse. Je l'amène à Étoile du Léopard.

— Elle ne l'a pas fait exprès », implora Nuage de Feuille, soudain pleine d'espoir. Elle s'adressa à la chatte dorée. « Elle pourchassait un écureuil – un des nôtres – et elle a franchi la frontière sans s'en apercevoir. »

Le regard de Papillon passait de son frère à Nuage de Feuille.

« Laisse-la partir, miaula-t-elle. Ce n'est pas important. Elle n'a rien attrapé. En l'emmenant à notre chef, tu risques de déclencher une guerre entre nos deux Clans. »

Plume de Faucon toisa sa sœur avec froideur.

« Pourquoi serait-ce une si mauvaise chose ? Tout le monde sait que le Clan du Tonnerre a des ennuis. C'est l'occasion ou jamais d'étendre notre territoire. »

Nuage de Feuille en eut le souffle coupé.

Papillon soutint le regard de son frère.

« Ne fais pas ta cervelle de souris, cracha-t-elle. Rappelle-toi qu'Étoile du Léopard a une dette envers Étoile de Feu. Il lui a rendu son Clan alors qu'Étoile du Tigre en avait pris le contrôle. Elle ne partira jamais en guerre contre lui.

— Elle le fera pour une bonne raison, rétorqua Plume de Faucon. L'important, ce ne sont pas les dettes du passé, mais le code du guerrier. Les frontières entre les Clans ne comptent pas pour du vent ! » Il inspira profondément avant de poursuivre dans un feulement : « Et toi, tiens ta langue, Papillon. N'oublie pas que tu parles sans doute au prochain lieutenant.

— Quoi ? fit Nuage de Feuille. Et Patte de Brume, alors ?

— Patte de Brume n'est qu'une lâche, grogna-t-il. Elle s'est enfuie.

— Personne ne l'a vue depuis hier, expliqua Papillon, l'air inquiet. Depuis qu'elle est partie inspecter la frontière près des Quatre Chênes. Nous ne savons pas ce qui lui est arrivé.

— Même si elle revient, elle ne sera plus lieutenant, poursuivit Plume de Faucon. Les lieutenants ne doivent pas s'éclipser quand bon leur semble. »

Tous les Clans étaient-ils touchés par ces étranges disparitions ? Un frisson glacé la transit jusqu'aux os. Cela ne pouvait pas être lié à la prophétie. Même si la première mission avait échoué, le Clan des Étoiles n'enverrait pas d'autres élus, encore et encore, vers un destin sans nom. D'une façon ou d'une autre, les Bipèdes et leurs monstres devaient en être responsables.

Elle ne dit rien de ses conclusions à Papillon et Plume de Faucon. À son grand soulagement, Poil de Châtaigne ne parla pas non plus de la disparition de Flocon de Neige et de Cœur Blanc. Mieux valait que le Clan de la Rivière ignore ce qui se passait au sein du Clan du Tonnerre. Inutile d'encourager Plume de Faucon dans ses sombres projets.

Finalement, ce fut Papillon qui rompit le silence.

« Plume de Faucon, tu es vraiment un imbécile, miaula-t-elle.

— De quoi tu parles ? gronda l'intéressé.

— Si tu veux anéantir le Clan du Tonnerre, tu ne t'y prends pas comme il faut.

— Parce que toi, tu sais comment faire ? railla-t-il.

— Oui, exactement », affirma-t-elle d'un ton froid.

Nuage de Feuille n'en croyait pas ses oreilles.

« Vas-y, éclaire-moi de tes lumières. »

Papillon se donna quelques coups de langue sur l'épaule avant de lâcher d'un ton léger :

« Sois bienveillant avec ses membres. Ils nous seront redevables et se tiendront tranquilles tout en s'affaiblissant peu à peu. Pourquoi risquer un combat et des blessures ? Laissons les Bipèdes faire le sale boulot à notre place. *Ensuite*, on annexera leur territoire. »

Pensif, Plume de Faucon plissa les yeux.

« Tu n'as peut-être pas tort, grommela-t-il. D'accord. » Il s'écarta pour libérer Poil de Châtaigne. « Partez d'ici, et ne revenez jamais. »

La guerrière écaille s'ébroua en le foudroyant du regard. Ensuite seulement, elle fit les quelques pas qui la séparaient de son propre territoire. Nuage de Feuille l'examina avec soin : à part quelques égratignures, Plume de Faucon ne lui avait guère fait de mal.

« Je rapporterai tes paroles à Étoile de Feu, déclara l'apprentie à Papillon, luttant pour garder un ton égal. Il réglera ça avec Étoile du Léopard lors de la prochaine Assemblée. »

Deux paires d'yeux, bleu glacé et ambrés, se tournèrent vers elle.

« Pas de problème, dis-lui tout, l'encouragea Plume de Faucon. Même s'il te croit, que pourra-t-il y faire ? Tu ne penses pas qu'Étoile du Léopard me soutiendra face à un membre du Clan du Tonnerre ? »

Poil de Châtaigne la poussa d'un petit coup de museau.

« Viens. Retournons au camp. »

Nuage de Feuille se détourna, la queue basse. Elle s'était prise d'affection pour Papillon et lui faisait confiance. Or il semblait bien que son amie l'avait trahie. Il était juste que Papillon soit avant tout loyale envers son Clan, mais jamais Nuage de Feuille ne l'aurait crue capable d'un tel raisonnement froid et calculateur.

Elle entendit soudain Papillon souffler son nom. Elle regarda dans sa direction : l'apprentie du Clan de la Rivière se tenait à la frontière. Plume de Faucon avait disparu.

« Nuage de Feuille ! répéta-t-elle en l'invitant à s'approcher d'un geste de la queue.

— Ignore-la, marmonna Poil de Châtaigne. Quand on a des amis de cette trempe, on se passe d'ennemis.

— Nuage de Feuille, je t'en prie... » La voix de Papillon se faisait implorante. « Laisse-moi t'expliquer. »

Nuage de Feuille hésita, puis retourna à contrecœur vers la frontière. Poil de Châtaigne marchait à son côté, les muscles tendus ; le regard dégoûté qu'elle lança à Papillon fit grimacer Nuage de Feuille.

« C'est tout ce que j'ai trouvé pour convaincre Plume de Faucon, expliqua-t-elle. Tu comprends ? Sinon, jamais il n'aurait laissé partir ton amie. »

Une vague de soulagement envahit Nuage de Feuille et lui réchauffa le cœur.

Les yeux de Papillon reflétaient sa propre joie lorsqu'elle poursuivit :

« Tu me crois, n'est-ce pas ? Nous sommes toujours amies ?

— Bien sûr. » Nuage de Feuille s'avança pour toucher la truffe de Papillon du bout du museau. Elle fit mine de ne pas entendre le reniflement sceptique de Poil de Châtaigne. « Merci. »

Derrière l'apprentie du Clan de la Rivière, au pied du talus, elle vit Plume de Faucon quitter le couvert d'un buisson et traverser le pont des Bipèdes d'une démarche bondissante. Elle frémit en repensant à son ambition démesurée.

« Papillon, murmura-t-elle, n'y tenant plus. Qui était ton père ? Étoile du Tigre ? »

Stupéfaite, Papillon écarquilla les yeux. Elle hésita un instant, puis :

« Oui », fit-elle dans un murmure.

CHAPITRE 22

❧

C'ÉTAIT DE LA FOLIE, de la folie pure. Ces mots résonnaient dans l'esprit de Pelage d'Orage, martelés au rythme de ses pas. Il laissa Pic et un autre garde-caverne le ramener dans la grotte, derrière la cascade. Ses compagnons le suivaient de près, escortés par d'autres gardes, tandis que Serre et les siens fermaient la marche. Une patrouille les avait repérés dès qu'ils avaient atteint la rivière. Pelage d'Orage se doutait qu'ils étaient désormais des prisonniers, non plus des invités, et s'inquiétait du sort que la Tribu leur réserverait. Serre et ses amis prenaient encore plus de risques, car on leur avait ordonné de ne pas revenir sans la dépouille de Long Croc.

Les premiers rayons lunaires scintillaient dans la caverne, à travers le mur d'eau. Bientôt, Long Croc partirait en chasse. La Tribu accepterait-elle d'écouter le plan de Nuage d'Écureuil ? Tout à coup, le guerrier gris sentit le parfum diffus de Rivière d'Argent lui caresser la truffe. Il jeta un coup d'œil à Jolie Plume, se demandant si elle le percevait aussi. Sa sœur se tenait juste derrière lui, l'air apeurée. Malgré le danger, ni elle ni les autres ne s'étaient dérobés lorsque les garde-cavernes avaient surgi en nombre des rochers, toujours aussi bien dissimulés grâce à leur camouflage de boue. Il se sentait indigne de ses amis fidèles, indigne de leur courage et de leur loyauté sans faille.

À l'évidence, Conteur avait déjà été prévenu de leur arrivée. Il les attendait au centre de la caverne principale. Malgré la couche de boue qui recouvrait sa fourrure, Pelage d'Orage voyait qu'une partie de son pelage avait été arrachée au cours du combat contre Long Croc, et une entaille sanglante lui barrait une oreille.

Le guerrier gris le rejoignit d'un pas décidé et déposa à ses pieds la proie qu'il avait portée pendant tout le trajet dans les montagnes : un lièvre dont la fourrure venait juste de virer au blanc pour affronter la mauvaise saison.

« Que voulez-vous ? » demanda Conteur d'un ton froid, le regard hostile. « Pourquoi être revenus ?

— Pour vous aider à vaincre Long Croc. »

Le cœur de Pelage d'Orage s'emballa lorsqu'il ne lut ni soulagement ni gratitude sur le visage du soigneur.

« Et que pensez-vous pouvoir faire, au juste ? »

Ses yeux balayèrent la caverne. Pelage d'Orage l'imita et vit les membres de la Tribu sortir de l'ombre, curieux, mais prudents. Comme Conteur, nombre d'entre eux affichaient des coupures sanguinolentes, d'autres boitaient. Pelage d'Orage chercha Source du regard, en vain.

« Long Croc a emporté Étoile, grogna Conteur. Bien des chats ont été blessés en tentant de le chasser. L'un d'eux a déjà succombé, et deux autres s'apprêtent à rejoindre la Tribu de la Chasse Éternelle. Tu ne nous as pas aidés. Tu t'es enfui. »

Son mépris frappa Pelage d'Orage avec la force d'un coup de griffes. Pis encore, des murmures d'approbation s'élevèrent autour de lui. Il entendit Nuage Noir cracher de colère, et pria pour que l'apprenti se tienne tranquille.

« Je ne croyais pas être le sauveur de votre prophétie, avoua-t-il. Et je n'appréciais guère d'être enfermé dans la Grotte aux Pointes Rocheuses. Mais depuis mon évasion, j'ai pris le temps de réfléchir… et je suis revenu de mon plein gré. Même si je ne suis pas celui qu'annonçaient vos ancêtres, je ferai de mon mieux pour vous aider.

— Comme nous tous », ajouta Griffe de Ronce, venu se placer près de Pelage d'Orage.

Le soigneur de la Tribu commença à se détendre. De nouveaux murmures résonnèrent dans la caverne : au moins une partie de l'assistance semblait approuver leur choix.

Soudain, la voix de Source retentit derrière lui :

« Pelage d'Orage ! Je savais que tu reviendrais. »

En se retournant, le guerrier gris la vit fendre la foule. Les yeux brillants de la chasse-proie et son ton chaleureux le firent frissonner.

« Nous ferions mieux de l'écouter, lança-t-elle à Conteur. La Tribu de la Chasse Éternelle nous l'a envoyé pour nous aider. Pour quelle autre raison serait-il revenu, après avoir vu ce dont Long Croc est capable ? »

Conteur paraissait las et désabusé. Pourtant, il hocha la tête.

« Très bien, dit-il. Que pouvez-vous faire que nous n'ayons déjà tenté ? Long Croc a décimé les meilleurs combattants de ma Tribu comme s'ils n'étaient que des chatons chétifs. »

Pelage d'Orage inclina les oreilles pour faire signe à Nuage d'Écureuil de s'avancer. Elle portait dans la gueule un paquet de feuilles.

« Montre à Conteur ce que tu as rapporté. » Il ajouta au creux de l'oreille de l'apprentie : « J'espère que tu n'en as pas avalé. »

La chatte laissa tomber les feuilles.

« Je ne suis pas une cervelle de souris ! » marmonna-t-elle, indignée.

Pelage d'Orage fit de nouveau face à Conteur, une patte sur le lièvre.

« Cette proie est pour Long Croc, expliqua-t-il au soigneur. À l'intérieur, nous placerons ceci. »

Il écarta délicatement les feuilles pour révéler un petit tas de baies rouges luisantes.

Un chaton tapi près de sa mère au premier rang s'avança pour les renifler avec curiosité. Nuage d'Écureuil lui barra la route de sa queue et le repoussa vers sa mère.

« Pas touche, miaula-t-elle. Une seule de ces baies te donnerait le pire mal de ventre que tu aies jamais connu... à condition que tu y survives. »

Sans mot dire, le chaton la contempla, les yeux écarquillés.

Conteur examina les petites boules rouges puis recula d'un pas en crachant :

« Des graines de nuit ?

— Tu les connais ? s'enquit Pelage d'Orage.

Dans nos Clans, nous les appelons des baies empoisonnées.

— Je connais toutes les herbes et les baies qui poussent dans ces montagnes », répondit Conteur. L'espace d'un instant, une lueur d'intérêt éclaira son regard ; puis il baissa la tête et reprit d'une voix abattue : « Malheureusement, ces connaissances ne m'aident pas à protéger ma Tribu. Long Croc est trop résistant. Vos baies n'en viendront pas à bout.

— Il n'en faut que trois pour tuer le plus fort des guerriers, rétorqua Nuage d'Écureuil avec morgue. À mon avis, nous en avons assez, même pour empoisonner Long Croc.

— Tu en es certaine ?

— Si cela ne le tue pas, ajouta Pelage d'Orage, il sera affaibli et nous pourrons l'achever. »

Conteur ne semblait toujours pas convaincu. Ses épaules étaient basses comme si le poids des montagnes reposait sur elles.

Soudain, les membres de la Tribu s'agitèrent, avec des murmures qui devinrent bientôt des cris furieux. Serre tentait de se frayer un passage jusqu'à Conteur ; à cause de la pénombre, la Tribu venait seulement de remarquer le retour des exilés.

Serre resta immobile tandis que ses anciens camarades l'invectivaient.

« Tu étais censé tuer Long Croc !

— Tu as manqué à ton devoir envers la Tribu !

— Conteur, il te désobéit en revenant ici ! Tue-le ! »

D'instinct, les chats des Clans se massèrent autour de Serre, prêts à le défendre. Nuage Noir gonfla sa fourrure et Pelage d'Or sortit ses griffes.

Même la douce Jolie Plume balançait sa queue d'un côté et de l'autre avec violence. Pelage d'Orage se sentait aussi fier de ses guerriers qu'un chef de Clan avant une bataille.

Conteur demanda le silence d'un mouvement de la queue, mais il fallut attendre un moment avant que la clameur retombe.

« Eh bien ? feula le soigneur. J'espère que vous avez de bonnes raisons de revenir parmi nous.

— La meilleure des raisons, répondit Serre. Vous tous, vous pouvez me tuer si vous le souhaitez, mais cela ne vous rendra pas plus forts face à Long Croc. L'ennemi est à l'extérieur de la caverne, non à l'intérieur. Le chat au pelage d'argent est venu ; il est temps de croire en la prophétie de la Tribu de la Chasse Éternelle. Si nous échouons, alors vous pourrez nous tuer. »

Le silence se fit parmi les chats couverts de boue. Leur hostilité s'était muée en incertitude. Pelage d'Orage se détendit.

« Nous ne pouvons tuer la bête dans son repaire, puisque nous ignorons où elle vit, poursuivit Serre. Nous devrons donc l'attirer ici pour qu'elle y meure.

— Ici ? s'exclama Source, dont la voix se mêlait au chœur de protestations. Dans notre grotte ? »

Pelage d'Orage posa le bout de sa queue sur l'épaule de la chasse-proie. Elle devait lui faire confiance, même si leur plan semblait terriblement dangereux.

« Oui, ici, répéta Serre. C'est l'endroit que nous connaissons le mieux, où nous pouvons nous cacher et où la Tribu dans son ensemble peut tendre une embuscade à Long Croc pour le coup de grâce.

— Et comment comptes-tu l'attirer ici ? s'enquit Conteur d'un ton froid.

— Avec du sang. »

Serre leva l'une de ses énormes pattes et l'entailla d'un coup de dents ; une pluie de gouttelettes écarlates éclaboussa le sol. Puis le matou leva la tête et poussa un cri féroce qui retentit dans la caverne, plus fort encore que le grondement de la cascade. Il fit volte-face, puis disparut derrière le mur d'eau, Roc et Mésange sur ses talons.

Après leur départ, un silence étrange régna dans la grotte. Pelage d'Orage poussa un long soupir. L'exécution du plan avait commencé. La piste sanglante serait bientôt tracée.

Griffe de Ronce fut le premier à prendre la parole.

« Nuage d'Écureuil et Pelage d'Orage, à vous d'empoisonner le lièvre. Prenez garde à ne pas vous tacher la fourrure avec le jus des baies. Dans le cas contraire, lavez-vous immédiatement.

— Oui, ô grand guérisseur », se moqua Nuage d'Écureuil, les yeux pétillants. « On sait ce qu'on doit faire ! »

Ensuite, Pelage d'Orage écouta Griffe de Ronce et Pelage d'Or discuter du meilleur endroit où déposer le lièvre. Conteur donnait des ordres à ses garde-cavernes et renvoyait les chatons et les porteuses à la pouponnière. Des gardes furent placés à l'entrée du tunnel, tandis que les autres combattants et les chasse-proies se postaient parmi les pierres tout autour de la caverne, d'où ils pourraient sauter sur le dos de Long Croc. Leur fourrure striée de boue se fondait si bien aux parois que Pelage d'Orage avait du mal à voir où ils s'étaient cachés.

La terreur grandissait en lui. Il avait l'impression qu'une chose terrible allait se produire. Mais pourquoi, si c'était là ce que la Tribu de la Chasse Éternelle attendait de lui ? Il huma l'air, mais ne perçut pas la moindre trace de Rivière d'Argent, pas le moindre signe de sa présence rassurante.

« Ça va aller. » Jolie Plume vint presser son museau contre le sien. « Je sais que tu as peur, mais le Clan des Étoiles t'a lui aussi envoyé ici, puisque tu as rêvé de notre mère. Nous devons aller jusqu'au bout. »

Telle une ombre charbonneuse flottant près de Jolie Plume, Nuage Noir acquiesça en silence.

Le guerrier gris frémit ; une griffe glaciale lui déchira le cœur. Quelque chose n'allait pas, il le savait. Un élément leur avait échappé, un élément qu'ils n'avaient pas prévu. Il chercha des yeux Griffe de Ronce pour partager ses craintes avec lui et l'aperçut qui traînait le lièvre sur le sol pour aller le déposer à quelques longueurs de queue de la cascade. Pelage d'Or l'observait, évaluant la distance entre l'appât et l'entrée, tandis que Nuage d'Écureuil donnait des indications en remuant la queue.

Pelage d'Orage les rejoignit. Il n'eut pas le temps de parler : un cri perçant déchira le mur d'eau. Serre, Roc et Mésange se ruèrent à l'intérieur de la caverne.

« Long Croc ! hoqueta Mésange.

— Il est là ! hurla Roc. Il arrive ! »

CHAPITRE 23

Pelage d'Orage se figea. *On n'est pas prêts !*

Les trois félins foncèrent se percher en haut des parois, tandis que les chats de la Tribu qui n'avaient pas encore pris position filaient s'embusquer dans la Grotte aux Pointes Rocheuses. Pelage d'Orage et ses amis se retrouvèrent seuls au milieu de la caverne, le regard éperdu, ne sachant que faire.

Cet instant d'hésitation leur fut fatal. Un feulement féroce couvrit le vacarme de la cataracte. Une ombre apparut dans l'entrée, nimbée par le clair de lune. Puis Long Croc bondit à l'intérieur.

Tout comme la Tribu l'avait décrit, il ressemblait au lion des contes des anciens, mais sans crinière de flammes autour de sa tête. Ses muscles souples roulaient sous son pelage au poil court, et sa tête dorée, énorme, suivait au sol les traces de sang laissées par Serre. Il trouva le lièvre… et l'écarta d'un coup de patte.

« Non ! » hurla Nuage d'Écureuil.

Alertée par ce cri, la bête tourna la tête et agita ses oreilles arrondies, couvertes d'une épaisse fourrure.

« Attention ! feula Griffe de Ronce. Vous tous, cachez-vous ! »

Il bondit vers le fauve, le griffa férocement et roula sur le côté avant que Long Croc ait pu l'attaquer. Pelage d'Orage vit Nuage d'Écureuil surgir depuis l'autre côté et se propulser sur le dos de la bête, plantant ses crocs à la base de sa queue.

« Nuage d'Écureuil ! rugit Griffe de Ronce. Par le Clan des Étoiles, qu'est-ce que tu fiches ? »

Tandis que le fauve se tortillait pour la déloger, l'apprentie bondit au sol et détala vers les rocs au pied des parois de la caverne. Poussant un cri de fureur, Long Croc se lança à sa poursuite, mais, plus rapide que lui, elle grimpa hors de sa portée, sur une saillie rocheuse. De là-haut, elle cracha furieusement, son pelage roux sombre gonflé comme jamais.

Pelage d'Orage s'enfuit dans l'autre direction, puis suivit Jolie Plume le long d'une série de fissures qui les menèrent jusqu'à une petite corniche juste sous le plafond. Tapi près de sa sœur dans cet espace réduit, il contempla la scène en contrebas.

Les chats des montagnes restaient au fond de leurs cachettes, paralysés par la peur. Griffe de Ronce s'était lui aussi mis à l'abri, sur une autre corniche, juste au-dessous de Nuage d'Écureuil. Il montrait les crocs, l'air aussi féroce que l'énorme bête. Pelage d'Orage n'entendait pas ce qu'il disait à l'apprentie, mais il le devinait sans peine.

Le guerrier gris paniqua en cherchant des yeux Pelage d'Or, puis la repéra qui sortait la tête d'une crevasse à mi-hauteur, près de l'entrée. Ne manquait

que Nuage Noir. Soudain, il sentit Jolie Plume se
raidir à côté de lui. Elle murmura :

« Oh non ! »

Long Croc escaladait la paroi, presque juste au-
dessous d'eux. Pelage d'Orage aperçut un instant ses
yeux, d'une noirceur terrifiante, puis le fauve
retroussa les babines pour révéler d'effroyables
crocs baveux. Nuage Noir laissa échapper un cri
terrifié : coincé dans une fissure au niveau du sol,
trop peu profonde pour l'abriter, il essayait désespérément de se presser contre la roche pour échapper aux griffes mortelles.

Pelage d'Orage sentit son estomac se retourner.
Tout allait de travers. Long Croc avait ignoré
l'appât, préférant s'en prendre aux félins. Il aurait
bientôt attrapé Nuage Noir, et la mission du Clan
des Étoiles serait compromise. Comment les quatre
Clans pouvaient-ils ne devenir qu'un si l'apprenti
du Clan du Vent mourait ? Pelage d'Orage se mau-
dit. Il était impuissant, parce qu'il n'était pas le
sauveur annoncé par la Tribu de la Chasse Éternelle. Sa fierté stupide l'avait aveuglé.

Jolie Plume gémit près de lui :

« Nuage Noir. » Elle regarda longuement Pelage
d'Orage, les yeux emplis d'amour et de tristesse.
« J'entends les voix, maintenant, chuchota-t-elle.
C'est à moi de jouer. »

Puis Pelage d'Orage la sentit bander ses muscles.
Avant qu'il comprenne ce qu'elle faisait, elle bondit… non pas vers le sol, mais vers le plafond, plantant ses griffes dans une des pointes rocheuses les
plus effilées, avec un crissement qui fit frissonner
Pelage d'Orage.

« Non ! » hurla-t-il.

Jolie Plume poussa un cri effroyable. Emportée par le poids de la guerrière, la roche céda et la pointe se détacha du plafond, piquant droit sur Long Croc. Le fauve leva la tête. Son grognement guttural se changea en plainte lorsque l'épine rocheuse le transperça de part en part. Il s'effondra, pris de convulsions. Jolie Plume roula près de lui.

Glissant sur la roche, Pelage d'Orage se rua vers elle, ignorant la douleur de ses griffes arrachées dans la descente. Jolie Plume gisait à terre, inerte, les yeux clos. Long Croc frémissait encore. Tandis que Pelage d'Orage s'arrêtait près de lui, le fauve fut secoué par un dernier soubresaut, puis mourut.

« Jolie Plume ? » murmura Pelage d'Orage.

Du coin de l'œil, il vit Nuage Noir s'extraire de sa fissure pour venir se tapir près de lui.

« Jolie Plume ? répéta l'apprenti du Clan du Vent, au désespoir. Jolie Plume, réponds ! »

Elle ne bougea pas. Son frère leva la tête et constata que leurs compagnons de la forêt s'étaient approchés, ainsi que des membres de la Tribu qui, malgré leur peur, avaient quitté leurs cachettes. Il reporta son attention sur sa sœur et vit ses flancs se soulever faiblement, signe qu'elle respirait toujours.

« Elle va s'en sortir. » Sa voix se brisa. « Forcément. Elle… elle a une prophétie à accomplir. »

Nuage Noir rampa jusqu'à ce que sa truffe touche la fourrure de Jolie Plume. Il s'emplit de son odeur, puis commença à lui donner de tendres coups de langue. Le sang qui s'échappait d'une coupure sur l'épaule de l'apprenti macula la fourrure de la guerrière.

« Réveille-toi, Jolie Plume, souffla-t-il. Je t'en prie, réveille-toi. »

Aucune réponse. Un parfum douloureusement familier enveloppa soudain Pelage d'Orage.

« Rivière d'Argent ? » murmura-t-il, la tête levée.

Près de l'entrée de la grotte, où les rayons de la lune filtraient à travers la cascade, il crut discerner une silhouette au pelage argenté, à peine plus qu'un reflet de lumière, mais la voix triste résonna clairement dans sa tête :

« Oh, Jolie Plume ! »

Tout à coup, Nuage Noir hoqueta. Pelage d'Orage s'arracha à sa vision et s'aperçut que sa sœur avait ouvert les yeux. Il prononça son nom en tremblant. Elle tourna la tête, cilla.

« Mon frère, il te faudra rentrer seul, murmura-t-elle. Sauve le Clan ! »

Son regard se posa sur Nuage Noir ; Pelage d'Orage y vit briller tout l'amour du monde, un amour plus fort que tout, au-delà des Clans.

« Tu crois avoir neuf vies, pas vrai ? Je t'ai sauvé arrange-toi pour que ce soit la dernière...

— Jolie Plume... Jolie Plume, non ! » Nuage Noir arrivait à peine à parler. « Ne me quitte pas.

— Ne t'inquiète pas. » Son murmure était à peine audible à présent. « Je serai toujours près de toi. Promis. »

Puis elle ferma les yeux, et ne parla plus.

Nuage Noir rejeta la tête en arrière et poussa une longue plainte. Pelage d'Orage baissa les yeux, hébété par le chagrin. Tout autour de lui, les voix de ses amis s'élevèrent en un chœur endeuillé.

Nuage d'Écureuil se blottit contre Griffe de Ronce et chuchota :

« Je n'arrive pas à croire qu'elle est morte, c'est impossible ! »

Le guerrier tacheté se pencha pour lui donner un coup de langue sur l'oreille. Près d'eux, Pelage d'Or contemplait Jolie Plume, l'air dévastée.

Les membres de la Tribu se mirent à échanger des chuchotements. Quelque part au fond de la caverne, un cri de liesse retentit.

« Long Croc est mort ! Nous sommes libres ! »

Pelage d'Orage se crispa. Le prix à payer était bien trop élevé. Il tourna la tête vers la cascade, où la vague silhouette argentée se découpait toujours au clair de lune.

La voix de Rivière d'Argent lui parvint malgré le grondement de l'eau.

« Mon fils chéri, essaye de ne pas la pleurer trop longtemps. Jolie Plume chassera avec le Clan des Étoiles, désormais. Je prendrai soin d'elle.

— Nous aussi, nous prenions soin d'elle », répondit-il, amer.

Avant de se rendre compte qu'il mentait. Ils avaient échoué. Sinon, elle ne serait pas couchée là, morte, sa fourrure gris perle luisant au clair de lune.

« C'est elle, le sauveur au pelage d'argent, murmura Source. Elle est bel et bien venue.

— Non, grogna Pelage d'Orage. C'est moi qui l'ai conduite ici. »

Nuage Noir tourna la tête, le regard vide.

« C'est ma faute. » Sa voix n'était qu'un murmure rauque. « Si j'avais refusé de revenir à la caverne, elle serait restée avec moi.

— Non... » souffla Pelage d'Orage en tendant la patte, mais l'apprenti avait baissé la tête.

Une douce voix l'appela. Source s'était approchée de lui, Conteur sur les talons. D'un geste timide, elle toucha du bout de la truffe le museau de Pelage d'Orage.

« Je suis désolée, murmura-t-elle. Sincèrement.

— La Tribu de la Chasse Éternelle avait dit vrai, miaula Conteur. Un chat au pelage d'argent nous a tous sauvés. »

Mais ce n'était pas moi, pensa Pelage d'Orage. *Hélas.*

Il se détourna, laissant Nuage Noir près de Jolie Plume, la truffe enfouie dans la fourrure de sa sœur, et regarda le mur d'eau. L'espace d'un instant, il crut voir côte à côte deux silhouettes argentées scintiller dans la pénombre, qui veillaient sur les survivants éplorés des élus du Clan des Étoiles.

Il cilla... et elles disparurent.

CHAPITRE 24

« **N**ON ! AIDEZ-LES », gémit Nuage de Feuille dans une plainte déchirante.

Elle se réveilla en sursaut et constata qu'elle était dans son nid, devant l'antre de Museau Cendré. La lumière du petit matin était pâle et froide. Les grognements des monstres entendus en songe semblaient s'être échappés de sa tête et résonnaient maintenant près du camp. Leur puanteur imprégnait l'air.

Nuage de Feuille frémit. Elle se roula en boule et s'enfonça un peu plus profondément dans la litière de mousse, cherchant un peu de réconfort dans sa chaleur. Des bribes de rêve embrumaient son esprit. Dans son cauchemar, elle se trouvait près du Chemin du Tonnerre et observait les monstres des Bipèdes qui traversaient la forêt en rugissant, broyant des chats sous leurs énormes pattes noires. Le sang avait coulé telle une rivière au pied des arbres. Petite Feuille s'était tenue près d'elle ; au comble du désespoir, l'apprentie s'était tournée vers elle pour l'implorer : « Sauve-les ! Je t'en prie ! Pourquoi ne les aides-tu pas ? »

Petite Feuille avait contemplé l'hécatombe d'un air triste, puis elle avait murmuré :

« Le Clan des Étoiles ne peut rien faire de plus. Je suis vraiment désolée. »

Elle avait disparu, et Nuage de Feuille s'était réveillée.

Elle se dressa sur ses pattes et, d'une démarche chancelante, gagna l'antre de Museau Cendré. La guérisseuse n'était pas là. En voyant sa litière vide au fond de la crevasse, Nuage de Feuille se demanda si une urgence l'avait appelée au loin, s'ils devraient affronter un nouveau désastre. Elle laissa échapper un gémissement, puis se reprit, honteuse. Quoi que leur réserve l'avenir, même si les guerriers de jadis étaient impuissants, elle continuerait à aider son Clan jusqu'au bout.

Un bruissement de feuilles la fit se retourner : Museau Cendré se faufilait dans le tunnel de fougères. La queue de la guérisseuse traînait au sol. Elle essaya de feindre la bonne humeur en voyant son apprentie, mais celle-ci ne fut pas dupe.

« Que s'est-il passé ? s'enquit Nuage de Feuille, qui s'attendait au pire.

— Je viens d'aller voir Pelage de Givre. Ne fais pas cette tête, elle n'est pas morte. En fait, elle va un peu mieux. Je suis presque sûre qu'elle n'a pas attrapé le mal vert.

— Tant mieux », souffla Nuage de Feuille. Cependant, défaitiste, elle ne put s'empêcher d'ajouter : « C'est la faim, pas le mal vert, qui sera notre véritable ennemi pendant la mauvaise saison. »

Museau Cendré hocha la tête en soupirant.

« Et si j'essayais d'attraper quelque chose pour

Pelage de Givre ? proposa Nuage de Feuille. Je pourrais me joindre à une patrouille de chasse, à moins que tu veuilles d'autres herbes.

— Non, nous avons assez de réserves, maintenant. C'est une bonne idée, Nuage de Feuille... même si je ne suis pas sûre que tu trouves grand-chose. »

La novice ne discuta pas et traversa les fougères pour gagner la grande clairière. Elle crut un instant avoir retrouvé le camp tel qu'il était jadis. Tempête de Sable et Perle de Pluie venaient de sortir du tunnel d'ajoncs, portant tous deux du gibier dans la gueule. Nuage d'Araignée et Nuage de Musaraigne étaient étendus au soleil, devant la tanière des apprentis, pendant que Pelage de Poussière et Fleur de Bruyère faisaient leur toilette à l'entrée de la pouponnière. Étoile de Feu et Poil de Fougère s'entretenaient au pied du Promontoire.

Puis Nuage de Feuille contempla le camp tel qu'il était vraiment : son père et Poil de Fougère sem-blaient soucieux ; les deux apprentis restaient affalés, au lieu de se bagarrer joyeusement comme avant ; la réserve de gibier, où sa mère et Perle de Pluie déposèrent leurs prises, était bien maigre. En passant devant la pouponnière, la novice vit Pelage de Poussière pousser une souris vers Fleur de Bruyère. L'apparence de la reine horrifia Nuage de Feuille : squelettique, ses os saillaient sous sa four-rure sans éclat.

« Tu dois manger, miaula Pelage de Poussière. Petit Laurier et Petit Frêne ont toujours besoin de toi. »

La puanteur des monstres flottait au-dessus de la clairière, et leurs rugissements semblaient plus retentissants que jamais. Soudain, Nuage de Feuille eut une vision des horribles monstres détruisant les haies d'épineux qui ceignaient leur camp, le soleil se reflétant sur leur robe brillante tandis qu'ils broyaient le Clan terrifié. Elle cilla pour chasser ces images de son esprit. Elle ne pouvait empêcher les Bipèdes de faire ce qu'ils voulaient, mais elle pouvait accomplir un minimum pour aider son Clan affamé.

Elle se dirigeait vers Étoile de Feu et Poil de Fougère, quand elle se rappela sa rencontre de la veille avec Plume de Faucon. Elle n'avait encore parlé à personne des plans du guerrier pour s'emparer du territoire du Clan du Tonnerre, et elle avait demandé à Poil de Châtaigne de faire de même. Elle ne savait comment aborder la question avec son père, sachant que cela ne ferait qu'alourdir le fardeau qui pesait déjà sur ses épaules. Comment lui révéler que son pire ennemi, Étoile du Tigre, survivait à travers son fils, Plume de Faucon, dans un Clan que ne ravageaient ni la faim ni les monstres des Bipèdes ? Elle voulait prendre le temps de trouver les mots justes.

En s'approchant du chef, elle l'entendit dire à Poil de Fougère :

« Tu pourrais essayer d'emmener une patrouille de chasseurs près du territoire des Bipèdes, aussi loin que possible des monstres. »

Le cri déchirant d'un chat à l'agonie l'interrompit. Nuage de Feuille fit volte-face : Plume Grise et Poil de Souris émergèrent du tunnel d'ajoncs.

Plume Grise semblait préoccupé, et Poil de Souris boitait horriblement – l'une de ses pattes avant pendait, toute molle. Son pelage brun était hérissé comme si elle sortait d'un combat, pourtant Nuage de Feuille ne vit ni ne sentit aucune trace de sang.

Étoile de Feu rejoignit la guerrière blessée d'un bond, imité par Nuage de Feuille.

« Que s'est-il passé ? voulut savoir le chef. Qui t'a fait ça ? »

Poil de Souris souffrait trop pour répondre. Les dents serrées, elle émit un petit râle de douleur.

« Les Bipèdes, cracha Plume Grise, l'air terrifié. Nous nous sommes trop approchés des monstres, et l'un d'eux l'a attrapée. »

Étoile de Feu parut stupéfait.

« Viens voir Museau Cendré », conseilla Nuage de Feuille à la blessée avant que les questions de son père ne la retardent davantage.

Elle l'accompagna jusqu'à la tanière de la guérisseuse. La guerrière souffrait tant que son regard était vitreux, mais elle avança courageusement. L'effort déployé pour revenir au camp l'avait manifestement épuisée. Nuage de Feuille s'approcha d'elle pour la soutenir de son mieux.

Derrière elles, Plume Grise marchait au côté d'Étoile de Feu.

« D'habitude, les Bipèdes restent dans le ventre de leurs monstres, miaula le guerrier gris. Mais aujourd'hui, ils grouillent partout… Le Clan des Étoiles seul sait pourquoi. L'un d'eux a crié sur Poil de Souris, alors elle s'est mise à courir… droit dans les pattes d'un autre.

— C'est incompréhensible, répondit Étoile de

Feu, stupéfait. Les Bipèdes nous ont toujours ignorés.

— Plus maintenant, miaula Plume Grise, la mine sombre.

— Au moins, je lui ai laissé quelques griffures en souvenir », articula la blessée malgré la douleur.

Nuage de Feuille courut prévenir Museau Cendré. Assise devant l'entrée de sa tanière, les yeux au ciel, la guérisseuse semblait chercher un message du Clan des Étoiles dans la course des nuages.

« C'est Poil de Souris… elle est blessée ! » lança Nuage de Feuille.

Museau Cendré bondit sur ses pattes.

« Oh, par le Clan des Étoiles ! s'exclama-t-elle. Cela ne s'arrêtera donc jamais ? » Elle ferma les yeux, comme anéantie. Pourtant, sa voix était aussi calme que jamais lorsqu'elle reprit : « Viens t'allonger là, je vais regarder ça. »

Poil de Souris s'étendit devant la fissure. Museau Cendré fit passer sa truffe le long de la patte blessée et flaira soigneusement l'épaule.

« Elle est déboîtée, déclara-t-elle enfin. Réjouis-toi, Poil de Souris. Je peux la remettre en place, mais ça va faire mal. Nuage de Feuille, va me chercher des graines de pavot. »

L'apprentie obéit aussitôt, et Poil de Souris avala le remède sans broncher. En attendant que les graines fassent effet et apaisent la douleur de la chatte, Nuage de Feuille écouta la conversation de son père et de Plume Grise.

« Je vais devoir interdire à tout le Clan de s'approcher des Bipèdes, miaula Étoile de Feu. Bientôt, nous ne serons plus à l'abri nulle part sauf dans le camp. Certains ont déjà peur de partir en patrouille.

— Ce n'est pas encore la fin, rétorqua Plume Grise d'un air entêté. Le Clan des Étoiles ne le permettra pas. »

Étoile de Feu secoua la tête et repartit vers la clairière principale. Plume Grise lança un regard inquiet à Poil de Souris, avant de le suivre dans le tunnel de fougères.

« Bien, approche, Nuage de Feuille », miaula Museau Cendré. La guerrière commençait à sombrer dans le sommeil, ses paupières se fermaient. « Allons-y. Pose tes pattes là, indiqua-t-elle en désignant la patte avant valide de la blessée. « Tiens-la bien pendant que je manipule son épaule. Je n'ai pas envie de me faire griffer à mort. Et regarde bien ce que je fais. C'est la première fois que tu as l'occasion d'apprendre comment on remet une articulation en place. »

Nuage de Feuille prit la position indiquée par son mentor, pendant que Museau Cendré saisissait fermement le membre blessé entre ses dents, une patte plaquée contre l'épaule de Poil de Souris. Puis elle tira. Nuage de Feuille entendit un claquement sec et la guerrière sursauta avec un cri de fureur.

« Parfait », marmonna Museau Cendré.

Elle examina de nouveau l'articulation de Poil de Souris, qui était retombée au sol en tremblant de tous ses membres.

« C'est bien, miaula la guérisseuse en poussant la chatte brune du museau. Lève-toi et essaye de faire porter ton poids sur ta patte. »

Poil de Souris fit une première tentative ; elle tituba – sans doute sous l'effet conjugué de la fatigue et des graines de pavot. Malgré tout, la guerrière resta debout.

« Tu ferais mieux d'aller dormir. » Museau Cendré guida la guerrière vers les fougères qui bordaient la clairière. « Je viendrai te voir à ton réveil, mais à mon avis, tu n'auras plus besoin de moi. » Elle se retourna vers son apprentie : « Tu t'en es très bien sortie. Si tu veux partir chasser, vas-y, je me débrouillerai.

— Tu es certaine que ça ira ? insista Nuage de Feuille.

— Il n'y a rien d'autre à faire. Nous sommes désarmés, ajouta-t-elle à voix basse. Le Clan des Étoiles reste silencieux. »

Sa détresse horrifia Nuage de Feuille. Au milieu du chaos causé par les Bipèdes, elle avait toujours cru que la foi de Museau Cendré resterait inébranlable. Pis encore, elle ne pouvait rien dire à son mentor pour la réconforter, puisque Petite Feuille elle-même avait reconnu que le Clan des Étoiles était aussi impuissant que les chats de la forêt.

« Je ne vais pas aller chasser, déclara-t-elle d'un ton ferme. Je vais découvrir ce qui est arrivé à nos disparus.

— Comment ? fit Museau Cendré, interloquée.

— Tu ne comprends pas ? Si Poil de Souris ne s'était pas débattue, le Bipède l'aurait emmenée. On n'aurait jamais su ce qui s'était passé… Comme pour Flocon de Neige et Cœur Blanc. »

La guérisseuse hocha doucement la tête.

« Oui, tu as sans doute raison. Mais, Nuage de Feuille... et si tu ne revenais pas non plus ? »

L'apprentie la regarda dans les yeux, regrettant presque de lui avoir révélé son plan. Et si elle refusait de la laisser partir ?

« C'est le seul indice que nous ayons à propos des disparitions, miaula-t-elle. Nous devons essayer de découvrir la vérité. »

À son grand soulagement, après un instant d'hésitation, Museau Cendré acquiesça.

« Très bien. Mais sois prudente. Et emmène un guerrier avec toi. » À peine l'apprentie s'était-elle détournée que son mentor ajouta : « Tu es courageuse, Nuage de Feuille. N'oublie pas que le Clan ne peut se permettre de te perdre. »

La jeune chatte s'inclina, embarrassée par ces louanges, et se glissa dans les fougères. Une fois de retour dans la clairière, elle sentit que l'humeur du Clan avait changé. Les nouvelles de l'attaque de Poil de Souris s'étaient à l'évidence répandues. L'atmosphère était lourde de peur et de désolation. Nuage de Feuille aurait voulu bondir sur le Promontoire et interpeller ses camarades pour les inciter à ne pas se laisser abattre, à garder confiance. Mais qui écouterait une apprentie ? Et quels mots pourraient les convaincre ?

Elle inspira un grand coup et se décida. Il était temps de confier à Étoile de Feu tout ce qu'elle savait à propos des élus du Clan des Étoiles. Même si elle ignorait où ils se trouvaient à présent, et s'ils rentreraient un jour, ces informations pourraient peut-être convaincre ses camarades et leur chef que la destruction de la forêt ne laissait pas indifférent le Clan des Étoiles. Elle lui parlerait également de Plume de Faucon et de ses vues sur le territoire du Clan du Tonnerre. Elle en avait assez, des secrets ; quel soulagement de se débarrasser du fardeau qu'elle portait depuis si longtemps. Et tant pis si son père se mettait en colère !

Mais elle allait d'abord partir à la recherche des disparus car Étoile de Feu était susceptible de la punir en la confinant au camp. Elle se hâta de rejoindre l'entrée du gîte des guerriers et lança :

« Poil de Châtaigne ! »

Son amie passa la tête à travers les branches.

L'apprentie se rappela le jour où elle lui avait demandé de l'accompagner jusqu'au Clan du Vent. À l'époque, il y avait encore un espoir. Poil de Châtaigne était toujours animée, pleine de vie, impatiente de passer à l'action. Aujourd'hui, son pelage écaille-de-tortue était terne et ses yeux la fixaient d'un air morne.

« Je veux que tu m'accompagnes », lança Nuage de Feuille, avant d'expliquer son projet.

Soulagée, elle vit s'éclairer le regard de son amie.

« D'accord. C'est mieux que de se traîner dans le camp toute la journée sans rien faire. Allons-y. »

Elle se faufila hors de la tanière et les deux chattes se dirigèrent vers le tunnel d'ajoncs.

Nuage de Feuille suivit les odeurs de Plume Grise et de Poil de Souris jusqu'à la section de la forêt ravagée par les monstres des Bipèdes. Elle y était déjà venue la veille, lorsque Poil de Châtaigne et elle avaient vu le monstre déraciner l'arbre, mais elle s'étonna de constater à quel point les ravages s'étaient étendus en si peu de temps. La terre avait été retournée et n'était plus qu'une vaste surface de boue ; des monstres se tenaient tapis ici et là, lorsqu'ils ne traversaient pas la zone à une allure horriblement lente, comme s'ils traquaient une proie.

Des nids de Bipèdes avaient surgi du sol, construits à la va-vite avec des rondins de bois et non les pierres dures et rouges qu'on voyait sur leur territoire. Les chattes se cachèrent derrière l'un d'eux pour observer le va-et-vient des Bipèdes. Poil de Châtaigne frissonnait, des effluves de peur émanaient de tout son corps. Nuage de Feuille était tout aussi terrifiée, mais il était hors de question qu'elle fasse demi-tour maintenant, alors qu'elle était si près de découvrir ce qui était arrivé à Flocon de Neige et Cœur Blanc.

« Qu'est-ce que c'est que ça ? » murmura-t-elle à l'oreille de Poil de Châtaigne.

Elle tendit la queue vers l'un des rares arbres survivants et le nid de Bipèdes miniature qu'on avait placé à son pied. Il était ouvert d'un côté et semblait bien trop petit pour qu'un Bipède puisse y entrer.

Poil de Châtaigne haussa les épaules.

« Chais pas. Un de leurs trucs…

— Je vais voir ça de plus près. »

Elle s'assura que la voie était libre, puis elle sortit à découvert. Derrière elle, Poil de Châtaigne miaula :

« Fais attention ! »

En s'approchant du nid, Nuage de Feuille perçut une odeur de nourriture qui ne ressemblait en rien à celle du gibier qu'elle connaissait. Néanmoins, l'eau lui monta à la bouche. Elle dut faire appel à toute sa volonté pour ne pas se ruer à l'intérieur et tout dévorer. Quoi que ce soit, c'étaient les Bipèdes qui l'avaient mis là, et qui disait *Bipèdes* disait *danger*.

Devant l'entrée de la petite niche, Nuage de Feuille cligna des yeux en flairant une autre odeur. Celle d'un chat, qui lui était familière, mais trop faible et trop ancienne pour qu'elle puisse l'identifier. En tout cas, ce n'était pas un membre du Clan du Tonnerre. Soudain, elle se souvint, et ses pattes frémirent d'excitation. Patte de Brume ! Le lieutenant du Clan de la Rivière était elle aussi passée par là !

Prudemment, Nuage de Feuille jeta un coup d'œil à l'intérieur. Le nid était vide, à l'exception d'une chose blanche et creuse où se trouvait la nourriture. Patte de Brume n'était plus là, et rien ne permettait à la novice de savoir où elle était partie.

L'odeur était de plus en plus entêtante. Lentement, pas à pas, l'apprentie se faufila dans le petit nid. La chose blanche contenait des petites boulettes marron qui ressemblaient à des crottes de lapin et qui, bizarrement, sentaient à la fois la nourriture et le Bipède. Elle se demanda s'il s'agissait là de la pâtée pour chats domestiques dont lui avait parlé Étoile de Feu. Les chats domestiques en mangeaient tous les jours sans problème, pas vrai ? Elle en prit une bouchée et frissonna en sentant les boulettes descendre dans son estomac vide. Puis elle réfléchit à un moyen d'en rapporter à Pelage de Givre.

« Nuage de Feuille ! Sors de là ! »

Un chœur de voix assourdissant sembla soudain hurler aux oreilles de Nuage de Feuille. Il y avait celle de Poil de Châtaigne, mais aussi bien d'autres qu'elle ne reconnaissait pas. Celle de Petite Feuille était la plus forte.

Tout en se tournant d'un bond, elle faillit s'étrangler. Dehors, Poil de Châtaigne la regardait, horrifiée. Puis l'ouverture du nid se referma, et Nuage de Feuille se retrouva dans le noir.

ÉPILOGUE

❧

Nuage d'Écureuil était prise au piège dans un espace sombre et réduit qui basculait violemment d'un côté puis de l'autre. Tout en luttant contre le tournis, elle ravala la bile qui lui montait dans la gorge et griffa avec frénésie les parois dures et lisses. Elle poussa alors un cri terrifié : « Nuage de Feuille ! » Puis elle ouvrit les yeux : elle se débattait dans un petit creux du sol.

« Qu'est-ce qui t'arrive ? À crier comme ça, tu vas effrayer toutes les proies des environs. »

Pelage d'Or se dressait au-dessus d'elle ; elle avait laissé tomber un campagnol tout frais et bien dodu pour pouvoir parler. Les cinq compagnons avaient quitté les montagnes la veille au soir et voyageaient à présent à travers la lande. Le soleil levant, qui leur montrait la direction à suivre, venait de poindre à l'horizon.

Nuage d'Écureuil s'extirpa de son nid et s'ébroua pour débarrasser son pelage de quelques brins d'herbe.

« Rien. Ce n'était qu'un rêve. »

Elle donna quelques coups de langue à la fourrure de son poitrail pour dissimuler à quel point elle était secouée. Sa sœur courait un terrible danger. Ce rêve lui avait fait ressentir sa terreur. Cependant, Nuage d'Écureuil devinait que Pelage d'Or, avec son esprit terre à terre, ne prendrait pas ses craintes au sérieux.

La curiosité de la guerrière semblait néanmoins un peu piquée.

« C'était un signe du Clan des Étoiles ? demanda-t-elle.

— Non. Je… j'avais l'impression d'être enfermée dans un endroit sombre. J'ignorais où j'étais et je ne pouvais pas m'échapper. »

L'air un peu emprunté, Pelage d'Or vint presser son museau contre le flanc de Nuage d'Écureuil.

« Je crois que nous faisons tous des mauvais rêves en ce moment, miaula-t-elle. Depuis que Jolie Plume… »

Nuage d'Écureuil hocha la tête. Elle aussi avait du mal à croire qu'ils ne reverraient plus jamais la guerrière du Clan de la Rivière. La Tribu les avait aidés à l'enterrer près du bassin, dans la terre humide et meuble.

« Elle occupe une place d'honneur, avait déclaré Conteur. Nous entretiendrons sa mémoire aussi longtemps que vivra notre Tribu. »

Ce qui n'avait guère réconforté les chats de la forêt. Nuage Noir, en particulier, était dévasté par le chagrin. Il avait passé toute la journée du lendemain étendu près de la tombe de Jolie Plume. Pelage d'Orage avait veillé avec lui, rongé par la culpabilité de n'avoir pu sauver sa sœur et de n'avoir même jamais imaginé que c'était peut-être elle, le sauveur. Trempé après sa chute dans la cascade, son pelage d'argent avait semblé noir lorsqu'elle s'était extirpée du bassin. Voilà pourquoi la Tribu n'avait jamais fait attention à elle. À la tombée de la nuit, Griffe de Ronce leur avait ordonné à tous deux d'aller se reposer dans la caverne.

« Nous partons à l'aube, avait annoncé le guerrier du Clan du Tonnerre. Vous devez reprendre des forces. Nos Clans ont besoin de nous. »

Le voyage avait repris. La Tribu les avait escortés une partie du trajet dans les montagnes, puis ils avaient gagné des terres plus hospitalières, couvertes d'herbe, où ils avaient pu chasser le hérisson. Pourtant, savoir qu'ils seraient bientôt chez eux ne leur apportait ni espoir ni réconfort. Leur cœur était resté auprès de Jolie Plume, au pays de la pierre et de l'eau.

Nuage d'Écureuil s'efforça d'oublier son cauchemar pour chasser avec ses compagnons. Ainsi, ils pourraient rapidement repartir et profiter au maximum des jours qui raccourcissaient de plus en plus. Même si personne n'avait d'appétit, tous se forcèrent à manger. À une ou deux reprises, Pelage d'Orage se surprit à chercher Jolie Plume du regard pour lui demander quelque chose, avant de se souvenir qu'il ne lui parlerait jamais plus.

Ce jour-là et le suivant, ils avancèrent jusqu'à ce que leurs coussinets se crevassent et saignent. Comme si les horreurs dont ils avaient été témoins les rendaient insensibles aux petites douleurs du quotidien. Le soleil se couchait de nouveau derrière eux lorsqu'ils atteignirent une crête. Leurs ombres portaient loin en avant, vers une colline au sommet irrégulier. Éclairée par le couchant, elle semblait brûler d'un feu écarlate.

« Regardez ! » lança Pelage d'Or d'une voix qui n'était guère plus qu'un murmure rauque.

Pendant quelques instants, personne ne parla. Puis les yeux verts de Nuage d'Écureuil luisirent d'un feu qu'ils croyaient tous éteint pour toujours depuis la mort de Jolie Plume.

« Les Hautes Pierres ! s'exclama-t-elle. On y est presque. »

Découvrez

LA DERNIÈRE PROPHÉTIE

LA GUERRE DES CLANS

Cycle II – Livre III

Aurore

Ouvrage composé par
PCA - 44400 Rezé

Cet ouvrage a été imprimé
en France par

BRODARD & TAUPIN

La Flèche (Sarthe), le 14-08-2014
N° d'impression : 3005923

Dépôt légal : mars 2012
Suite du premier tirage : août 2014

Pocket Jeunesse, une marque d'Univers Poche,
est un éditeur qui s'engage pour
la préservation de son environnement
et qui utilise du papier fabriqué à partir
de bois provenant de forêts gérées
de manière responsable.

12, avenue d'Italie – 75627 PARIS Cedex 13